SAVOIR
LÂCHER PRISE
2

MELODY BEATTIE

SAVOIR LÂCHER PRISE 2

366 nouvelles méditations quotidiennes

Traduit par Claire Laberge

BÉLIVEAU
éditeur

L'édition originale de cet ouvrage a été publiée sous le titre
MORE LANGUAGE OF LETTING GO
© 2000 Melody Beattie
avec l'autorisation de Hazelden Foundation
Center City, Minnesota 55012-0176, É.-U.

Réalisation de la couverture : Jean-François Szakacs

Tous droits réservés pour l'édition française
© 2002, *Éditions Sciences et Culture Inc.*

Dépôt légal: 3e trimestre 2013
Bibliothèque et Archives nationales du Québec
Bibliothèque et Archives Canada

ISBN 978-2-89092-594-6

BÉLIVEAU
★
é d i t e u r

920, rue Jean-Neveu
Longueuil (Québec) Canada J4G 2M1
514 253-0403/450-679-1933 Téléc.: 450 679-6648

www.beliveauediteur.com
admin@beliveauediteur.com

Gouvernement du Québec — Programme de crédit d'impôt pour l'édition de livres — Gestion SODEC — www.sodec.gouv.qc.ca.

Nous reconnaissons l'aide financière du gouvernement du Canada par l'entremise du Fonds du livre du Canada pour nos activités d'édition.

IMPRIMÉ AU CANADA

Ce livre est dédié à Dieu, à mes lecteurs,
à Brady Michaels et à sa famille
– sa mère, son père et son frère.

Comme tu nous l'as appris, Brady,
vivons en grand !
Tu nous manques et nous t'aimons.

Note de l'éditeur français

La recouvrance

Nous avons traduit par recouvrance le mot américain *recovery*. Il nous est apparu nécessaire de le définir pour ceux qui ne sont pas familiers avec les divers programmes Douze Étapes dans les groupes de soutien.

Dans les livres en langue anglaise, on rencontre fréquemment l'expression «la recouvrance est un processus» (*recovery is a process*). La lecture d'ouvrages américains nous a permis de préciser tout le champ notionnel du mot «recouvrance».

> *La recouvrance est un lent et graduel processus de prise de conscience, d'acceptation et de changement qui amène une personne à améliorer sa santé physique, à rétablir sa vie émotionnelle, à réhabiliter son état mental et à reconnaître l'existence d'un pouvoir spirituel.*

> *L'individu, en se joignant à un groupe de soutien, adopte progressivement les principes d'un Programme Douze Étapes pour restaurer sa dignité humaine et redevenir un être humain entier.*

Les citations

Pour certaines des citations contenues dans cet ouvrage, nous avons fait une traduction libre de l'anglais au français. Nous pensons avoir réussi à rendre le plus précisément possible l'idée d'origine de chacun des auteurs cités.

Note : Ce livre est basé sur des expériences vécues. Dans certains cas, les noms et les détails ont été modifiés pour protéger la vie privée des personnes en cause.

Table des matières

Remerciements

Je veux exprimer toute ma gratitude à :

Lawrence Hans pour les superbes idées et le contenu créatif, Rebecca Post pour son travail impeccable de révision et son détachement effectué avec amour, et tout le personnel dévoué d'Hazelden pour les nombreuses tâches minutieuses et invisibles qui font que des particules d'électricité se transforment en un livre qui se retrouve entre les mains d'une personne.

Mentions honorables

De faire partie de ma vie, de mes leçons et de ce livre, je remercie Kyle, Nichole, Julian, Andy, Pat, Old Dude, Peg, Martin, Frank, Rob l'instructeur de vol, Alex, Betsy, Lob, John et, bien sûr, Karl, le pilote le plus décontracté du monde.

Introduction

Ce livre est un recueil de récits, de méditations et d'activités – pour chaque jour de l'année. Vous pouvez vous en servir pour commencer votre année le 1er janvier. Ou vous pouvez entamer l'année à votre anniversaire de naissance, jour où certains croient que débute leur année personnelle. C'est le livre-compagnon du premier *Savoir lâcher prise* (pas un remplacement ni une édition révisée) et il peut être utilisé seul ou conjointement avec le premier. Vous pouvez vivre vos journées et utiliser ce livre pour aborder les questions soulevées au quotidien. Ou vous pouvez l'utiliser comme cahier d'exercices – ou «cahier de jeux» – afin de vous pencher sur des domaines précis et des questions qui vous tiennent à cœur pour l'année à venir, par exemple, mettre un terme à une relation ou à un comportement dépassé, atteindre des buts qui vous sont chers ou passer au niveau suivant au travail, en amour ou dans la vie.

Le récit du premier jour de chaque mois explore le thème du mois. Chaque sujet mensuel est un élément important dans le processus du lâcher prise. Vous remarquerez également que le saut en parachute, ma nouvelle passion, est devenu une merveilleuse métaphore de l'art de lâcher prise et de laisser Dieu accomplir pour nous ce que nous sommes incapables d'accomplir pour nous-même.

J'utilise le mot «Dieu» de façon prédominante pour désigner Dieu, une Puissance supérieure, Jéhovah ou Allah. Je peux écrire les pronoms «il» ou «elle» pour Dieu, selon mon humeur. Je n'ai aucune intention malicieuse, ni de discriminer ni d'offenser. Substituez n'importe quel mot qui vous plaît pour décrire votre conception de Dieu.

Les prières et les idées ne sont que des suggestions.

Que Dieu vous bénisse, vous, votre famille, vos amis et vos proches en cette année à venir. Et puissiez-vous vous diriger dans la joie sur le chemin que vous avez choisi de prendre, ou sur lequel vous avez été appelé.

Janvier

Croyez que le bien se manifestera

1ᵉʳ janvier   **Croyez que le bien
                                    se manifestera**

La journée de janvier était longue et monotone au Blue Sky Lodge. Nous venions de déménager. La maison était en chantier. La construction n'était pas encore commencée. Nous n'avions qu'un plan et un rêve. Il faisait trop froid et il pleuvait trop fort pour faire du parachutisme ou même pour rester dehors. Il n'y avait pas encore de meubles. Nous étions étendus par terre.

Je ne sais pas qui en a d'abord eu l'idée, lui ou moi. Mais presque en même temps, nous avons pris des crayons-feutres et avons commencé à dessiner sur le mur.

«Qu'aimerais-tu qu'il arrive dans ta vie?» ai-je demandé. Il a dessiné des hydravions, des montagnes et des bateaux quittant le port. Un dessin représentait un *cameraman* sautant d'un avion. «Je veux de l'aventure», dit-il.

J'ai dessiné des images d'une femme parcourant le monde. Elle allait dans des pays déchirés par la guerre, puis s'installait sur une clôture et observait. Elle explorait les montagnes et les mers, et plein d'endroits passionnants. Puis, j'ai dessiné un cœur autour de tous les dessins, et la femme était assise sur une pile de livres au milieu de toutes les aventures.

«Je veux des histoires, ai-je dit, où le cœur tient une grande place.»

En travers de tout son dessin, en grosses lettres, il a écrit le mot «Youpi».

Après coup, j'ai dessiné une femme parachutiste qui venait tout juste de sauter de l'avion. Elle avait peur et grimaçait. À côté d'elle, j'ai inscrit les mots «Détends-toi».

Au bas du mur, j'ai écrit: «L'avenir est seulement limité par ce qu'on peut voir maintenant.» Il a pris un marqueur, a rayé «est seulement» et y a substitué «n'est jamais».

«Voilà, dit-il, c'est terminé.»

Finalement, la maison a été nettoyée et la construction a pris fin. Les meubles sont arrivés. Et les dessins sur le mur ont été couverts de peinture jaune. Ce n'est que des mois plus tard que nous avons repensé au mur. Parfois lentement, parfois rapidement et parfois de façon insoupçonnée, chacun des dessins que nous avions faits sur le mur a commencé à se concrétiser et à se manifester.

«C'est un mur magique», ai-je dit.

Même si vous ne pouvez imaginer ce qui vous attend, détendez-vous. Les beaux dessins sont encore là. Le mur se couvrira bientôt de l'histoire de votre vie. Grâce à Dieu, l'avenir n'est jamais limité à ce qu'on peut voir maintenant.

Le mur n'est pas magique. La magie est en nous et en ce à quoi nous croyons.

Avant de parler le langage du lâcher prise, nous devons comprendre la puissance que recèle un comportement de lâcher prise et laisser Dieu agir.

Mon Dieu, aide-moi à faire ma part. Puis, aide-moi à lâcher prise et à te laisser faire ta part.

Activité. Méditez un moment sur l'année qui commence. Dressez une liste des choses que vous souhaiteriez voir se produire, des qualités que vous aimeriez acquérir, des choses que vous désireriez obtenir et faire, des changements que vous espéreriez qui surviennent. Ne limitez pas nécessairement la liste à cette année. Que souhaitez-vous qu'il arrive dans votre vie? Énumérez les endroits que vous aimeriez visiter et les choses que vous aimeriez voir. Laissez de la place à l'inattendu, à l'involontaire. Mais faites aussi de la place à la possibilité de ce que vous aimeriez – vos intentions, vos souhaits, vos rêves, vos espoirs et vos buts. Faites également la liste des choses sur lesquelles vous êtes disposé à lâcher prise – des choses, des gens, des attitudes et des comportements dont vous aimeriez vous libérer. Si tout était possible, vraiment tout, quelles possibilités aimeriez-vous connaître et voir?

2 janvier   Faire ma part

La meilleure façon d'être tendu, maladroit et confus, c'est de cultiver un esprit qui veut trop – qui pense trop.

– Benjamin Hoff, *Le tao de Pooh*

L'univers va nous venir en aide, mais il nous faut aussi faire notre part. Voici un acronyme, *Ma part,* qui vous aidera à vous souvenir de la signification de faire sa part.

Manifester – **A**vec amour

Pouvoir – **A**cceptation – **R**elaxation – **T**otale confiance

Trop souvent, nous nous disons que la seule façon de nous rendre du point A au point B – ou Z – est de nous crisper, de nous préoccuper un peu (ou beaucoup) et de vivre dans la crainte et l'anxiété jusqu'à la venue du résultat souhaité.

Ce n'est pas la voie du succès, mais celle de la peur et de l'anxiété.

Acceptez. Détendez-vous. Respirez. Lâchez prise. Faites-vous confiance, ainsi qu'à Dieu et à l'univers pour que la meilleure destinée possible se manifeste au moment opportun pour vous.

Mon Dieu, aide-moi à parcourir le chemin menant de la crainte et du contrôle au lâcher prise et à mon pouvoir véritable.

3 janvier   Donner vie à ses idéaux

Dans une histoire zen, deux moines marchent dans la rue après une forte pluie. À une intersection, ils rencontrent une belle jeune fille, élégamment vêtue, incapable de traverser la rue boueuse sans se salir.

«Venez, je vais vous aider», dit un des moines. La soulevant dans ses bras, il la transporte de l'autre côté. Les deux moines poursuivent leur marche en silence un bon moment.

«Nous avons fait vœu de célibat et nous ne sommes pas censés nous approcher des femmes. C'est dangereux, dit le deuxième moine au premier. Pourquoi avez-vous fait ça?»

«J'ai laissé la jeune fille au coin de la rue, dit le premier moine. Vous, est-ce que vous la portez encore?»

Il se peut que nous nous trouvions parfois dans une situation où nos idéaux entrent en conflit. Être bon et aimant envers une autre personne peut s'opposer à la valeur de notre engagement et de notre amour à notre propre égard.

Quand un idéal empiète sur un autre, servez-vous de votre jugement. Faites le bien pour les autres. Faites le bien pour vous-même aussi. Puis, laissez passer l'incident et poursuivez votre route.

Pour les moines de notre histoire, la bonne action signifiait habituellement de ne pas avoir de contact avec les femmes. Toutefois, devant une personne en détresse sur la route, la bonne action consistait à aider autrui. Les idéaux demeurent. La bonne pensée, la bonne action, la bonne parole – mais la voie menant à ces idéaux peut comporter des détours au cours de la vie. Soyez sensible et conscient de suivre un idéal et non une croyance inflexible.

Mon Dieu, aide-moi à reconnaître le moment où il est temps de lâcher prise.

Activité. Dans une activité précédente, nous avons énuméré nos buts et nos rêves. Déterminons maintenant les principes moraux et les idéaux selon lesquels nous voulons vivre, le code de conduite que nous aimerions suivre. Qu'est-ce qui vous importe le plus, que vos rêves se réalisent ou non, et que vos buts soient atteints ou non? Des exemples d'idéaux peuvent être de rester sobre, d'honorer ses engagements envers les autres et envers soi-même. Nombre de gens choisissent en plus d'autres valeurs spirituelles, comme la compassion, l'honnêteté, la tolérance. D'autres préfèrent vivre selon un idéal qu'ils appellent «conscience du Christ», ou «conscience de Bouddha», ou «les Douze Étapes» ou encore «les dix commandements». Dressez la liste de vos idéaux, et rangez-la avec celle de vos buts. Faites de ces idéaux la lumière qui éclaire votre chemin et qui vous permet de vivre en harmonie avec les autres et vous-même.

4 janvier   Savoir quand faire
des compromis

Il importe parfois de faire des compromis. Parfois, il peut être préférable de consentir aux désirs de l'autre pour avoir du plaisir en groupe ou en couple, ou dans l'intérêt de l'équipe. Parfois, les compromis sont dangereux. Il faut prendre garde de compromettre nos normes en vue d'obtenir l'approbation ou l'amour de quelqu'un.

Décidez quand vous pouvez faire des compromis, et quand vous ne le pouvez pas. Si ce n'est pas nuisible et que vous êtes ambivalent à propos d'une décision, alors faites un compromis. Si cela provoque une entorse à vos valeurs, un compromis n'est pas la chose à faire.

Est-ce convenable d'aller déjeuner avec une collègue attrayante si vous êtes marié? Peut-être, mais pas si le déjeuner mène à un dîner, qui mène ensuite à plus de temps passé ensemble, pour culminer en une aventure. Est-ce acceptable d'aller au bar avec des amis après le travail? Peut-être, mais pas si cela mène à une suite de décisions rationnelles qui violeront votre engagement à rester sobre.

Rappelez-vous que ce qui constitue un compromis acceptable pour une personne peut être inacceptable pour vous. Connaissez vos limites, vos valeurs et soyez conscient des dangers qui peuvent en découler lorsque vous les compromettez.

Mon Dieu, aide-moi à prendre conscience de mes limites. Donne-moi la force de ne pas compromettre les valeurs dont j'ai besoin pour m'aider sur mon chemin.

5 janvier   Bougez au bon moment

Nous visitions les ruines au monument national d'Hovenweep dans le sud-ouest des États-Unis. Un écriteau sur le sentier d'interprétation indiquait que les Anasazi avaient vécu il y a très longtemps le long du petit canyon étroit. Les archéologues ont tout fait pour déterminer ce que faisaient ces anciens Indiens et comment ils vivaient. Les écriteaux mentionnaient la position stratégique des habitations perchées de façon précaire sur une falaise, et s'interrogeaient sur la cause de la disparition soudaine de cet ancien groupe, jadis.

«Peut-être qu'ils se sont lassés de vivre ici et qu'ils sont partis», dit mon ami.

Nous avons ri en nous imaginant un groupe d'anciens sages assis autour du feu, un soir. «Vous savez, aurait dit l'un d'eux, je suis fatigué de ce désert. Déménageons à la plage.» Et dans notre histoire, ils le faisaient. Pas de mystère. Pas d'enlèvement par des extraterrestres. Ils déménageaient simplement, comme nous le faisons de nos jours.

Il est facile de romancer ce que nous ignorons. Il est facile de supposer que quelqu'un d'autre doit avoir une vision plus élargie, un but plus noble que de simplement aller au travail, avoir une famille et vivre sa vie. De toute éternité, les gens sont les gens. Nos problèmes ne sont ni nouveaux ni uniques. Le secret du bonheur est le même qu'il a toujours été. Si l'endroit où vous êtes vous rend malheureux, n'y restez pas. Oui, vous y êtes peut-être maintenant, vous y apprenez peut-être de dures leçons aujourd'hui, mais il n'y a aucune raison d'y rester. Si vous vous faites mal en touchant le poêle, n'y touchez pas. Si vous voulez être ailleurs, allez-y. Si vous voulez poursuivre un rêve, faites-le. Apprenez vos leçons là où vous êtes, mais ne vous fermez pas à votre capacité de bouger et d'apprendre de nouvelles leçons ailleurs.

Le chemin que vous suivez vous rend-il heureux ? Si non, il est peut-être temps d'en choisir un autre. Nul besoin d'une raison mystérieuse. Parfois, il fait trop chaud et sec, et la plage vous appelle.

Soyez là où vous voulez être.

Mon Dieu, donne-moi le courage de trouver le chemin du cœur. Aide-moi à bouger quand il en est temps.

6 janvier — Assumer la responsabilité de sa vie

Avant de sauter d'un avion, avant de pouvoir voler seul en avion, avant de descendre des rapides, avant de sauter en bungee, vous devez signer une renonciation.

La renonciation est un document indiquant que vous connaissez les dangers que comporte l'activité que vous allez entreprendre, que vous et vous seul avez pris la décision d'y participer, et que vous et vous seul êtes responsable du résultat.

Vous renoncez à votre droit de poursuite, de plainte et de réclamation – vous renoncez à tout sauf à risquer votre vie pour une nouvelle expérience.

Vous signez la renonciation pour libérer les autres de leur responsabilité en cas d'accident. Je crois que les renonciations sont un bon rappel qu'en bout de ligne personne d'autre que moi n'est responsable de ma vie. Il n'y a personne à blâmer, personne à poursuivre, personne à qui demander un remboursement. Je prends mes propres décisions et j'assume les résultats de ces choix chaque jour.

Et vous aussi.

C'est votre vie. Signez une renonciation disant que vous en prenez la responsabilité. Libérez-vous, de même que les autres.

Mon Dieu, aide-moi à comprendre les pouvoirs intrinsèques que je possède. Aide-moi à assumer la responsabilité de mes choix, et guide-moi vers les meilleures décisions pour moi.

Activité. Lisez attentivement la renonciation suivante. Remplissez les blancs en sachant bien ce que vous signez. C'est votre vie, après tout. Assumez la responsabilité de ce que vous faites.

RENONCIATION. Je reconnais qu'au cours de ma vie je devrai prendre de nombreuses décisions, comme où je veux vivre, avec qui je veux vivre, où je travaille, le plaisir que j'ai, et la façon dont je dépense mon argent et passe mon temps, y compris combien de temps je passe à attendre que les choses s'améliorent et que les gens changent, et qui je choisis d'aimer.

Je reconnais que de nombreux événements seront indépendants de ma volonté et que les décisions que je prendrai comportent des dangers et des risques inhérents. Les gens et la vie n'ont aucune obligation, quelle qu'elle soit, de répondre à mes attentes; je n'ai aucune obligation de répondre aux attentes de qui que ce soit. La vie est un sport à risque élevé, et je peux me blesser en cours de route.

J'accepte que toutes les décisions que je prends soient les miennes et seulement les miennes, y compris comment je choisis de composer avec les événements indépendants de ma volonté. Je renonce par la présente à mon droit de recours en tant que victime, y compris mes droits de blâmer, de me plaindre et de réclamer, ou de tenir quelqu'un responsable du chemin que j'ai choisi de suivre. Je suis responsable de ma participation – ou de l'absence de celle-ci – à la vie. Et j'assume l'entière responsabilité des résultats et des conséquences de toutes les décisions que je prends, sachant qu'en bout de ligne c'est à moi de choisir si je veux être heureux, joyeux et libre, ou rester misérable et piégé.

Même si certaines personnes me soutiennent et m'aiment volontairement, moi et moi seul suis responsable de prendre soin de moi et de m'aimer.

Signature :

Date :

7 janvier   Conserver sa vie
                                dans un journal

Conservez-vous votre vie en la consignant dans un journal ?

Parfois, je me sers d'un fichier d'ordinateur comme journal. Si je divague ou que je délire – que j'écris des choses qui pourraient m'embarrasser si quelqu'un les lisait – je verrouille le fichier à l'aide d'un code. Ce que j'écris dans mon journal, soit dans un ordinateur, soit dans un cahier italien vert, m'est exclusivement destiné.

Il y a maintes façons d'écrire un journal. Nous pouvons nous étendre sur le sujet qui nous vient, quel qu'il soit. C'est utile, surtout si nous sommes coincés. Nous pouvons nous servir de notre journal comme d'un dossier, en notant ce que nous avons fait ce jour-là. C'est un bon endroit pour consigner nos buts et explorer nos fantasmes et nos rêves. Nous pouvons écrire des poèmes ou des nouvelles. Ou écrire des lettres à Dieu ou à notre ange gardien, lui demandant conseil. Ou nous pouvons seulement dire ce qui s'est passé chaque jour, puis écrire comment nous nous sentons.

Les gens pourraient croire qu'il y a une bonne et une mauvaise façon d'écrire dans un journal, mais je ne suis pas d'accord. Le journal n'a pas de règles. Ce n'est qu'une façon d'enregistrer et de conserver notre vie.

Croyez-vous que votre vie vaille la peine d'être conservée? Je le crois. Si vous avez négligé de le faire, demandez-vous pourquoi.

Mon Dieu, aide-moi à prendre conscience des détails de ma vie et à les respecter.

Activité. Transcrivez votre liste de buts dans un journal, et commencez à y écrire vos réactions aux méditations et aux activités, chaque jour. Servez-vous de votre journal comme d'un livre de bord, pour consigner ce que vous faites et avec qui vous le faites, alors que vous poursuivez vos rêves. Ou servez-vous-en comme un moyen d'explorer comment vous vous sentez, qui vous êtes et ce que vous voulez faire. Conservez votre vie d'une manière qui a un sens pour vous.

8 janvier   Lâcher prise
pour sauver notre vie

Je me suis accroupie dans l'embrasure de la porte de l'avion, près de mon entraîneur de chute libre. Ma main droite empoignait la porte pour rester en équilibre. De ma main gauche, je tenais fermement le préhenseur sur mon entraîneur, un morceau de tissu rembourré sur sa combinaison.

C'était à moi de faire le décompte. «Prêts, hurlai-je. À vos marques…»

Je reculai et pris une autre respiration. «Prêts, à vos marques…»

J'ai entendu un ricanement. «Sors de l'avion, cria quelqu'un. Vas-y.»

J'ai relâché ma prise sur la porte, fermé les yeux et plongé tête première dans les airs – ma main gauche encore fermement agrippée au préhenseur sur mon moniteur de saut. Nous avons oscillé pendant un moment. Nous avions prévu nous faire face une fois dans les airs, je devais agripper le préhenseur sur son autre épaule, trouver mon équilibre, puis le lâcher.

Il s'est tourné pour me faire face. J'ai agrippé l'autre préhenseur. Ma descente était maintenant stable et je me tenais à deux mains. Il a hoché la tête, me signalant ainsi de lâcher prise.

J'ai fait non de la tête, prudemment, pour ne pas perdre l'équilibre.

Il a eu l'air confus et a de nouveau hoché la tête.

J'ai fait non de nouveau, m'accrochant plus fermement. J'ai regardé mon altimètre. Mille huit cent vingt-huit mètres. Merci, mon Dieu. Il était presque temps d'ouvrir le parachute. J'ai relâché mon emprise. J'ai simplement lâché prise. De toute évidence, je ne pouvais pas tirer sur ma corde de traction de façon sécuritaire si j'étais encore accrochée à lui.

Il était temps de sauver ma propre vie.

Mon entraîneur s'est reculé.

Je lui ai fait un signal, puis j'ai tiré sur ma corde de traction. Mon parachute a fait ce doux bruit de froissement, celui que j'en suis venue à reconnaître comme étant le son qu'il émet quand il s'ouvre bien et qu'il se remplit d'air, ralentissant ma chute en un flottement.

Super! me suis-je dit. *C'est vraiment agréable!*

Parfois nous sommes tellement effrayés que tout ce qui nous vient à l'esprit, c'est de nous accrocher. S'accrocher dans ce cas était une illusion stupide. Nous étions tous deux en chute libre. S'accrocher à une relation qui ne fonctionne pas, à une image de soi négative, à un emploi inadéquat, à des moments et des époques qui sont révolus ou à des émotions comme la peur et la douleur peut aussi être une illusion stupide.

Pour sauver notre propre vie, nous devons parfois d'abord lâcher prise.

Mon Dieu, montre-moi ce sur quoi je dois lâcher prise, et à quel moment le faire.

9 janvier   Se détacher avec amour

Dans le premier livre *Savoir lâcher prise,* j'ai raconté l'histoire de la gerbille. C'est une de mes histoires préférées sur le lâcher prise. La revoici donc.

Il y a longtemps, quand j'habitais le Minnesota, mes enfants voulaient un animal domestique. Ils voulaient un chiot mais j'ai refusé. Nous avions essayé d'avoir un oiseau, mais ses plumes tombaient. J'ai proposé un poisson rouge, mais nous avons plutôt convenu d'une gerbille.

Un jour, la gerbille s'est échappée. Elle est sortie de sa cage et a déguerpi sur le plancher. Elle courait si vite qu'aucun d'entre nous ne pouvait l'attraper. Nous l'avons regardée disparaître sous une fente du mur. Nous étions autour, ne sachant que faire, mais il n'y avait pas grand-chose qui pouvait être fait.

Dans les mois qui ont suivi, la gerbille a fait quelques apparitions furtives. Elle sortait de derrière les murs, courait dans la pièce puis se précipitait de nouveau dans les murs. Nous la pourchassions, nous jetant sur elle en criant.

«Elle est là! Attrape-la!»

Cette gerbille me causait du souci, même quand nous ne la voyions pas. «C'est impossible, me disais-je, je ne peux pas laisser une gerbille courir en liberté dans ma maison. Il faut faire quelque chose.»

Un petit animal, à peine plus gros qu'une souris, avait mis la maison sens dessus dessous.

Un jour, j'étais assise au salon, et j'ai vu la petite bête traverser le couloir à vive allure. J'allais me précipiter sur elle, comme d'habitude, puis je me suis arrêtée.

«Non, me suis-je dit. C'est terminé. Si cette gerbille veut rester dans les coins et recoins de la maison, je vais la laisser faire. J'en ai assez de me faire du souci à son sujet. Je ne la pourchasserai plus.»

J'ai laissé passer la gerbille sans réagir. Je me sentais un peu mal à l'aise de ma nouvelle réaction – celle de ne pas avoir de réaction – mais je m'y suis tenue, coûte que coûte. Avant longtemps, j'ai entièrement fait la paix avec la situation. J'avais cessé de combattre la gerbille. Un après-midi, quelques semaines après l'adoption de ma nouvelle attitude, la gerbille est passée près de moi, comme tant de fois auparavant, et je l'ai à peine regardée. La bête s'est arrêtée net, s'est retournée et m'a regardée. Je me suis précipitée vers elle, et elle a pris la fuite. Je me suis détendue.

«Très bien, ai-je dit, fais comme tu veux.» Et je le pensais.

Environ une heure plus tard, la gerbille est revenue; elle est restée à côté de moi et a attendu. Je l'ai prise délicatement et l'ai déposée dans sa cage, où elle a réélu domicile avec joie. Ne vous précipitez pas sur la gerbille. Elle est déjà effrayée. Et la pourchasser ne fait que la terrifier davantage et du même coup vous rendre fous.

Y a-t-il quelqu'un de qui vous souhaiteriez vous rapprocher? Y a-t-il dans votre vie une circonstance irrégulière que vous ne pouvez changer? Le détachement, particulièrement le détachement fait avec amour, est utile.

Mon Dieu, montre-moi le pouvoir du détachement comme outil dans toutes mes relations.

10 janvier — Appuyez sur un bouton différent

Si vous appuyez toujours sur le même bouton, vous obtiendrez les mêmes résultats. Si vous n'aimez pas les mêmes résultats, peut-être devriez-vous essayer un bouton différent.

«J'essaie encore et encore. Rien n'a l'air de changer. Je ne sais pas pourquoi il n'est pas capable d'essayer de me faire plaisir un peu plus; j'ai tellement fait pour lui.» «Les gens au travail n'apprécient tout simplement pas mes efforts, après tout ce que j'ai fait.»

Si vous constatez que vous réagissez aux mêmes situations de la même façon à maintes reprises, et que vous attendez un changement, arrêtez-vous! Si vous avez appuyé sur le même bouton à répétition, probablement que le seul résultat que vous obtiendrez est celui qui a eu lieu.

Examinez vos relations. Y a-t-il une situation qui se détériore irrémédiablement malgré vos efforts d'appuyer sur le bon bouton? Constatez-vous que vous réagissez aux mêmes situations de la même manière encore et encore, sans jamais être satisfait des résultats? Essayez-vous sans relâche la même chose, en attendant que quelque chose d'extérieur à vous change plutôt que de faire vous-même quelque chose de différent? Peut-être est-il temps de cesser d'appuyer sur le bouton, de vous éloigner et de faire autre chose.

Mon Dieu, donne-moi la lucidité de voir les situations de ma vie honnêtement et d'agir avec sagesse et responsabilité dans mes associations.

11 janvier   Lancez la balle

Un ami m'a dit: «Pour moi, lâcher prise c'est comme lancer une balle de baseball. Le problème, c'est que je ne veux pas laisser aller la balle.» S'accrocher à la balle est tentant. Nous l'avons dans la main. Pourquoi ne pas la garder là? Si l'on s'acharne sur un problème, on a au moins l'impression de faire quelque chose. Mais il n'en est rien. Nous ne faisons que tenir la balle, et nous risquons de retarder la partie.

Il n'y a rien de mal à tenter de résoudre le problème ou à offrir un conseil sollicité. Mais si nous avons fait tout ce que nous pouvions, et qu'il n'y a plus rien d'autre à faire que d'obséder, la personne à arrêter est nous-même.

Voici quelques règles :

- Si vous avez essayé de résoudre un problème trois fois, et l'obsession ne compte pas comme une aptitude à la résolution d'un problème, alors arrêtez-vous. Lâchez prise. Lancez la balle. Au moins pour aujourd'hui.

- Si quelqu'un vous demande un conseil, donnez-le-lui une fois. Puis, lancez-lui la balle. N'en dites pas plus.

- Si une personne ne demande pas votre avis, ou si vous avez donné votre avis et que l'on vous répond «non merci», il n'y a rien à lancer. La balle n'est pas entre vos mains.

Rappelez-vous les occasions où vous avez lâché prise de plein gré. Pensez à la façon dont les choses ont tourné pour vous alors. Rappelez-vous maintenant les occasions où vous avez résisté à lâcher prise. Que vous l'ayez voulu ou non, avez-vous finalement lancé la balle ?

Mon Dieu, montre-moi les avantages du lâcher prise.

12 janvier   Cesser de jouer
au tir à la corde

Lâcher prise peut être comme un jeu de tir à la corde avec Dieu.

Avez-vous déjà joué au tir à la corde entre un chiot et un vieux bas ou un jouet ? Vous tirez. Il tire. Vous l'enlevez de sa gueule. Il reprend sa prise et secoue, secoue en grognant. Plus vous tirez fort, plus fort il tire. Finalement, vous laissez aller. Alors, il revient immédiatement pour jouer encore.

Je n'ai jamais réussi à traiter ou à résoudre avec succès un problème dans ma vie en obsédant ou en contrôlant. Je n'ai rien accompli non plus en me faisant du souci. Et la manipulation n'a entraîné aucun résultat fructueux. Mais j'oublie tout cela de temps à autre.

Le meilleur résultat possible se produit quand je lâche prise. Ceci ne veut pas dire que les choses se règlent toujours à ma façon. Mais elles se règlent et en bout de ligne la leçon devient claire. Si nous voulons jouer au tir à la corde, nous le pouvons, mais ce n'est pas une technique efficace pour la résolution de problèmes.

Mon Dieu, aide-moi à m'abandonner à ta volonté.

13 janvier   Prendre soin de soi

Car lorsqu'une personne emprunte cette voie de la connaissance, elle ne regarde plus qu'intérieurement, apprenant à se changer elle-même plutôt que de tenter de changer les autres.

– RAV BRANDWEIN

Lâcher prise ne signifie pas qu'on est indifférent. Lâcher prise ne veut pas dire se fermer.

Lâcher prise signifie que l'on cesse de tenter de forcer les résultats et de contrôler la conduite des gens. Cela veut dire cesser de résister à l'état des choses, pour le moment. Cela veut dire que nous arrêtons de tenter l'impossible – contrôler ce qui nous échappe – et que nous nous concentrons plutôt sur ce qui est possible – ce qui se traduit habituellement par prendre soin de nous-même. Et nous faisons cela en toute délicatesse, bonté et amour, autant que possible.

Avez-vous réussi à vous faire croire que vous pouvez contrôler quelqu'un? Si tel est le cas, avouez-vous la vérité. Cessez d'essayer d'avoir du pouvoir là où vous n'en avez vraiment aucun. Exercez plutôt votre volonté d'une manière qui apportera des résultats. Le pouvoir dont vous disposez toujours est la capacité de lâcher prise et de prendre soin de vous.

Mon Dieu, aide-moi afin que lâcher prise et prendre soin de moi-même deviennent mon mode de vie.

14 janvier   Se dire «oui»

Êtes-vous équilibré? Partagez-vous votre temps, votre énergie, votre vie autant avec vous-même qu'avec votre entourage? Nous savons tous à quel point il est simple de dire «oui, oui, oui» chaque fois qu'on nous demande quelque chose. Après tout, c'est une façon de nous sentir bien, utile et aimé. Et plus nous disons *oui,* plus on nous en demande. Et nous nous disons que c'est une preuve d'encore plus d'amour.

Mais avant longtemps, nous disons *oui* à trop de choses. Nos relations nous laissent amers. *Ne peuvent-ils donc rien faire pour eux-mêmes? Rien ne se ferait ici si ce n'était de moi. N'y a-t-il personne d'autre pour prêter main-forte?* Au bout d'un certain temps, les choses ne se font plus, les promesses ne sont pas tenues, les relations se brisent. Et nous aussi.

Il peut en être autrement. Connaissez vos limites. Vous êtes l'une des personnes les plus importantes que vous avez à surveiller et à aimer. Équilibrez votre temps, votre énergie, votre vie avec votre entourage. Vous serez ainsi en mesure de donner plus librement et joyeusement, et vous serez plus ouvert aux cadeaux de l'univers.

Il n'y a rien de mal à donner aux autres. Mais il est bien de nous dire *oui* à nous-même aussi.

Mon Dieu, aide-moi à avoir une vie équilibrée. Aide-moi à apprendre à quel moment je dois me dire oui.

15 janvier   Se discipliner à lâcher prise

Cela peut sembler étrange, mais la façon d'abandonner le contrôle excessif est de devenir plus discipliné dans le lâcher prise.

– STELLA RESNICK, *THE PLEASURE ZONE*

Un jour, j'étais assise à la maison à me faire du souci quand un ami m'a téléphoné. Il m'a demandé comment j'allais. Je lui ai dit que j'étais inquiète. En réalité, j'étais sur le point d'obséder sur quelque chose qui se passait alors dans ma vie. «Tu ne peux rien y faire, m'a-t-il dit. Détends-toi, c'est indépendant de ta volonté.»

Ce dont parlait vraiment mon ami, c'était de la pratique de la discipline du lâcher prise. Après avoir raccroché, j'ai délibérément mis de côté mes soucis et mes obsessions. J'ai capitulé devant l'état des choses. Je me suis simplement détendue. C'était comme un miracle. J'étais en mesure d'aller de nouveau de l'avant.

Quand nous commençons à lâcher prise, il peut sembler presque impossible de seulement nous détendre et de laisser aller. Comme dans tout autre cas, grâce à la pratique et à la répétition, nous deviendrons plus habiles. Ce qui ne veut pas dire qu'on ne doit pas se souvenir de le faire. Cela veut tout simplement dire que lâcher prise deviendra plus facile, avec le temps.

Si vous excellez à vous inquiéter, à obséder ou à tenter de contrôler, exercez-vous délibérément à vous détendre et à lâcher prise jusqu'à ce que vous y excelliez aussi.

Mon Dieu, aide-moi à inscrire la discipline de la détente et du lâcher prise dans le quotidien de ma vie. Apprends-moi à lâcher prise avec grâce, dignité et aisance.

16 janvier   Laissez tomber

Comment lâchez-vous prise? *Je ne peux pas lâcher prise. C'est impossible de laisser aller ça.* Ces pensées peuvent nous traverser l'esprit quand nous nous inquiétons, nous acharnons et nous obsédons.

Prenez quelque chose autour de vous. Ce livre par exemple. Tenez-le fermement. Puis, laissez-le tomber. Lâchez-le. Laissez-le tomber de vos mains.

C'est ce que vous faites avec tout ce sur quoi vous obsédez et vous vous acharnez. Si vous le reprenez, lâchez-le de nouveau. Voyez-vous? Lâcher prise est un talent que n'importe qui peut développer.

La passion et le focus peuvent nous conduire sur notre chemin et nous aider à trouver notre voie. Mais l'obsession peut indiquer que nous avons de nouveau passé une frontière. Nous pouvons faire preuve de compassion mais aussi de fermeté envers nous-même et autrui en apprenant à relâcher notre emprise et à simplement laisser aller les choses.

Mon Dieu, aide-moi à comprendre que si j'obsède sur un problème, ce n'est pas parce que j'y suis obligé. Laisser tomber est un choix qui m'est toujours offert.

17 janvier   Détendez-vous.
Les réponses viendront

Laissez les réponses venir naturellement.

Vous êtes-vous déjà rendu dans une pièce pour aller chercher quelque chose et une fois là, vous avez oublié ce que vous étiez venu chercher? Souvent, plus on essaie de se souvenir, moins on y arrive.

Mais lorsque nous nous détendons et passons à autre chose pour un moment – que nous lâchons simplement prise – ce dont nous tentons difficilement de nous souvenir nous revient tout naturellement à l'esprit.

Lorsque je suggère de lâcher prise, c'est tout ce que je suggère de faire. Je ne prétends pas que le problème n'importe pas ou que nous devons faire taire toute pensée à ce sujet dans notre esprit ou que la personne qui nous est chère n'est plus importante. Tout ce que je dis, c'est que si nous pouvions faire quoi que ce soit à ce propos, nous l'aurions probablement déjà fait. Et en constatant que nous ne le pouvons pas, lâcher prise est habituellement utile.

Mon Dieu, aide-moi à me détendre et laisse mes réponses sur ce que je dois faire venir naturellement de toi.

18 janvier   Lâcher prise sur le passé

J'étais assise dehors sur la terrasse, un beau matin. Une brume légère recouvrait les cimes des montagnes Ortega. Les oiseaux chantaient. Mon esprit revint dix ans en arrière, à ma vie au Minnesota avec mes enfants, Shane et Nichole.

Shane était encore vivant à l'époque. Nichole vivait encore à la maison. Notre amour, notre lien familial, était très fort. «Nous nous réunirons toujours pour les anniversaires, avions-nous promis. Nos liens, notre amour vivront toujours.» Ce fut l'année la plus heureuse de ma vie. Je voulais retourner à cette époque. *Si seulement je pouvais le revoir, une minute. Si*

nous pouvions nous retrouver tous les trois de nou-
veau, pour une journée, la vie serait si merveilleuse.

Plus tard ce matin-là, je pris une carte de méditation zen Osho – non pour lire l'avenir, mais pour éclairer le moment présent.

Ma carte parlait de «s'accrocher au passé».

Elle disait: «Il est temps de faire face au fait que le passé a disparu, et que toute tentative de le répéter est une façon assurée de demeurer coincé dans de vieux plans que vous auriez déjà dépassés si vous n'étiez pas resté si occupé à vous accrocher à ce que vous avez déjà vécu.»

«Quelle idiote je suis, me disais-je en revenant sur ma terrasse et les montagnes Ortega. Même si ma vie est différente et que je m'ennuie des enfants, la vie est très belle aujourd'hui.»

Laissez-vous ressentir toutes les émotions et tous les sentiments liés à la perte de gens et de moments que vous avez aimés et chéris. Éprouvez toute la tristesse que vous jugez nécessaire. Faites votre deuil. Puis, laissez aller les sentiments et le passé. Ne laissez pas vos souvenirs vous empêcher de voir à quel point chaque moment de votre vie actuelle est beau et précieux.

Mon Dieu, aide-moi à lâcher prise sur hier pour que je puisse ouvrir mon cœur aux cadeaux d'aujourd'hui.

19 janvier   Vous êtes relié à la vie et à l'univers

«Mon ami est mort, et j'en fus secoué, m'a dit un homme, un jour. Je suis parti en voyage, je me suis baladé dans le sud-ouest et j'ai fait de la randonnée au Bryce Canyon. J'ai vu la neige dans les cavernes, les sommets rouges sculptés se profilant. J'ai vu l'immensité de l'univers et toute sa beauté. J'étais parti en voyage pour prouver à quel point j'étais unique et isolé dans mon deuil. Mais à la fin du voyage, je me suis rendu compte à quel point je suis relié à ce monde.»

Dans une certaine mesure, lâcher prise consiste à reconnaître que vous faites partie de l'univers, que vous n'en êtes pas distinct.

Une situation est peut-être survenue dans notre vie récemment qui indique une finalité – le décès d'un parent, la fin d'une relation, la perte d'un emploi. Les gens que nous aimons et les choses que nous faisons contribuent à notre perception de qui nous sommes. Lorsque les gens et les choses que nous aimons sont menacés, nous sont enlevés, nous pouvons nous rebeller. Nous voulons nous accrocher au connu et ne voulons pas voir ce qu'il y a de l'autre côté.

Lâchez prise sur l'incontrôlable dans votre vie. Vous n'êtes pas un être isolé dans ce grand univers, déterminé à lutter contre toutes les forces; vous êtes partie d'un tout. Et les changements qui surviennent – qu'ils soient joyeux ou tristes, faciles ou difficiles – ne sont qu'une partie du processus de croissance que nous traversons tous.

Ressentez la douleur lorsque vous subissez une perte. Ressentez la joie quand vous triomphez. Puis, lâchez prise et continuez à grandir.

Voyez comme vous êtes connecté.

Mon Dieu, aide-moi à reconnaître que je fais partie de ta création et que je n'ai pas besoin de lutter. Aide-moi à vivre en paix et à célébrer la vie.

20 janvier   Aller aussi loin que possible

L'acceptation totale n'existe pas. Quand vous êtes en mesure de vous souvenir d'une perte avec un peu de recul et beaucoup moins de douleur, vous avez accepté cette perte et l'avez pleinement pleurée. Vous acceptez que la vie est différente maintenant et poursuivez votre chemin.

– DAVID VISCOTT, *EMOTIONALLY FREE*

Il y a certains événements que nous n'accepterons peut-être jamais complètement. Ce que nous pouvons cependant accepter, c'est que nous devons vivre avec ces pertes et trouver un moyen de continuer.

Certaines personnes ont subi une violence horrible dans l'enfance, au-delà de tout ce qu'on peut demander à quelqu'un d'endurer. Certains d'entre nous ont connu des pertes impensables plus tard dans leur vie. Un conjoint nous a peut-être trahi. Nous avons pu perdre notre famille à cause d'un divorce. Nous avons peut-être perdu notre santé physique dans un accident ou une maladie. Un être cher est peut-être décédé.

Vous pouvez très bien cesser d'attendre et d'espérer l'acceptation totale de l'impensable dans vos vies. Faites plutôt doucement une chose chaque jour pour démontrer que vous êtes disposé à aller de l'avant dans votre vie.

Mon Dieu, donne-moi de la compassion pour moi-même et les autres. Aide-moi à apprendre la douceur envers les cœurs meurtris, y compris le mien.

Activité. Dressez la liste de toutes les questions que vous voulez poser à Dieu, les «pourquoi». Par exemple, pourquoi untel devait-il mourir, pourquoi ai-je eu à perdre ma famille, pourquoi cela m'est-il arrivé? Puis, autant que possible, ne vous acharnez pas sur ces questions. Croyez que vous aurez vos réponses peut-être plus tard, quand vous parlerez face à face avec votre Puissance supérieure. Pour l'instant, laissez ces questions être les mystères irrésolus de l'existence.

21 janvier — Essayez de partager avec quelqu'un d'autre

Lorsque nous mettons en réserve ce qui nous est donné, nous fermons la porte à en recevoir davantage. Si vous ressentez une stagnation dans votre vie, partagez une partie de ce qui vous a été donné.

Lâchez prise sur une partie du chagrin que vous avez subi en partageant votre expérience et la compassion que vous en avez tirée avec quelqu'un d'autre. Partagez votre succès en enseignant vos méthodes à quelqu'un d'autre. Partagez l'abondance qui vous est donnée, faites des dons à une œuvre de bienfaisance ou à une église. Donnez de votre temps, de votre argent, de vos talents. En donnant, vous ouvrez la porte à recevoir davantage.

Partager notre expérience, notre force et notre espoir est essentiel dans le programme des Douze Étapes. C'est une clé pour toute la vie, que nous nous rétablissions ou non de dépendances.

Trouvez une façon de donner de vous-même. Ce sera peut-être aussi simple que de payer la note au restaurant le midi. Proposez votre aide à un projet local. Trouvez simplement une façon modeste de donner. Donnez sans idée de rétribution. Ne cherchez pas un remerciement, donnez sans attendre en retour. Soyez conscient de ce que vous ressentez dans l'acte de partager; soyez conscient de la lueur que vous ressentez au plus profond de votre âme. Puis, refaites-le. Continuez à partager des petites parties de vos cadeaux – votre expérience, votre force et votre espoir – jusqu'à ce que le partage devienne un aspect naturel de votre être.

Ouvrez votre cœur à tout ce que vous avez reçu en partageant vos cadeaux avec quelqu'un d'autre. Cette petite lueur que vous avez sentie la première fois au creux de votre âme rayonnera bientôt dans votre vie. Peut-être avons-nous donné compulsivement et sans joie à un moment de notre vie. La réponse n'est pas de cesser définitivement de donner. C'est d'apprendre à donner avec joie.

Mon Dieu, aide-moi à donner abondamment de ce qui m'a été donné. Enseigne-moi comment donner, de sorte que ce que je donne et ce que je reçois soient sains et libres de tout attachement.

22 janvier   Lâcher prise sur ses plans

Lâcher prise peut sembler si peu naturel. Nous travaillons fort en vue d'obtenir une promotion, une relation, une nouvelle voiture, des vacances. Puis l'univers a l'audace de venir gâcher nos plans. Comment ose-t-il ! Et alors, plutôt que de nous ouvrir aux expériences qui nous attendent, nous nous accrochons aux plans que nous avions faits pour nous. Ou nous nous enfonçons dans l'amertume engendrée par l'effondrement de nos plans.

Parfois, perdre nos rêves et nos plans d'avenir peut faire aussi mal que de perdre un bien tangible. Accepter et laisser aller nos rêves brisés fait partie de l'acceptation d'une perte.

Lâchez prise sur vos attentes. L'univers fera comme il l'entend. Parfois, vos rêves se réaliseront, et parfois non. Lorsque vous lâchez prise sur un rêve brisé, un autre prend doucement sa place.

Soyez conscient de ce qui se produit, et non de ce que vous aimeriez qu'il se produise.

Mon Dieu, aide-moi à lâcher prise sur mes attentes et à accepter les cadeaux que tu me donnes chaque jour, sachant qu'il y a de la beauté et du merveilleux dans chaque geste de vie.

23 janvier   Se souvenir de lâcher prise

Un ami m'a demandé de venir dans la pièce d'à côté. Je ne voulais pas bouger. J'étais plongée dans une obsession, me débattant avec une chose que je ne pouvais pas changer, du moins pas pour le moment. À contrecœur, je suis allée à la fenêtre où il se trouvait, marchant de cette façon raide, artificielle que nous empruntons quand nous sommes obsédés.

«Regarde le clair de lune qui se reflète sur les vagues», dit-il.

J'ai regardé les ondulations blanches et scintillantes de l'océan, comme des diamants dans la nuit.

Nous avons parlé un moment, nous demandant si c'était de la phosphorescence – ce phénomène rare et délicieux qui fait briller la mer dans le noir – ou si c'était simplement le clair de lune dansant sur les vagues. Nous avons conclu que c'était la lumière.

Je me suis éloignée, un peu plus détendue. Lâcher prise n'est pas une chose que nous faisons pour manipuler l'univers afin qu'il nous donne ce que nous voulons. C'est une façon d'ouvrir nos cœurs pour recevoir ses cadeaux et ceux que Dieu a pour nous.

Mon Dieu, aide-moi à me rappeler que je n'ai pas à
lâcher prise aujourd'hui, mais que je serai plus heu-
reux si je le fais.

24 janvier   Apprendre à laisser

Quelqu'un a dit, «Lâchez prise et laissez faire
Dieu» et c'est une merveilleuse recette pour vaincre
la peur ou se sortir d'un piège. De toute façon, la
règle de la création est toujours de laisser.

– EMMET FOX

Un de mes amis, Darren, garde un programme dans son ordinateur. Il l'a lui-même développé et nommé «Jeu de lumière». Il y enregistre toutes les manifestations de l'orientation ou de l'intervention divine, de prières exaucées et d'événements fortuits et heureux de sa vie. Chaque fois qu'il se met à douter de la présence d'une force bienveillante, qu'il cesse de faire confiance à la vie, qu'il se sent abandonné ou qu'il se demande dans quelle mesure il est sage de croire en Dieu, il se tourne vers son propre jeu de lumière pour se souvenir à quel point il est vraiment efficace et sage de lâcher prise.

Les gens peuvent révéler aux autres combien il est miraculeux de lâcher prise, combien il est avantageux de pratiquer une politique de non-intervention quand il s'agit de manipuler ou de contrôler les affaires d'autrui, combien il est étonnant de lâcher prise sur ses objectifs et de laisser la nature suivre son cours. Je pourrais vous dire à quel point il est avantageux de lâcher prise pour créer des relations saines.

Mais c'est mon jeu de lumière. Pourquoi ne pas créer le vôtre? N'essayez pas, ne forcez pas, n'arrangez rien. Lâchez. *Laissez* les choses se produire. Lâchez prise et laissez faire Dieu.

Mon Dieu, montre-moi comment lâcher prise peut être bénéfique dans ma vie.

Activité. Démarrez un fichier dans votre ordinateur ou consacrez une partie de votre journal à un jeu de lumière. Illustrez comment vous essayez de contrôler un problème ou une personne ou l'issue d'une situation donnée. Inscrivez cet incident dans votre jeu de lumière. Puis, exercez-vous à lâcher prise. Notez ce qui vous a aidé, tout moyen utilisé, comme la méditation ou la prière. Quand le problème est résolu ou que le but est atteint ou que vous obtenez simplement la grâce et la tranquillité de vivre sans effort avec un problème irrésolu, inscrivez-le dans votre journal. Quand vous aurez besoin d'être rassuré, consultez votre jeu de lumière.

25 janvier   Que voulez-vous?

Imaginez-vous allant au comptoir d'un établissement local de restauration rapide et demandant si votre commande est prête. «Quelle commande?» demanderait la commis. «Avez-vous téléphoné?» «Non, mais je croyais que vous auriez quelque chose pour moi derrière le comptoir, de toute façon.»

C'est absurde, diriez-vous. *Comment puis-je m'attendre à ce qu'ils aient un repas prêt pour moi alors que je n'ai pas encore commandé?*

Exactement. Et comment pouvez-vous vous attendre à ce que la magie de l'univers vous apporte les choses et les expériences que vous désirez dans votre vie si vous ne les avez pas encore nommées?

Avez-vous déjà passé votre commande? Peut-être y avez-vous songé au début de l'année, mais vous avez mis cela de côté jusqu'à ce que vous ayez plus de temps pour y réfléchir. Et chaque jour, vous vous réveillez et demandez au comptoir de la vie : «Qu'est-ce que vous avez pour moi ?»

Si vous n'avez rien demandé, vous devrez sans doute vous contenter de ce que la vie vous a réservé. Pourquoi ne pas prendre le temps de demander ? Vous n'avez pas à être très précis, ne demandez que ce que vous voulez. Vous voulez de l'aventure ? Inscrivez-le sur la liste. De l'amour ? Écrivez-le. Il n'y a aucune garantie que vous allez recevoir tout ce que vous demandez. La vie a peut-être d'autres projets pour vous. Mais vous ne saurez jamais si vous pouvez obtenir ce que vous voulez, à moins de savoir de quoi il est question et de le demander.

Mon Dieu, aide-moi à avoir le courage de transmettre à ma conscience, et à Toi, les désirs de mon cœur.

26 janvier   Soyez un thermostat

Il y a un thermomètre sur ma véranda arrière. Il me dit quand il fait assez chaud pour aller nager.

À l'intérieur, il y a un thermostat. Le thermostat indique non seulement dans quelle mesure il fait chaud ou froid, mais il agit aussi sur la température. Si celle-ci devient trop chaude, le thermostat signale au climatiseur de rafraîchir la maison, et s'il fait trop froid, il commande au chauffage de faire son travail.

Lequel êtes-vous ? Êtes-vous un thermomètre – reflétant seulement les attitudes de votre entourage ? Ou êtes-vous un thermostat – déterminant votre propre ligne de conduite et vous y tenant ? Les personnes-thermomètres savent souvent où elles sont, mais n'y font rien cependant. *Je suis coincé dans cette relation. Je suis vraiment en colère, amer et triste.* Les personnes-thermostats savent aussi où elles sont. Elles choisissent toutefois d'y faire quelque chose. *Je suis dans cette relation, et je vais faire tout ce que je peux pour l'améliorer. Mais s'il le faut, je vais m'en retirer.*

Être un thermostat signifie que nous prenons les mesures appropriées pour prendre soin de nous.

Mon Dieu, aide-moi à apprendre à réagir, quel que soit le milieu où je me trouve, en prenant les mesures appropriées pour prendre soin de moi.

27 janvier   Trouver l'aventure
dans sa vie

Il avait quitté son emploi huit semaines auparavant, enfant prodigue parti à la recherche de son histoire en ce monde. Il est revenu en ville sale, hirsute, fatigué et souriant. Il avait 7,00 $ en poche, disait-il. Assez pour un hamburger et des frites, si quelqu'un pouvait l'emmener – il n'y avait pas assez d'essence dans sa voiture pour faire l'aller-retour au restaurant. Nous nous apprêtions à aller dîner et l'un d'entre nous lui a demandé s'il voulait se joindre à nous. «Je te paie la traite, dit un ami, pourvu que tu nous racontes des histoires.»

Ce qu'il fit.

Oh! quelles histoires il nous a relatées de son voyage dans l'Ouest – les hautes montagnes, les canyons profonds, le mal de l'altitude, les nuits glacées. Les histoires se succédaient et nous écoutions devant des assiettes de tacos.

«Mais que vas-tu faire maintenant? ai-je demandé plus tard. Tu n'as que sept dollars à toi.»

«Ça va, répondit-il. Je vais retourner au travail pour un certain temps.»

«Et puis?»

«Je vais faire un autre voyage. L'an prochain, je vais en Europe voir ce qu'il y a là-bas.»

Courir sa chance. Nous ne sommes pas tenus de nous installer et de vivre dans la première boîte sûre et confortable que nous trouvons. Nous pouvons vivre dans l'instant présent, en tirer tout ce que nous pouvons, puis étendre nos ailes et voler ailleurs. Je ne vous dis pas de quitter votre emploi et de partir en excursion, sac au dos, à moins que ce soit ce que vous vouliez faire. Tout ce que je dis, c'est qu'il est possible que vous vouliez suivre votre cœur. Apprenez à cuisiner, à peindre, partagez ce que vous savez en donnant un cours. Trouvez l'aventure dans votre vie, calculez le risque, puis prenez-le.

Mon Dieu, remets l'aventure dans ma vie. Si je suis devenu trop en sécurité dans mon petit monde, aide-moi à prendre un risque. Aide-moi à apprendre à vivre en grand.

28 janvier   La magie de nos croyances

Il y a une église dans la ville de Chimayo, au Nouveau-Mexique. Selon la rumeur, la terre qui l'entoure a des propriétés spéciales de guérison. Bien avant que l'église n'existe, il y avait une source jaillissant du terrain voisin. Les Indiens Tewa de la région croyaient que cette source avait des propriétés magiques et qu'en buvant cette eau, leurs infirmités pourraient disparaître. Les eaux se sont finalement taries, ne laissant qu'une mare boueuse, mais les pèlerins venaient encore y chercher la guérison. Enfin, même la boue a séché et est devenue poussière, mais les Tewa venaient encore. Ils mangeaient la poussière ou la mélangeaient à de l'eau et la buvaient. Et bien souvent, elle les guérissait.

43

Puis, les Espagnols ont construit une église dans la région. Comme les histoires de guérison par la poussière magique persistaient, l'église décida de se mêler aux croyances locales plutôt que de tenter d'éliminer la superstition.

Aujourd'hui, les gens viennent encore au sanctuaire de Chimayo pour se faire bénir ou pour recueillir un peu de terre du El Pocito, le petit puits du vestibule. Ils croient toujours que la poussière les guérira. Et souvent, c'est le cas.

La poussière est-elle magique? Je ne sais pas. Mais il y a de la magie dans ce que nous croyons.

Nos croyances prédisent l'avenir mieux que toute boule de cristal ou voyante peut le faire. Tel un homme pense en son cœur, tel il est, dit un livre saint. Soyez conscient de vos pensées et croyances. Ce que vous pensez et croyez aujourd'hui, que ce soit *je ne peux pas* ou *je peux,* est ce que vous manifesterez demain.

Avez-vous des croyances à l'heure actuelle qui vous retiennent? Quels sont vos *je peux* et vos *je ne peux pas*? Prenez un moment. Regardez dans votre cœur. Examinez ce que vous tenez pour vrai. Y a-t-il un domaine de votre vie qui pourrait profiter d'une pensée ou d'une croyance différente?

Si vous devez utiliser le pouvoir de votre esprit, qu'il vous serve pour créer une croyance positive. Parfois, une toute petite parcelle de magie est tout ce qu'il faut pour changer notre vie.

Mon Dieu, aide-moi à croire ce qui est bon et vrai sur moi-même, sur la vie et sur les autres. Montre-moi le pouvoir et la magie de ce que je crois, et aide-moi à le comprendre.

29 janvier   **Se protéger
                                 des influences négatives**

Après une longue pluie torrentielle dans le désert, j'observais de petites gouttes de ruissellement glisser de la paroi d'un rocher dans de petites indentations du roc. Chaque goutte tombait exactement au même endroit que la goutte précédente, et au fil des ans, cette procession avait creusé un trou minuscule dans la pierre. Je regardai les autres rochers autour et je vis qu'eux aussi étaient pleins de trous causés par les effets lents mais constants de l'érosion.

Les relations médiocres peuvent être comme cette pluie. Nous empruntons la voie de l'apprentissage et de l'amélioration personnelle avec les meilleures intentions, mais petit à petit, nos efforts sont sapés par les associations que nous choisissons. Nous avons un avantage sur ces rochers cependant.

Nous pouvons nous déplacer.

Peut-être que vous avez laissé saboter vos efforts par de mauvais amis, de mauvaises pensées ou une influence négative quelconque. Vous avez le choix. Vous pouvez choisir de rester sous la pluie de la négativité qui vous usera lentement ou vous pouvez trouver un abri, un groupe de soutien composé de personnes animées par les mêmes idées, un bon livre ou un programme, un prêtre ou un mentor, un ami obligeant et positif.

Soyez conscient de la pluie négative dans votre vie. Si même une pierre peut se faire user avec le temps par la pluie constante, alors raison de plus pour être conscient des influences dans votre vie. Recherchez ce qui est édifiant, et trouvez refuge contre ce qui peut saper votre détermination.

Mon Dieu, protège-moi des influences négatives qui érodent mes croyances. Aide-moi à me protéger moi-même. Entoure-moi de ce qui est positif, édifiant et inspirant.

30 janvier   Voyez aussi le bien en vous

«Fais-moi voir tes mains, dit-elle, tenant douce-ment ma main droite près de la sienne. Regarde, nous avons les mêmes mains.»

Ma fille était folle de joie de découvrir que nos doigts avaient la même taille, la même courbe et que même nos poignets avaient la même forme. J'étais chez elle cet après-midi-là pour lui rendre visite, ainsi qu'à son enfant et son mari. Nous nous étions échap-pées pour passer quelques minutes tranquilles ensem-ble. Plus tard le même soir, de retour à la maison, elle me téléphona.

«Tu sembles si enthousiasmée et intéressée par nos mains», dis-je.

«J'ai toujours pensé que tes mains étaient telle-ment belles. Puis je regardais les miennes, et je me disais qu'elles étaient peut-être comme les tiennes, mais je n'en étais pas certaine jusqu'à ce que nous les regardions aujourd'hui. C'est tellement super que mes mains ressemblent exactement aux tiennes.»

Il est si facile de voir et de remarquer ce que nous aimons chez les autres. Parfois, ce n'est pas si facile de voir les qualités et la beauté en nous-même. C'est bon de voir la beauté chez les autres. Mais quelque-fois, prenez un moment et réjouissez-vous de ce que vous remarquez de beau en vous aussi.

Nous entendons beaucoup parler des gens qui nous reflètent nos défauts. Vous savez – ce que vous n'aimez pas chez l'autre est probablement ce que vous n'aimez pas en vous. C'est souvent vrai, mais les gens peuvent aussi nous renvoyer l'image de nos désirs, de nos espoirs, de nos qualités et de nos forces. Il y a de fortes chances que ce que vous voyez et admirez chez les autres soit un miroir qui vous renvoie vos bonnes qualités.

Mon Dieu, aide-moi à voir la beauté et le bien dans cette vie. Aide-moi à être conscient de ce que j'aime chez les autres, de sorte que je puisse mieux définir ce que j'aspire à devenir.

Activité. Choisissez cinq personnes dans votre vie que vous aimez et respectez. Dressez la liste des qualités que vous admirez chez elles. Maintenant, voyez combien parmi ces qualités pourraient adéquatement servir à vous décrire. Si vous ne croyez pas déjà posséder ces qualités, se peut-il que vous vous sous-estimiez? Ou ces qualités décrivent-elles ce que vous aspirez à être? Si vous définissez de nouvelles aspirations, transcrivez-les sur votre liste de buts. Voyez-vous comme il est facile de commencer à définir et à préciser vos rêves?

31 janvier   Sachez lâcher prise

Parfois dans nos vies, nous pouvons lâcher prise instantanément. Nous reconnaissons que nous nous acharnons ou que nous obsédons sur une situation en particulier, et nous lâchons simplement prise. Nous laissons tomber. Ou nous rencontrons quelqu'un qui a un problème et nous adaptons instinctivement une attitude de non-intervention, sachant que nous ne sommes pas responsables de prendre soin des autres. Nous disons ce que nous avons à dire, et nous lâchons prise presque automatiquement pour nous concentrer sur prendre soin de nous-même.

D'autres fois, c'est moins facile. Nous pouvons être entraînés dans une situation face à laquelle il semble tout à fait impossible de lâcher prise. Nous devenons enchevêtrés dans un problème, ou avec une personne, qui semble nous obliger à nous accrocher plus fermement, alors que lâcher prise est la clé.

Nous savons que nous *ne devrions pas* obséder, mais nous semblons incapables d'arrêter.

Un jour, il y a bien des années, quand j'étais au Minnesota, mon fils m'enlaçait très fort. Il ne voulait pas lâcher prise. J'ai commencé à vaciller et j'ai perdu l'équilibre.

«Shane, lui reprocha Nichole, vient un temps où il faut lâcher prise.»

Parfois, lâcher prise se fait par étapes. Parfois, ça peut se traduire par devenir plus conscient. Parfois, cela implique un examen approfondi des sentiments cachés derrière notre comportement. Apprendre à lâcher prise peut entraîner l'acquisition d'une plus grande confiance et d'une meilleure estime de soi. Parfois, cela veut simplement dire faire preuve de gratitude pour ce que sont les choses.

Soyez tendre à votre égard et envers les autres alors que vous apprenez à lâcher prise. Parfois, malgré tout ce que nous savons, lâcher prise prend du temps.

Mon Dieu, aide-moi à me rappeler que lâcher prise est un comportement puissant qui peut changer ma vie et affecter celle des autres. Aide-moi à être patient avec les autres et moi-même, à mesure que lâcher prise devient un mode de vie.

Février

Dites Youpi

J'ai revêtu mon équipement de parachutiste et me suis dirigée vers l'avion. J'étais encore là, prête à y aller. J'avais déjà les mains moites, je sentais ma lèvre trembler. Pourquoi continuais-je à m'infliger cela?

Une fois à bord de l'avion, je me suis prêtée à ce qui était devenu une habitude pour moi. *Je n'ai pas à faire ceci,* me disais-je. *Je saute de mon plein gré. Ce n'est pas une obligation.* Ne voulant pas me mettre davantage dans l'embarras face à l'autre parachutiste plus expérimenté, j'ai passé mon anxiété en m'agitant. Je tripotais l'altimètre dans ma main et la courroie de mon casque.

Je voulais dire à mon moniteur de saut que je ne pouvais pas sauter parce que je faisais une crise cardiaque, mais je savais qu'il ne me croirait pas. Ce n'était que de l'anxiété, de la peur atteignant des proportions impossibles, incontrôlables.

Un ami était assis en face de moi, m'observant. «Comment ça va, Mel?» m'a-t-il demandé.

«J'ai peur», ai-je répondu.

«Dis-tu *youpi*?»

«Qu'est-ce que tu veux dire?»

«Quand tu arrives dans l'embrasure de la porte et que tu sautes, dis *youpi*. Ça ne peut pas aller mal si tu le dis.»

Je me suis rendue à la porte de l'avion, je me suis hissée à l'extérieur et j'ai attendu le signal de mon moniteur de saut indiquant qu'il était prêt pour le décompte.

«Prêts, ai-je dit. À vos marques.» Puis, de toutes mes forces, j'ai hurlé «YOUPI» si fort que les parachutistes à l'arrière de l'avion m'ont entendue.

Mon moniteur de saut m'a suivie hors de l'avion puis s'est posté en face de moi. Je l'ai regardé et j'ai souri. Et j'ai souri encore plus. *Alors c'est donc pour cette raison que je fais cela,* me suis-je dit. *Parce que c'est tellement grisant.*

C'était mon meilleur saut à ce jour.

Nous sautons dans l'inconnu quand nous avons un bébé ou un nouvel emploi.

Parfois, cependant, nous ne choisissons pas notre expérience. Je me rappelle m'être assise sur un lit d'hôpital après la mort de Shane, sachant que le chemin que j'allais emprunter n'aurait rien de grisant. *Mon Dieu, je ne veux pas traverser cela,* me disais-je. *Ça ne finira pas dans trois mois ou un an. Je vais vivre avec cela jusqu'à la fin de mes jours.* Je me revois dans le stationnement, à l'arrière du tribunal, après mon divorce d'avec le père des enfants. J'ai respiré à fond, me sentant euphorique et libre. Et à la deuxième respiration, j'étais remplie de terreur et d'angoisse. Mon Dieu, j'étais désormais un parent célibataire pauvre avec deux enfants à élever.

Parfois, nous sautons de l'avion délibérément. Parfois, on nous pousse.

Ressentez votre peur, puis laissez-la aller. La crainte n'est qu'un préjugé envers l'avenir. Après avoir examiné toutes les possibilités et probabilités, nous décidons à l'avance que nous allons avoir la pire expérience possible. Alors, lâchez prise sur la peur également.

Agitez-vous s'il le faut. Demandez-vous ce que vous faites là. Puis allez à la porte et faites le décompte. Voyez quel plaisir vous pouvez avoir quand vous sautez dans l'inconnu et que vous sentez l'exaltation d'être pleinement vivant.

Mon Dieu, aide-moi à respirer à fond et à hurler youpi.

2 février   Lâcher prise sur les peurs déraisonnables

Nous avions planifié cette journée tout le mois. Nous y étions enfin. Mon ami et moi allions en kayak sur l'océan – une première pour nous deux.

Nous avions le kayak et les gilets de sauvetage. Il est arrivé à la maison, prêt à y aller. Le soleil brillait et les vagues étaient suffisamment calmes pour être en sécurité. Il s'était préparé minutieusement à cette activité. Il portait un chapeau, une chemise hawaïenne et de grosses sandales.

Nous avons revêtu les gilets de sauvetage. Un homme est venu nous donner la formation sur la bonne façon de faire du kayak. J'étais la première. J'avais peur, mais pas trop. Je savais que si nous chavirions, je flotterais.

J'ai sauté dans le kayak. L'instructeur nous a poussés vers le large avant que la grosse vague arrive. Il a sauté à bord. Nous pagayions allègrement. Quand la grosse vague est arrivée, j'ai crié «Ah!» et j'ai levé ma pagaie bien haut au-dessus de ma tête, comme me l'avait indiqué l'instructeur, pour être en sécurité.

Nous avons traversé trois autres de ces vagues. Elles semblaient énormes. J'ai eu peur à chaque fois. Mais nous avons bientôt passé le ressac, et sommes arrivés dans un endroit calme. Nous avons pagayé pendant un moment. Puis, il a fallu retourner sur la rive et entraîner mon ami. J'étais enchantée. Avec un peu plus de formation, mon ami et moi serions prêts à mener le kayak ensemble.

Je suis sortie du kayak que mon instructeur tenait en place. Mon ami est monté à bord, pour aller avec l'instructeur vers le large. À ce moment, une vague est arrivée. Mon ami s'est énervé et s'est mis à trembler. Il a hurlé. Le bateau s'est renversé. Il est tombé.

Il était couché dans l'eau. Le bateau a glissé près de sa tête. Il s'est mis à hurler de plus belle.

«Ce n'est qu'un morceau de plastique, lui dis-je calmement. Tu n'as qu'à le déplacer.»

«Je suis en train de me noyer», dit-il, s'étouffant avec des gorgées d'eau.

«Mais non, dis-je. Tu es encore sur la rive. Tu as de l'eau dans la bouche parce que tu as crié. Tu n'as qu'à t'asseoir.»

Il s'est assis. L'instructeur a poliment dit que les vagues devenaient un peu hautes et qu'il ne croyait pas être en mesure d'entraîner mon ami ce jour-là, puis il est parti. Mon ami et moi avons tranquillement remisé le kayak.

Parfois, dire *youpi* signifie venir à bout de nos peurs. La peur peut être une bonne chose. Elle peut nous indiquer un danger et nous protéger. Parfois, nos peurs sont plus grandes que nature ou que nécessaire.

Nombre d'entre nous ont des crises d'anxiété et de panique. Il n'y a rien là d'embarrassant. Mais nous pouvons parfois nous calmer en renforçant une petite partie de la réalité. Peut-être ne sommes-nous pas en train de nous noyer, après tout. Peut-être faut-il seulement nous asseoir pour nous sauver la vie.

Expliquez-vous que vos peurs sont irréalistes et que vous n'avez pas à avoir si peur. Au lieu de crier à l'aide et de vous énerver, apprenez à vous calmer.

Mon Dieu, aide-moi à lâcher prise sur mes peurs déraisonnables, celles qui m'empêchent de vivre ma vie.

3 février   Composez avec la panique et l'anxiété

Je me rappelle encore cette journée. C'était peu après mon divorce. J'étais parent célibataire de deux enfants et sans argent. C'était venu soudainement, de nulle part. Je ne pouvais plus respirer. Ma poitrine me faisait mal. Ma tête aussi. Je ne pouvais l'arrêter. Je paniquais. Plus je paniquais, pire c'était.

J'ai composé le 911. L'ambulance est venue. Ils m'ont donné de l'oxygène, puis m'ont dit poliment de ne pas m'en faire, car ce n'était qu'une crise de panique. J'avais eu une autre de ces crises, longtemps auparavant. Juste après avoir épousé le père des enfants, je m'étais immobilisée d'anxiété. Je ne pouvais ni respirer ni parler à cause de la peur que je ressentais.

Bien des gens ont des crises d'anxiété et de panique. Peut-être en avez-vous déjà eues. Il peut s'agir d'un ou deux épisodes, ou de crises régulières. La plupart des gens que j'ai rencontrés connaissent la peur.

Voici quelques trucs que j'ai appris et qui m'aident à composer avec mes propres crises.

- Respirez. Quand nous paniquons, nous respirons par bouffées superficielles et anormales. En respirant délibérément lentement et calmement, nous pouvons ralentir la panique. Nous la nourrissons en respirant rapidement. Nous mettons notre corps en état d'alerte générale. Si nous respirons comme si nous étions détendus, notre corps ralentira.

- Ne réagissez pas à votre panique avec encore plus de peur. Nous doublons parfois ce que nous traversons en ayant une réaction émotive à notre première réaction. Nous avons peur parce que nous ressentons la peur. Laissez-vous traverser l'émotion originale sans réagir à vous-même.

- Au lieu de vous concentrer sur la peur, laissez-vous prendre conscience que vous la ressentez, mais faites délibérément quelque chose qui vous calme. Vous ne voudrez pas le faire. Votre panique vous ordonnera de faire autre chose, quelque chose qui nourrit la panique et la fait grandir. Faites quelque chose d'apaisant et de tranquille, même si cette activité ne vous semble pas appropriée. Il peut s'agir de lire une méditation, d'écouter de la musique douce, de prendre une douche ou de dire une prière. Nous avons tous des choses qui nous calment. Trouvez ce qui fonctionne pour vous.

Si la panique et l'anxiété sont un problème constant, cherchez de l'aide professionnelle. Mais s'il ne s'agit que d'incidents isolés dans votre vie, vous êtes sans doute capable de vous aider vous-même. Un outil qui ne m'a jamais fait défaut quand il s'agit d'anxiété et de peur est la première étape du programme des

Douze Étapes. J'admets que je suis impuissante devant ma panique et ma peur, et que j'ai perdu la maîtrise de ma vie. Puis je demande à Dieu ce que je dois faire ensuite.

Ne laissez pas vos peurs mener votre vie. Faites-en un objectif de les traverser. Demandez-leur ce qu'elles tentent de vous dire. Vous êtes peut-être sur une nouvelle voie, et votre corps ne fait qu'y réagir. Il y a peut-être une émotion enfouie sous toute cette peur, quelque chose que vous préféreriez ne pas voir. Ou peut-être que vous et votre vie changez si rapidement que tout est nouveau dans votre univers. Soyez doux et aimant envers vous-même et les autres.

Mon Dieu, aide-moi à accueillir toutes les nouvelles expériences de ma vie. Donne-moi le courage d'aller calmement sur mon chemin aujourd'hui, sachant que je suis exactement là où je dois être.

4 février — Ne laissez pas la peur vous déséquilibrer

Déposez un madrier par terre et marchez sur sa longueur sans en tomber. Facile, n'est-ce pas? Placez maintenant deux ou trois briques sous le madrier, l'élevant à quelques centimètres du sol. Marchez-y de nouveau. Un peu plus difficile, cette fois-ci? Imaginez maintenant le même madrier suspendu aussi haut que votre maison, sans filet de sécurité au-dessous. Aimeriez-vous essayer de nouveau?

Plus les enjeux sont élevés, plus il est difficile de maintenir l'équilibre. C'est ce que la peur fait dans nos vies.

Face à des situations simples, il est facile de faire ce qu'il faut. Mais à mesure que les enjeux augmentent, il devient de plus en plus difficile de se concentrer sur la tâche. Nous imaginons des «mais si» et ce qui pourrait arriver si nous échouions.

Regardez les madriers que vous devez traverser chaque jour de votre vie. Laissez-vous la peur du pire scénario vous déséquilibrer? Replacez la situation au niveau du sol. Rarement un échec se traduira-t-il par des dommages permanents. Éliminez la peur que votre esprit a créée au sujet de la possibilité d'un échec et marchez tout simplement sur le madrier.

Mon Dieu, aide-moi à m'acquitter de mes tâches sans la confusion déséquilibrante provoquée par la peur. Aide-moi à faire ce qui est bien, simplement et facilement, chaque jour.

5 février   Regardez vos peurs en face

Examinez vos peurs.

Parfois, nous avons peur de choses précises. Parfois, nous craignons l'inconnu. Et parfois, nous avons simplement peur parce que nous en avons l'habitude.

Êtes-vous nerveux, anxieux, contrarié? Qu'est-ce qui vous fait peur en ce moment?

Ayez une conversation avec vous-même. Regardez ce qui vous effraie. Commencez-vous une nouvelle relation amoureuse ou un nouvel emploi? Quels sont les risques? Qu'est-ce qui pourrait arriver de pire? Il est utile parfois de faire le tour de nos peurs, une à une. Nul besoin de nous acharner sur le négatif, mais nous devons être certains que nous sommes prêts à assumer la responsabilité des risques en cause.

Puis, regardez dans l'autre direction et voyez le potentiel positif entier. Que pouvez-vous gagner en prenant ce risque? Le plaisir de la victoire excède-t-il la perte potentielle?

Nous pouvons terminer notre liste en disant *Non, je choisis de ne pas prendre ce risque.* Ou nous pouvons soupeser les risques et dire *Oui, j'ai vécu pire. Je suis capable de cela aussi.*

Quelqu'un m'a dit il y a longtemps que la peur est une bonne chose. «Si tu ne ressens pas la peur, cela signifie que tu ne fais rien différemment. Tu ne fais que répéter les mêmes vieilles choses.» Si la peur vous hante, regardez-la en face. Voyez ce qui vous effraie. Puis, ou vous reculez, ou vous lui faites baisser les yeux.

Mon Dieu, aide-moi à faire le tour de mes peurs, une à une. Puis, guide ma décision quant aux risques que je veux prendre. Aide-moi à ne pas être téméraire. Mais aide-moi aussi à lâcher prise sur ma timidité.

6 février   Savourez le vide

Dans le premier volume *Savoir lâcher prise,* j'ai parlé des entre-deux de notre vie. Ce sont les passages inconfortables d'un cheminement où l'on n'est plus où l'on était, mais où l'on n'est pas encore là où l'on devrait être non plus. J'ai parlé d'accepter ce passage, aussi difficile que ce soit.

Regardons ce passage de nouveau. Seulement, nous l'appellerons maintenant le vide. Examinez encore ce moment où une porte se referme derrière vous et vous vous retrouvez dans un corridor sombre, mais aucune autre porte ne s'ouvre. Ou vous lâchez prise sur ce que vous teniez si fort et vous restez là, la main vide. Ne dites pas *youpi* seulement lorsque vous démarrez quelque chose de neuf. Découvrez le *youpi* de ce moment aussi! Embrassez le vide. Ce merveilleux passage entre-deux détient les clés de toute création. Dans la Genèse, Dieu a commencé par une table rase semblable à celle à laquelle vous faites peut-être face en ce moment. C'était la magie et le mystère du vide qui ont permis à toute cette magnifique création de prendre place.

Si vous êtes dans un passage entre-deux, ne faites pas que l'accepter. Savourez-le, embrassez-le, réjouissez-vous de l'occasion de vous trouver dans le lieu de naissance de tout ce qui se trouvera sur votre chemin. Détendez-vous dans le vide et laissez jaillir la création.

Mon Dieu, aide-moi à embrasser le vide et laisse-le m'apporter ce qui sera, plutôt que d'essayer de forcer quelque chose qui ne convient vraiment pas.

7 février — Remplacer la crainte en disant *youpi*

Lâchez prise sur la crainte.

Traitez-la comme un sentiment. Identifiez-la. Acceptez-la et reconnaissez-la. Puis libérez-la. Faites tout ce que vous devez faire pour la chasser de votre système. Parce que la crainte est plus qu'un sentiment – c'est véritablement une malédiction.

Nous jetons cette sombre couverture grise de la crainte sur notre vie pendant des heures, des jours, des mois, parfois même des années. Nous nous persuadons que certaines situations seront terribles. Puis, ce que nous avions prédit s'avère.

La crainte, ce n'est pas vivre dans le moment présent. C'est vivre l'avenir avant d'y être, et le vivre sans joie. Il y a une grande part de bien dans l'avenir que vous ne connaissez pas. Il y a votre pouvoir à naître. Il y a le pouvoir créateur qui existe dans le vide. Il y a votre capacité à traiter intuitivement ce qui survient. Et il y a une leçon, un potentiel vivant dans l'expérience que vous ne pouvez pas encore voir. Il peut y avoir une conséquence ou une issue délicieuse à cette expérience imprévue. Ou c'est peut-être simplement quelque chose que vous devez vivre pour grandir.

Si vous vous sentez maudit parce que vous vivez dans la crainte, débarrassez-vous de cette malédiction.

Mon Dieu, aide-moi à ouvrir mon cœur au plein potentiel de chaque instant de ma vie.

8 février   Surveiller ce *youpi*

Ce n'est pas voler... C'est tomber, avec élégance.

– WOODY, *HISTOIRE DE JOUETS*

Il y a un terme de parachutisme appelé *vol relatif,* qui signifie que vous contrôlez le rythme de votre chute pour vous adapter à celui des autres parachutistes – chuter en formation avec eux.

«Nous volons vraiment, dit un parachutiste rouge d'adrénaline après un saut, en relation les uns avec les autres.»

«Bien sûr, dis-je. Mais en relation avec la terre, tu tombes et c'est tout ce qui compte.»

Il est facile de se laisser prendre dans le *youpi* du moment. Mais il ne faut pas oublier l'humilité et la réalité non plus. Nous pouvons réussir de bons coups, nous affirmer et réaliser nos rêves – mais nos plans doivent être ramenés à un niveau terre-à-terre.

Trouvez un chemin qui a du cœur, et suivez-le. Faites des choses. Appréciez vos activités. Mais soyez aussi conscient qu'au moment même où vous vous sentez voler, il y a une grande planète verte qui fonce vers vous à 200 kilomètres à l'heure et qui est d'un autre avis.

Dites *youpi*. Soyez confiant. Puis, souvenez-vous qu'il y a toujours une Puissance supérieure à vous.

Mon Dieu, aide-moi à me souvenir d'être terre-à-terre et humble dans tout ce que je fais.

9 février   Se connaître soi-même

J'ai ouvert les rideaux de l'hôtel du Roi David surplombant la ville de Jérusalem, ceinte de murailles. Le voyage entier avait été une aventure, mais pas du type amusant. Rien n'avait fonctionné comme prévu. Habituellement dans mes excursions, je rencontrais des gens, je me liais à eux, j'apprenais des leçons, je mangeais avec eux et je m'amusais. Ce voyage avait été différent. J'avais à peine parlé à qui que ce soit.

Un soir, au restaurant de l'hôtel, une femme m'a fait signe de me joindre à elle pour le repas. Elle parlait l'hébreu. Je parlais anglais. Nous nous sommes assises et avons mangé en silence. J'étais allée en Égypte, sur la péninsule du Sinaï. J'étais maintenant ici. Et ce fut le contact humain le plus étroit que j'ai eu de tout le voyage.

La semaine précédente, j'étais allée à Safad, une ville en Terre sainte. C'était la patrie de la kabbale, la secte mystique du judaïsme, et l'un des endroits où la forme la plus pure, la plus intense de la méditation avait vu le jour. Bien que je n'aie qu'effleuré cette terre, quelque chose de particulier m'est arrivé, dès que j'y ai mis les pieds. Je pouvais entendre chacune de mes pensées. J'étais pleinement consciente de chaque émotion que je ressentais.

C'était comme si ma vie était devenue une médi- tation ambulante. Mais je me sentais seule, et je m'ennuyais. «Qu'est-ce qui ne va pas? me suis-je demandé. Pourquoi ne me suis-je liée à personne durant ce voyage?»

«Mais oui tu l'as fait, fut la douce réponse que j'entendis. Tu t'es liée à toi-même.»

Des rayons de lumière entraient par la fenêtre, dans les premiers moments colorés où le soleil remplit le ciel. Un air de flûte montait de la cour. Peut-être que même lorsqu'on s'ennuie et qu'on est seul, tout va bien dans le monde.

Prenez régulièrement le temps d'écrire votre jour- nal, de méditer, ou les deux. Vous allez rencontrer une personne intéressante, passionnante. Vous vous con- naîtrez vous-même.

Mon Dieu, aide-moi à accueillir ces plages tranquilles de ma vie comme des occasions de me lier à moi- même.

10 février   Dites *youpi* malgré tout

« Une fois rendu dans le désert, on ne peut revenir en arrière, dit le chamelier. Et quand on ne peut revenir en arrière, on n'a qu'à se soucier de la meilleure façon d'avancer. »

– PAULO COELHO, *L'ALCHIMISTE*

Parfois, nous nous mettons dans des situations dont nous pouvons facilement sortir. Nous fréquen- tons quelqu'un, il ne nous convient pas, nous cessons de le voir. Nous faisons nos expériences avec l'alcool et la drogue, décidons que ce n'est pas pour nous et mettons fin à l'expérience. Nous acceptons un emploi, ce n'est pas ce que nous voulions ou espérions, alors nous quittons et en trouvons un autre. Nous pouvons même épouser quelqu'un qui ne nous convient pas, et nous nous en sortons. Pas d'enfants. Pas d'imbroglio financier ou de propriété excessive. C'est une erreur. Nous sommes désolés. Il peut y avoir quelques émotions en cause, mais le redressement est relativement facile et sans douleur.

D'autres fois, ce n'est pas si facile. Nous ne fréquentons pas seulement la personne, nous l'épousons, avons un ou plusieurs enfants, puis nous nous rendons compte que nous avons fait une erreur. Nous nous mettons à consommer de l'alcool ou des drogues, et nous nous réveillons un jour pour constater que nous avons perdu la maîtrise de notre vie. Nous devons donc arrêter de boire, et c'est précisément ce que nous ne pouvons pas faire, du moins pas sans aide. Ou nous acceptons un travail ou nous signons un contrat, comportant de sérieuses complications et conséquences légales.

Ce sont ces situations qui nous font plier les genoux. C'est lors de ces situations que nous accomplissons notre destinée. Si nous avons atteint le point de non-retour dans une situation de notre vie, la seule issue est de passer au travers.

Capitulez devant l'expérience. Vous n'avez sans doute pas demandé cela ni ne l'avez consciemment désiré. Apprenez à dire *youpi* malgré tout. Vous faites face à votre destinée. Une aventure spirituelle vient de commencer.

Mon Dieu, aide-moi à faire preuve de délicatesse envers moi-même et les autres tandis que nous accomplissons tous notre destinée, notre karma et notre sort. Donne-moi le courage, l'aide, la perspicacité, l'endu-

rance et la grâce d'apprendre toutes les leçons auxquelles je dois faire face sur terre.

Activité. Écrivez vos mémoires. C'est une activité à grande échelle. Si vous prenez le temps de le
faire, vous en apprendrez beaucoup à votre sujet.
Racontez votre vie en histoires. Ne vous souciez pas
d'écrire un chef-d'œuvre. Décomposez votre vie en
sections et écrivez à propos de ce que vous avez
appris. Écrivez ce que vous avez traversé – comment
vous pensiez que ce serait, comment les choses ont
vraiment tourné, comment vous avez lutté contre
l'ordre des choses, comment vous avez finalement vu
la lumière et appris la leçon servie. Nous avons tous
des façons de garder des repères dans notre vie; par
exemple, la graduation, le mariage, le divorce,
l'obtention d'un poste important, notre date de
sobriété. C'est un journal que vous voudrez peut-être
garder et poursuivre le reste de votre existence. C'est
le livre de votre vie. Une variante intéressante de cette
activité est de donner vos mémoires à vos enfants, ou
de demander à vos parents de faire cette activité en
guise de cadeau. Lire les mémoires de nos parents
peut être instructif et thérapeutique.

11 février   Deuil

*On ne m'a jamais dit que le deuil ressemblait autant
à la peur. Je n'ai pas peur, mais la sensation est
comme celle de la peur. Le même flottement dans
l'estomac, la même nervosité, le bâillement. Je
n'arrête pas d'avaler... Non que je sois (je crois) en
grand danger de cesser de croire en Dieu. Le vrai
danger est d'en venir à croire des choses aussi
affreuses à son sujet. La conclusion que je redoute
n'est pas «Il n'y a donc pas de Dieu après tout»,*

mais «Alors c'est donc comme ça que Dieu est réel-
lement. Ne te laisse plus tromper.»

– C.S. LEWIS, A GRIEF OBSERVED

Il n'y a pas moyen de nous préparer à un deuil profond, à la douleur qui fait éclater un cœur et une vie quand un être cher nous quitte.

Personne ne peut nous entraîner à cela. Ceux qui le pourraient, qui savent exactement comment on le ressent, qui peuvent le décrire en détail, ne le feraient pas, ne se permettraient pas d'empiéter sur cette partie si intime de notre relation avec un être aimé. Ceux qui nous jettent en passant un «Tu n'en es pas encore revenu?» ne comprennent pas.

Je vous dirai ceci à propos du deuil: s'il y a eu une seconde, ou un moment, où vous avez cru ou su que vous avez été trahi au plus profond par quelqu'un que vous adorez, et qu'une douleur lancinante s'est mise à vous déchiqueter le cœur, à rendre votre monde sinistrement insupportable au point où vous auriez choisi consciemment le déni et l'ignorance de cette trahison plutôt que de vous sentir ainsi, ce n'est qu'un millionième de ce que le deuil vous fait ressentir.

Le deuil n'est pas un état anormal, et ce n'est pas non plus quelque chose qui se traite avec des mots. C'est un univers, un monde en soi. Si vous devez entrer dans ce monde, il n'y a pas de retour en arrière. Il ne nous est pas permis de refuser cet appel. Le deuil ne ressemble à rien d'autre, sauf peut-être au martèlement des vagues de l'océan. À l'œil du profane, toutes les vagues semblent identiques. Elles ne le sont pas. Il n'y en a pas deux identiques. Et chacune chasse la précédente, et amène la nouvelle.

Graduellement, presque imperceptiblement, que nous y croyions ou non, nous sommes transformés.

Mon Dieu, prends soin de moi pendant ces moments et ces heures où je ne peux trouver la volonté ou la capacité de prendre soin de moi-même. Transforme-moi, si ce n'est en un clin d'œil, alors au fil du lent mouvement des années, en la personne que je deviendrai.

12 février   Recommencer

Combien de fois devons-nous repartir à zéro?

De nombreux changements dans notre vie indiquent une fin ou un début important: la mort, la naissance, la graduation, le mariage, le divorce, le déménagement, la sobriété, la perte d'un emploi ou le début d'une nouvelle carrière. Nous regardons autour de nous et nous nous disons, *C'est reparti, je recommence encore.*

Parfois, nous ne saisissons pas tout de suite. Jour après jour, c'est la même rengaine, alors que le vieux s'efface et que le nouveau commence. Parfois, c'est comme si nos vies s'arrêtaient. Que nous y croyions ou non, quand un cycle prend fin, un nouveau commence.

Si la vie comme vous la connaissiez est en train de disparaître, il est sans doute temps de lâcher prise. Même si vous ne pouvez le voir maintenant – et c'est probablement le cas – une nouvelle vie va doucement prendre la place de l'ancienne. Vous et votre vie êtes transformés.

Combien de fois devons-nous repartir à zéro? Autant de fois que la vie telle que nous la connaissons prend fin.

Dites *youpi*. Vous renaissez.

Mon Dieu, aide-moi à avoir confiance qu'une nouvelle vie m'attend si la vie comme je l'ai connue

*s'efface. Donne-moi la patience et la confiance de me
jeter joyeusement dans le vide.*

13 février   Vous n'êtes pas seul

J'ai senti une douleur brûlante dans mon cœur.
Elle était physique – je jure qu'elle l'était – quand
l'infirmière m'a demandé si j'avais quelqu'un à qui
téléphoner. Au cours des jours suivants à l'hôpital, je
fus entourée de gens, mais à aucun moment de ma vie
je ne me suis sentie si isolée et si seule. Je savais que
sur la voie que j'étais sur le point d'emprunter, je
devais marcher seule.

Plus tard, une autre infirmière est venue me voir.
Elle m'a regardée droit dans les yeux. «Ça va être dur,
plus difficile que vous ne pouvez l'imaginer, dit-elle.
Et ça va prendre environ huit ans. Mais vous pouvez le
faire. Vous vous en sortirez. Je le sais. J'ai perdu un
enfant, moi aussi. Ma fille avait neuf ans quand elle
est morte.»

Il y a des périodes dans notre vie où nous sommes
appelés à cheminer seuls. Les gens peuvent nous
entourer et nous offrir leur soutien. Mais le voyage
que nous entreprenons est seulement et uniquement le
nôtre. Les gens peuvent nous observer, tenter de nous
atteindre et même dire qu'ils savent comment nous
nous sentons. Mais le monde où nous entrons est le
nôtre, et uniquement le nôtre.

Lentement, en parcourant ce chemin que la vie
nous a réservé, nous commençons à voir se dessiner
vaguement quelques visages – de très loin, ils nous
font signe de la main et nous encouragent. En poursuivant notre route, les visages et les formes apparais-
sent. Avant longtemps, nous constatons que nous
sommes au milieu d'un très vaste groupe. *D'où vien-*

nent tous ces gens ? nous interrogeons-nous. *Je croyais que j'étais seule.*

Peu importe le chemin où nous nous trouvons, d'autres y sont passés avant nous, et d'autres nous y suivront. Chaque pas que vous faites est uniquement le vôtre, mais vous n'êtes jamais, jamais seul.

Bien que de nombreuses expériences soient isolées et uniquement nôtres, nous faisons en même temps partie d'une force collective. Ce que nous vivons et ce que nous faisons importe – parfois beaucoup plus que nous le croyons.

Mon Dieu, aide-moi à savoir à quel point tu tiens à moi. Peu importe ce que je vis, aide-moi à voir les autres visages sur ma route.

14 février   Dites *youpi* parce qu'il y a de l'espoir

On a sonné à la porte, un jour. J'étais effondrée dans la grande maison que je venais d'acheter au Minnesota. Ce devait être la maison de rêve pour mes enfants et moi. Le problème, c'est que Shane s'est fait tuer le lendemain de la conclusion de la vente. Nichole et moi y errions maintenant, nous demandant quoi faire.

J'ai ouvert la porte. L'employé de FedEx m'a demandé de signer un formulaire de livraison. Ce que j'ai fait. Et il m'a tendu une grande boîte de carton. Je l'ai apportée dans le salon et l'ai déposée sans l'ouvrir. Rien ne m'intéressait alors. J'étais triste et en colère. Les gens, mes lecteurs, disaient qu'ils aimaient mes écrits, car ils leur donnaient de l'espoir. Le problème, c'est que je n'avais pas du tout de cet espoir pour moi-même. Je ne pouvais pas voir comment la vie pourrait jamais avoir un sens de nouveau. La seule chose que je voulais – mon fils vivant et en santé, et ma famille intacte – ne viendrait jamais.

Un jour, j'ai fini par ouvrir cette grande boîte de carton. J'ai pris un couteau, je l'ai fendue au centre et j'ai regardé à l'intérieur. Elle était remplie d'animaux en peluche. Un gros perroquet vert avec un bec crépu trônait sur le dessus. Il y avait des singes, des ours et des choses assorties. Ils n'avaient pas l'air neufs, mais c'étaient de petites choses heureuses et joyeuses. J'ai pris la carte et j'ai lu le mot à l'intérieur. Voici ce qu'il disait :

« Je gagne ma vie à recueillir tous les animaux en peluche que les gens jettent. Puis je les apporte chez moi et je les nettoie. Je crois que j'aime faire ça juste pour prouver quelque chose, écrivait la femme. Parfois, nous pensons que quelque chose n'est plus bon, alors nous le jetons aux ordures. Nous jetons souvent les choses trop vite, mais tout ce qu'il leur faut, c'est un peu de soins aimants et tendres pour les ramener à la vie. J'ai entendu parler du décès de votre fils. J'ai pensé que recevoir une boîte de mes animaux nés de nouveau pourrait peut-être aider. »

Bien des années ont passé depuis. Je me suis débarrassée de nombre de mes possessions, surtout quand j'ai déménagé du Minnesota en Californie, en 1994. Mais une des choses que j'ai gardées – en fait, il est encore assis dans cette pièce à côté de mon bureau – est le perroquet vert heureux avec le gros bec crépu.

C'est un doux rappel que même quelque chose d'aussi brisé et négligé que je l'étais peut être ramené à la vie. Certaines choses de la vie sont vraies, que nous y croyions ou non.

L'espoir en est une. Même si vous devez le dire sans y croire, dites *youpi*.

Mon Dieu, aide-moi à croire en moi autant que tu y crois. Merci de me faire traverser ces passages difficiles où je perds la foi.

15 février   Laisser un ami être là pour soi

J'étais à un carnaval, quelque part, assise sur un banc, mangeant de la barbe à papa bleue et observant les bruits, les couleurs et le grand carrousel. Des chevaux aux couleurs voyantes montaient et descendaient en tournant en rond, les lumières clignotaient, les gens passaient vite. La petite fille était au bord des larmes quand sa mère l'a emmenée à la barrière. Elle gagnait du temps, essayant désespérément de convaincre sa maman que non, elle ne voulait vraiment pas aller sur le manège, après tout. Maman était rassurante mais ferme, et finalement elles en sont venues à une entente. La fillette irait sur le gros manège si sa mère y allait, elle aussi.

Elles ont remis leurs billets à l'employé et se sont rendues sur le manège, la petite impressionnée, mais craintive, par les bêtes multicolores l'entourant. Finalement, elle s'est installée sur un cheval blanc avec une crinière et une queue or, et a demandé à sa mère de prendre le bleu près du sien. La mère a souri, un peu embarrassée, mais elle a répondu à la demande de sa fille.

Puis la musique a commencé. Et soudain, elles avaient toutes deux cinq ans, criant et riant comme leurs chevaux trottaient. Je riais aussi, regardant de mon banc. Elles couraient sur une piste imaginaire par monts et par vaux, dans les plaines et les rivières. La musique hurlait, les lumières clignotaient et, pendant quelques minutes, elles pouvaient voler.

Elles riaient encore quand le manège s'est arrêté. «Encore, maman! Allons-y encore!» riait la petite fille tout animée. Elles retournèrent et se remirent en file. En lâchant prise sur sa peur, la fillette fut capable de ressentir l'émerveillement et l'excitation d'une nouvelle expérience, et en aidant sa fille à vaincre sa peur, la mère fut en mesure de revivre un peu de cette sensation, elle aussi. Dans notre quotidien, il y a des moments où nous sommes effrayés, où nous avons besoin d'un ami pour nous donner du courage, et d'autres où nous pouvons être l'ami qui donne du courage à l'autre. Soyez reconnaissant envers ceux qui vous ont aidé à trouver de la force. Soyez reconnaissant pour les fois où vous avez aidé vos amis à trouver leur propre courage.

Les deux côtés de la médaille sont gagnants et, parfois, l'expérience est meilleure quand elle est partagée.

Mon Dieu, aide-moi à tendre la main en toute amitié et avec force à ceux que je rencontre sur mon chemin. Et quand je suis effrayé, aide-moi à abandonner mon orgueil et à demander à un ami d'être à mes côtés.

16 février   La joie est notre destinée

Adam a chuté pour que l'homme soit, et les hommes sont pour qu'ils puissent avoir de la joie.

– *LE LIVRE DES MORMONS*

Dans l'Éden, le premier homme était parfait, immuable, ne connaissait jamais la maladie ou le chagrin de la séparation. Ce n'est qu'après la chute que nous avons pu connaître le contraste entre joie et chagrin, et savoir vraiment ce qu'est la joie. Plus que l'absence de chagrin, c'est embrasser la vie dans tous ses tourments. Vivre dans la joie signifie vivre pleinement conscient du caractère éphémère de chaque vie sur terre – à quel point chaque moment est précieux, chaque conversation, chaque lever de soleil.

Chaque jour marque le début d'une autre nouvelle aventure, d'une autre occasion de saisir sa chance et de vivre sa vie pleinement.

Regardez autour de vous. Trouvez la joie dans votre univers. Après tout, c'est pour ça que vous êtes ici.

Mon Dieu, aide-moi à trouver et à créer la joie et la paix véritables dans mon univers.

17 février   Se détendre

«Maman, est-ce que je peux coucher chez Johnny encore ce soir? S'il te plaît?» suppliait Shane.

«Pourquoi?» ai-je demandé.

«Pour le plaisir.»

«Tu as couché là juste hier soir.»

«Qui a dit qu'on ne peut pas avoir du plaisir deux jours de suite?» m'a-t-il demandé.

Même si des notions comme la discipline et le focus sont indéniablement importantes, la notion de plaisir l'est aussi.

Avec un peu d'effort, nous pouvons éliminer tout le plaisir et la joie de la plupart des aspects de notre vie – nos relations, notre travail, et même nos loisirs. Nous pouvons imposer tellement de restrictions et de «il faudrait» sur tout que nos vies deviennent mornes, trop pondérées et routinières. Avant longtemps, nous nous retrouvons à vivre selon un ensemble de règles – et nous ne sommes pas certains d'où elles proviennent ni de qui elles viennent.

J'ai plié et j'ai laissé Shane coucher chez son ami. Il a eu du plaisir. Il a eu beaucoup de plaisir toute cette année-là. Moi aussi.

Laissez-vous aller. Amusez-vous un peu avec la vie. Ou amusez-vous beaucoup avec la vie. Si vous avez passé des années à être extrêmement discipliné, fiable et sombre, peut-être que pour atteindre l'équilibre, il vous faudra dix ans de plaisir.

Sortez votre liste de buts, celle que vous avez placée à la fin de ce livre. Ajoutez une autre valeur à votre liste : avoir autant de plaisir et de joie que possible dans les jours, les mois et les années à venir. Il est temps de se détendre.

Mon Dieu, je te prie de me montrer comment remettre des notions comme le plaisir et la joie dans ma vie. Montre-moi à avoir davantage de plaisir au travail, en amour et au jeu.

18 février   Se rappeler comment jouer

Nous n'arrêtons pas de jouer parce que nous vieillissons, nous vieillissons parce que nous arrêtons de jouer.

– HERBERT SPENCER

J'étais assise sur ma véranda arrière et je surveillais un groupe d'enfants jouer dans les vagues. Quand les vagues arrivaient, ils se tournaient face à la rive sur leurs planches et ramaient comme des fous pour essayer d'attraper la vague. Pendant un moment, il n'y avait rien qu'un torrent d'eau, puis quelques secondes plus tard, une planche de mousse verte émergeait et peu après, une tête hilare et un corps. Ils hurlaient et riaient, puis l'un après l'autre, ils y retournaient pour recommencer.

Plus tard, au coucher du soleil, j'ai vu deux hommes grisonnants dans des kayaks de mer qui pagayaient près de la rive. Ils attendaient la vague parfaite pour ensuite pagayer aussi fort qu'ils le pouvaient, tentant d'attraper la vague et de voguer jusqu'à la rive. De nouveau, j'ai observé comme les vagues se soulevaient et s'écrasaient sur les petites embarcations. Un kayak avait été poussé jusque sur la rive, suivi quelques instants plus tard par un homme grisonnant hilare, qui pagayait vers le large et recommençait.

J'ai un ami dans la trentaine qui est déterminé à réussir. Il ne sait pas où il va, il sait seulement qu'il s'en va quelque part. Et non, il n'a pas le temps d'aller à un match de basketball ou au parc d'attractions. Il est occupé et n'a pas le temps de jouer.

J'ai un ami dans la cinquantaine. Il est en excellente santé. Il reste à la maison, nourrit son chien, se plaint de la douleur et de la brièveté de la vie. Il ne joue pas parce que son pauvre corps n'est plus ce qu'il était.

Nous pouvons jouer ou *ne pas* jouer. Ça ne change rien d'une manière ou d'une autre, sauf qu'au bout du compte, vous aurez passé un bien meilleur moment si vous avez joué.

Mon Dieu, aide-moi à commencer à avoir du plaisir.

19 février   Faire son propre plaisir

Mon projet de rénovation de maison était très en retard. Le printemps était à nos portes. Le stress était une douleur lancinante derrière ma tête.

Puis nous sommes allés au magasin de jouets. «Oh! ils sont parfaits, dit-il, en prenant deux fusils à fléchettes sur la tablette. Qu'est-ce que tu dirais d'un arc et de flèches aussi?»

De retour à la maison, nous avons dessiné une énorme cible au crayon-feutre sur le mur du salon. Nous avons commencé à tirer dessus, mais nous nous sommes vite lassés de ce jeu et avons commencé à nous tirer l'un sur l'autre.

Un ami est arrivé. Nous avons tiré sur lui. Deux sur le ventre et une sur le front. Il m'a lancée dans la baignoire à remous.

Et j'ai oublié que le plafond n'était pas fini, que les murs n'étaient pas peints et que le tapis devrait attendre. Ce soir-là, nous avons fait un barbecue, et nos amis ont dessiné leurs autoportraits, leurs expériences et leurs espoirs sur les murs non peints de la maison qui accusait du retard. Et nous avons rigolé, et personne ne se souciait que la maison fût inhabitable.

Nous ne pouvons pas toujours contrôler le calendrier de nos plans, mais nous pouvons avoir du plaisir en cours de route. Les amis ne se soucient guère que le projet soit terminé, ils veulent seulement faire partie de la magie de la vie.

Regardez les choses d'une perspective différente. Riez. Soyez reconnaissant d'être là où vous êtes en ce moment. Ne vous inquiétez pas de précipiter l'avenir. Cherchez la joie dans la vie maintenant. Peut-être qu'une visite au magasin de jouets vous aiderait aussi.

Mon Dieu, si je ne peux voir la joie dans la vie, aide-moi à regarder de nouveau.

Activité. Allez au magasin de jouets aujourd'hui. Achetez quelque chose qui vous attire ou quelque chose de ridicule – des décalques, un jeu de blocs, un ensemble de perles de verre. Sortez de votre moule;

regardez la vie avec une nouvelle perspective. Réapprenez à jouer.

20 février   Prenez une route secondaire

Les aventures ne commencent que lorsque vous entrez dans la forêt. Ce premier pas est un acte de foi.

– MICKY HART

Nous roulions sur l'autoroute 166 au centre de la Californie, lors d'une autre excursion sur la route. Le voyage avait été long, il avait commencé à l'improviste, comme d'habitude, et nous avions maintenant hâte de retourner à la maison. C'est alors que nous – Andy, Chip et moi – l'avons vue: une petite route menant au sommet des montagnes, derrière une barrière ouverte. Elle n'était pas sur la carte. Elle devenait un chemin de terre. Les vaches paressaient sur la route et nous devions attendre qu'elles libèrent la voie. Le GPS (système mondial de localisation) s'est perdu. Le chemin se dégradait. Nous sommes tombés sur une flaque de boue noire et le camion a peiné pendant un moment. Chip a fait emballer le moteur et nous nous sommes dégagés.

«Croyez-vous qu'on devrait retourner?» a-t-il demandé.

«Non, cette route doit mener quelque part», dit Andy.

«Ah!» ai-je ajouté.

Nous sommes arrivés à un petit lac au milieu du chemin.

«Tu peux y arriver», a dit Andy, en remontant la glace.

«Ah!» ai-je ajouté encore.

Chip a activé les quatre roues motrices et appuyé à fond sur l'accélérateur. De l'eau boueuse entrait par le toit ouvrant.

Beaucoup plus tard – après avoir dégagé les pierres du chemin, pataugé dans d'autres flaques, aperçu des vues incroyables du haut d'une crête et roulé beaucoup trop près du bord d'une falaise – nous avons rencontré un vieil homme poussant une bicyclette en montant sur la route. Nous avons demandé: «Est-ce encore loin pour sortir d'ici?»

«Eh bien, a-t-il répondu, quelle distance avez-vous parcourue?»

«Nous ne sommes pas arrivés par ici.»

Il eut un regard perplexe. «Comment êtes-vous venus alors?»

«Nous sommes arrivés par la crête.»

Il a hoché la tête, incrédule, et s'est remis à marcher.

Seize kilomètres plus loin, nous sommes parvenus à une autre barrière. Le téléphone cellulaire fonctionnait de nouveau.

Le GPS décida que nous étions encore sur la planète, après tout.

Parfois, nous découvrons les plus grandes aventures quand nous dévions de la carte et que nous passons la barrière vers un nouveau territoire, seulement pour voir où il va.

Mon Dieu, aide-moi à me rappeler que je n'ai pas à suivre la carte tout le temps. Donne-moi l'esprit d'aventure. Apporte un peu de youpi *dans ma vie.*

Je suis entrée dans la maison sur la plage après une journée de travail pour trouver mes gentils bourreaux, Chip et Andy, debout près de la fenêtre qui descend sur la plage. En fait, Chip était près de la fenêtre et Andy était dehors, suspendu par un baudrier. La corde courait dans la maison et était attachée à l'une des principales poutres de soutien.

Je n'ai pas demandé ce qu'ils faisaient. J'ai seulement pris le baudrier qui était par terre aux pieds de Chip et j'ai demandé si je pouvais essayer, moi aussi.

Descendre en rappel de la maison à la plage n'est pas une de mes activités quotidiennes ordinaires. Mais parfois, même la chose la plus insignifiante, la plus ridicule, peut être une occasion de *mini-youpi*. Ce soir-là, j'ai appris la descente en rappel au clair de lune sur la plage, du salon de ma maison.

Soyez ouvert aux nouvelles expériences de votre vie. Si ce n'est pas mortel, c'est sans doute bien, même si c'est un peu étrange. N'ayez pas peur du ridicule, de ne pas avoir l'air super et laissez même échapper un «ah» de temps à autre.

Avez-vous dit un *youpi* récemment? En avez-vous un sur votre liste? Ou peut-être dans votre garage? Chaussez des patins à roues alignées, achetez une planche de surf, sortez votre traîneau. Commandez quelque chose de nouveau au menu. Prenez une nouvelle route. Trouvez le *youpi,* puis apportez-le avec vous dans votre univers ordinaire et laissez-le élever votre esprit.

Les youpis sont les moments dont nous nous souviendrons toute notre vie.

Mon Dieu, aide-moi à élever mon esprit en mettant un peu de youpi *dans ma vie quotidienne.*

22 février   Cesser de jeter le blâme
autour de soi

«Il y a deux types de gens dans le monde, m'a expliqué un ami un jour. Il y a ceux qui blâment les autres de tout ce qui arrive. Et il y a ceux qui se blâment eux-mêmes.»

Avez-vous déjà regardé un film où l'un des acteurs utilise un lance-flammes? Dans un film que j'ai vu un jour, ils appelaient plutôt ça un «lance-blâmes». C'est une torche allumée de rage intense que nous lançons, soit aux autres, soit à nous-même, quand des situations ne tournent pas comme nous l'avions prévu.

Blâmer peut être une phase saine du deuil ou du lâcher prise. Mais s'y attarder trop longtemps peut être improductif. Cela peut nous empêcher de poser des actions constructives. Nous blâmer nous-même trop longtemps peut se transformer en mépris de soi; blâmer les autres peut nous garder sombres et lourds de ressentiment, et nourrir la victime en nous.

Si vous subissez une perte ou si la vie vous a joué un tour, prenez votre lance-blâmes – dans l'intimité de votre propre journal. Accordez-vous de dix à vingt minutes pour blâmer sans censure. Sortez-le de vous. Écrivez tout ce que vous voulez dire, que vous jetiez le blâme sur vous-même ou quelqu'un d'autre.

Cela peut prendre plus de temps si la perte est importante, mais le but est de vous donner une durée de temps limitée pour une séance de lance-blâmes, puis de cesser le feu. Arrêtez. Passez à une autre phase de votre vie, celle où vous lâchez prise, acceptez et assumez la responsabilité de vous-même.

Mon Dieu, aide-moi à m'examiner pour voir si je continue à me blâmer, ou à blâmer une autre personne. Si c'est le cas, aide-moi à le sortir de moi, puis aide-moi à lâcher prise.

23 février   Apprenez à voler

Prenez votre vie en main et qu'arrive-t-il? Une chose terrible: plus personne à blâmer.

– ERICA JONG

Il y a toujours quelqu'un à blâmer quand nos plans échouent: «J'aurais pu réussir mieux, mais l'économie était au ralenti cette année.» «Ça semble bien, mais mon thérapeute me dit d'éviter l'excès de stress.» «Je voulais le faire, mais mon mari n'approuvait pas.»

Quelle perspective angoissante que de prendre sa vie en main, de décider si oui ou non vous accepterez l'entière responsabilité de toutes vos actions et de tous vos choix.

Quelle étonnante – et parfois terrifiante – liberté apporte la pleine responsabilité de vos actions! Parfois, nous commettons des erreurs. Parfois, nous trébuchons et tombons. Mais quelle sensation quand vous y parvenez enfin, quand vous décidez de franchir cette étape et qu'elle fonctionne! C'est alors que vous découvrez que ces ailes de papillon fragiles sur votre dos ne sont pas qu'une décoration. Vous pouvez voler!

Prenez votre vie en charge. Assumez la responsabilité de vos actes. En bout de ligne, personne d'autre que vous ne choisira ce que vous ferez, de toute façon. Jouissez de la liberté. Vous l'avez toujours eue.

Mon Dieu, aide-moi à assumer l'entière responsabi-
lité de mes propres actions. Donne-moi les conseils et
le pouvoir de diriger ma propre vie selon les préceptes
de mon cœur et de ma conscience.

24 février — Rechercher l'aventure dans sa vie

... l'aventure n'est pas faite de terres et de sommets
lointains, elle réside plutôt dans la volonté d'échan-
ger le foyer domestique contre un abri incertain.

— REINHOLD MESSNER, *FREE SPIRIT*

Il n'est pas nécessaire de voyager dans le monde en quête de la prochaine haute montagne ou d'un endroit sauvage et désolé pour trouver l'aventure. L'aventure réside dans notre perspective et notre attitude. C'est notre approche de la vie, plutôt que les circonstances réelles dans lesquelles elle se déroule, qui détermine dans quelle mesure l'aventure en fait partie. Pour une personne, l'aventure peut signifier poursuivre un rêve depuis longtemps négligé. Pour une autre, l'aventure se traduit par perdre du poids, changer une image dépassée, devenir sobre, apprendre à demeurer dans une relation amoureuse, ou simplement connaître la joie.

C'est bien de vous sentir à votre aise, mais ne laissez pas le confort de ce foyer vous arrêter de grandir ou de changer. L'eau qui ne bouge jamais devient stagnante et empoisonnée; il en va de même pour l'âme humaine. La vie nous est donnée pour la vivre.

Examinez votre vie et voyez s'il y a une zone où vous aussi pouvez chercher un abri incertain. Peut-être au travail, en amour ou dans un aspect de la croissance spirituelle? Une leçon nouvelle ou oubliée depuis longtemps attend d'être découverte ou redécouverte par vous.

Dites *youpi*. Soyez mal à l'aise pour un moment. Il n'est jamais trop tard pour apprendre et connaître quelque chose de nouveau.

Mon Dieu, inspire-moi un esprit d'aventure alors que je poursuis ma vie.

25 février   Laissez Dieu et votre intuition ouvrir la voie

> *Je définis le synchronisme comme étant un événement extérieur qui déclenche une connaissance intérieure. Elle concerne les événements qui sont des coïncidences significatives, comme lorsque vous tentez de résoudre un problème et que quelqu'un téléphone «par hasard». Au cours de la conversation, l'interlocuteur vous donne «par hasard» un indice ou une réponse à votre problème.*
>
> – NANCY ROSANOFF, *LECTURE INTUITIVE*

Un jour, je parlais au téléphone avec mon ami Kyle. Je terminais l'écriture de *Agir avec son cœur,* mais je n'en connaissais pas encore la fin. Le livre était un examen approfondi de ma vie. J'étais étonnée du nombre d'expériences que j'avais vécues.

«J'ai été mendiante, toxicomane, codépendante, ménagère dans le Midwest, femme mariée, parent célibataire sur l'assistance sociale, secrétaire, journaliste, conseillère en chimiodépendance, auteure, parent endeuillé et Californienne. J'ai voyagé au Moyen-Orient, dans tous les États-Unis, j'ai dirigé une librairie et maintenant, même si j'ai pris la route la plus longue et la plus ardue pour y arriver, je vis à la plage, ai-je dit. Il ne me reste plus rien à faire.»

«Je sais qu'il y a une chose que tu veux faire et que tu n'as pas encore faite», dit Kyle.

«Quoi?» ai-je demandé. Il y eut un long silence. Je croyais qu'il avait peut-être raccroché.

«Attends un instant, ajouta-t-il. Je réfléchis.»

«Je sais. Tu n'as jamais sauté d'un avion.»

J'ai oublié la conversation. Quelques jours plus tard, le téléphone a sonné. C'était un homme qui avait déjà fait des travaux sur ma maison environ neuf mois plus tôt. Il s'est présenté de nouveau. Puis il m'a expliqué la raison de son appel. Il m'a dit qu'il était parachutiste et m'a demandé s'il me plairait d'aller à la zone de saut avec lui un de ces jours, et peut-être sauter en tandem.

Quelques mois plus tard, je l'ai accompagné au Skydive Elsinore. J'ai appris ce jour-là que sauter des avions était une chose que je désirais faire ardemment. Et l'expérience du saut en parachute était exactement la conclusion dont j'avais besoin pour mon livre.

Fiez-vous à votre orientation intérieure. Les voies de notre Puissance supérieure sont impénétrables. Écoutez les gens et surveillez les signes qui déclenchent votre connaissance intérieure.

Mon Dieu, aide-moi à être ouvert à toutes les façons dont tu me parles pour aider à me guider le long du chemin.

26 février   Ouvrir la porte aux expériences amusantes

Vous ferez des bêtises, mais faites-les avec enthousiasme!

– COLETTE

C'était le soir. Une brise légère jouait dans mes cheveux. J'étais assise sur un banc surplombant les lumières de Las Vegas. *Comment me suis-je encore rendue ici?* me demandais-je. Puis je me suis souvenue. C'était encore un autre détour de Chip qui nous avait menés du sud de la Californie vers l'inconnu.

L'homme m'a entouré les chevilles d'un linge épais auquel il a ensuite attaché une corde. Une autre corde supplémentaire était reliée au harnais autour de ma taille.

J'étais sur une tour à 45 mètres au-dessus du sol, m'apprêtant à sauter en bungee. Par les pieds. Le soir. À Vegas. Encore.

Parfois, le premier pas est le plus difficile. Parfois, c'est le deuxième pas qui vous atteint. Avec une nouvelle expérience, vous n'avez pas d'attentes, il n'y a pas de repère. Mais la deuxième fois… je me rappelais la sensation de regarder en bas du haut de la plate-forme, le saut contre nature, terrifiant, dans le néant, puis l'estomac rebondissant dans ma poitrine, la longue seconde où le temps semble s'arrêter, le plongeon vers le sol et la traction de la corde me ralentissant. Je me rappelais rebondir, être suspendue là, attendre d'être hissée en haut. Je me souvenais de tout, et ce tout s'agrandissait dans mon esprit. Par ailleurs, cette fois-ci, c'était le soir et j'allais être suspendue par les pieds.

J'ai marché jusqu'à l'extrémité de la plate-forme. Je ne m'accrochais à rien. Mais je tremblais.

«5-4-3-2-1-partez!» a dit le décompte. J'ai fermé les yeux et je me suis laissée tomber.

Et j'ai ri et j'ai crié, et j'ai ri de moi parce que je criais. C'était amusant.

Plus tard, en roulant plus loin sur la route, plus loin de la maison pour un autre voyage intuitif, je souriais encore.

La croissance s'autoperpétue d'elle-même. Chaque nouvelle expérience ouvre la porte à d'autres expériences. Aujourd'hui, souvenez-vous d'une chose que vous avez faite seulement une fois, quelque chose que vous avez aimé, puis refaites-le. Laissez votre esprit vous remplir d'incertitude au souvenir de toutes les expériences tentées la première fois. Elles n'ont pas à être reliées au travail. Peut-être êtes-vous allé au théâtre plutôt que de regarder la télévision. Campé dans le bois. Ou écrit un poème. Trouvez quelque chose qui était amusant et refaites-le. Puis, ramenez ce sentiment à votre univers ordinaire. Reportez le *youpi* de la deuxième fois sur la troisième, la quatrième et la cinquième fois que vous faites cette chose.

Gardez votre vie vivante.

Mon Dieu, rappelle-moi les choses amusantes et intéressantes que j'aime faire. Puis aide-moi à quitter mon fauteuil et à les faire.

27 février   Vivez votre vie

Peindre une galette de riz ne satisfait pas la faim.

– VIEUX DICTON

Un vieil homme racontait à son petit-fils à quel point il était pauvre quand il était plus jeune. «Quand j'étais petit, nous ne pouvions même pas acheter du fromage pour les trappes à souris, dit-il. Nous découpions des images de fromage et nous nous en servions.»

«Ayoye! Avez-vous attrapé quelque chose, grand-papa?»

«Oui. Nous avons attrapé des photos des souris.»

J'ai une image chez moi d'une cérémonie boudd-histe au Tibet. Elle a été prise par une photographe qui habite près du Blue Sky Lodge. Elle m'a tout raconté sur la photo quand je la lui ai achetée – elle m'a raconté les odeurs dans l'air, la température, la foule de gens autour d'elle, les saveurs, les arômes et les vues de cet endroit. Quand je ferme les yeux et que je me souviens de ses mots, je peux presque y aller. Pres-que, mais pas tout à fait. J'espère m'y rendre un jour, voir ces choses et sentir mon âme se gorger de la spiri-tualité d'un monastère perché haut sur la montagne. L'image est comme un menu. Il est posé sur le comp-toir, me tentant avec tout ce qu'il offre. Mais il ne satisfait pas ma faim.

Nous pouvons partager notre expérience, notre force et notre espoir les uns avec les autres. Mais je ne peux apprendre vos leçons et vous ne pouvez appren-dre les miennes.

Je planifie mon voyage au Tibet, tout en écrivant ce livre. Est-ce que tout fonctionnera comme dans l'image? Je ne sais pas. Je sais que je ne connaîtrai pas cette expérience – les vues, les sons, les saveurs, les odeurs et l'effet sur mon âme – en regardant l'image sur mon mur.

Avez-vous essayé de vous sustenter en regardant l'image d'une expérience – lire des livres, prendre des cours, assister à des séminaires, écouter un mentor – au lieu d'y aller et de vivre la vie par vous-même? Regardez votre menu de nouveau, la liste que vous avez dressée au début de l'année. Commandez quel-que chose qui s'y trouve. Cessez de regarder l'image et allez vivre par vous-même.

Mon Dieu, aide-moi à commencer à vivre ma vie.

28 février   Expérimenter la vie pour soi

*Nous apprenons à faire quelque chose en le faisant.
Il n'y a pas d'autre façon.*

– JOHN HOLT

«Je suis un aventurier de fauteuil», ai-je entendu dire plus d'une personne. Ce qu'elles disent, c'est qu'elles ne sortent pas pour aller faire quelque chose. Elles laissent les autres prendre tous les risques.

Par l'entremise des livres, elles ont escaladé l'Everest, navigué autour du monde en voilier, fait des randonnées pédestres dans le Pacific Crest Trail et fait de la raquette au pôle Sud. *Elles* ont même été capables de tout me dire sur la façon de piloter un avion avant ma première leçon.

C'est une chose que de passer notre temps à lire des livres ou à écouter des exposés sur comment faire ceci ou cela – comment réussir une relation, comment monter une entreprise, comment vivre plus pleinement, peu importe ce qui vient après *comment*. Le truc, c'est de finalement poser les livres, de sortir de la théorie et de le faire.

Obtenir de l'information, du soutien et des encouragements est utile. Nécessaire même. Mais la vie est faite pour être vécue, et non étudiée. La seule façon de réussir une carrière, une relation ou un passe-temps est de sortir et de le faire vous-même.

Mon Dieu, aide-moi à prendre le risque de faire quelque chose que je veux apprendre à faire.

29 février   Lâchez prise sur la timidité

Vivez en grand!

– BRADY MICHAELS

C'est parfois le meilleur conseil que nous puissions entendre. Que vous gagniez ou perdiez, que vous réussissiez ou échouiez, allez-y, et allez-y à fond. Comme m'a dit mon instructeur de vol la première journée: «Garde une main sur la manette de poussée et l'autre sur le manche à volant.» «Aahhhhh!» faisais-je à mes premières leçons, comme l'avion s'élevait dans les airs, mais je gardais la manette de poussée bien au fond.

Il y a des moments où il est sage d'être prudent. Et il y en a d'autres où ce qu'on peut faire de mieux – la seule chose qu'on puisse faire – est d'y aller en grand. Demandez-lui de sortir avec vous. Demandez votre augmentation de salaire. Dites non – et fermement. Apprenez à conduire une auto de course ou à escalader une haute colline. Apprenez à faire du tuba ou du surf. Les rêves restent des rêves jusqu'à ce que vous agissiez. Alors ils deviennent la vraie vie.

Jetterez-vous quelques pièces dans le gobelet du mendiant, ou lui apporterez-vous un repas du restaurant du coin? Accomplirez-vous des tâches moyennes au travail, ou chercherez-vous des façons de donner de l'ampleur – faire vraiment de votre mieux – aux aspects quotidiens de votre poste? Mettrez-vous tout ce que vous avez – votre cœur et vos émotions – dans votre relation avec ceux que vous aimez? Attendrez-vous un autre moment plus opportun pour prier, ou commencerez-vous à vraiment faire confiance à Dieu?

Vous n'avez pas à trouver une vie, vous en avez déjà une. Vivez-la, et vivez-la en grand.

Mon Dieu, aide-moi à lâcher prise sur ma peur et ma timidité, et à apprendre à vivre en grand.

Mars

Apprenez à dire **peu importe**

1ᵉʳ mars   **Apprenez à dire** *peu importe*

«As-tu des problèmes de *dépendance au drame*?» ai-je demandé à ma fille un jour, d'un ton sérieux comme une intervieweuse.

«Bien sûr que j'en ai, a-t-elle dit. Je suis la reine absolue du drame.»

«Est-ce que je peux t'interviewer à ce propos?» ai-je demandé.

Il y eut une longue pause au téléphone. «J'ai une meilleure suggestion, me dit-elle. Pourquoi ne t'interviewes-tu pas toi-même?»

J'ai été dépendante de bien des choses dans ma vie – l'alcool, l'héroïne, la morphine, la Dilaudide, la cocaïne, les barbituriques, le Valium et n'importe quelle autre substance qui promettait physiquement ou psychologiquement de changer ce que je ressentais. J'ai été dépendante de la caféine, du tabac et de la nicotine – cigarettes et cigares cubains – ainsi que de l'opium et du hachisch. J'ai aussi été mêlée aux dépendances d'autres personnes à ces substances. On pourrait dire que j'ai une personnalité dépendante. Je ne sais si je suis d'accord avec le principe selon lequel nous pouvons devenir dépendants des gens, mais si les gens qui l'affirment disent vrai, j'ai probablement été dépendante de certaines personnes aussi.

Mais de toutes les dépendances possibles sur cette planète, j'ai trouvé que ma *dépendance au drame* était absolument la plus difficile à reconnaître, à accepter, à traiter et à vaincre. L'afflux d'énergie émotionnelle que me donne le drame au théâtre, à la télévision (sur petit ou grand écran), dans un livre, et surtout celui joué dans la vraie vie (la mienne), est le dernier attachement maladif légal et légitime que la société permet.

Ce n'est pas politiquement correct de fumer, d'afficher sa sexualité, d'être un alcoolique actif ou de s'injecter des drogues. Mais malgré toute l'évolution de la conscience qui a pris place et nous a menés à ce point, la dépendance au drame est plus que politiquement correcte.

La dépendance au drame est à la mode. En ce moment, pour bien des gens, c'est une des seules choses qui donnent un sens à la vie.

Les invités potentiels font la file, se portant volontaires pour que leurs relations et leurs batailles juridiques – choses qui étaient jadis des secrets bien gardés – soient diffusées sur le câble international et la télévision par satellite. Notre société se meurt d'envie d'épier et de fourrer son nez dans leur vie. Diffuser des feuilletons sur la vraie vie est une garantie que les cotes d'écoute vont grimper.

En 1999, j'ai écrit les mots ci-dessus dans un chapitre sur la dépendance au drame de mon livre intitulé *Agir avec son cœur*. Mais la notion de dépendance au drame, et le fait de la transcender, existe depuis très très longtemps.

En 1937, Emmet Fox a écrit un essai dans *Trouvez et utilisez votre pouvoir intérieur*. Le titre de l'essai était «Ne soyez pas une reine de la tragédie».

«L'apitoiement, en nous faisant nous désoler sur nous-même, semble procurer une évasion de la réalité, mais c'est néanmoins une drogue mortelle, a-t-il écrit. Il confond les émotions, aveugle la raison et nous livre à la merci des conditions extérieures... Ne soyez pas une reine de la tragédie – que vous soyez un homme ou une femme, car ce n'est pas une question de sexe mais d'attitude mentale. Refusez fermement la couronne du martyre. Si vous ne pouvez vous moquer de vous-même (ce qui est le meilleur médicament parmi tous), essayez au moins de traiter les difficultés de façon objective, comme si elles concernaient quelqu'un d'autre.»

L'antithèse du roi ou de la reine du drame existe peut-être depuis plus longtemps encore.

Trois petites statuettes de Bouddha sont assises devant moi sur mon bureau. L'un est Serein, l'autre Souriant et l'autre Triste, prostré de compassion pour le monde. Tout ce qu'on voit, c'est le dessus de sa tête.

«Le Royaume des cieux est en vous», disait Jésus.

«Le nirvana est un état de conscience», a écrit Anne Bancroft dans une introduction au Dhammapada, un livre contenant les enseignements de Bouddha.

L'enchantement et le paradis ne sont pas des endroits que nous visitons. Ils sont en nos cœurs et en nos esprits.

Dites: «C'est un cauchemar», s'il le faut. Dites même: «Oh mon Dieu, je ne peux pas croire que ça arrive, encore moins que ça m'arrive à moi.» Mais que vous disiez ces mots avec calme et sérénité, en éclatant de rire ou prostré de compassion pour la douleur du monde, apprendre à lâcher prise dans les jours, les mois et les années du nouveau millénaire signifie apprendre aussi à dire *peu importe*.

Mon Dieu, aide-moi à lâcher prise sur mon besoin de créer des drames pour avoir une vie.

2 mars   Ne pas agiter
la marmite émotionnelle

«Mon agent de recouvrement m'a téléphoné aujourd'hui», me disait un ami un jour. «J'aime qu'elle me téléphone. Chaque fois, nous avons une bonne prise de bec. Elle me dit que je dois de l'argent à son entreprise. Alors je dis que je le sais. Elle me dit que mon solde est dû. Je lui dis que je sais ça aussi. Puis elle me demande pourquoi je n'ai pas envoyé de paiement. Je lui ai répondu que c'est parce que je lui avais dit le mois dernier que je ne pouvais envoyer que vingt dollars par mois et qu'elle m'avait dit de ne pas l'envoyer, parce que ce n'était pas suffisant. C'est là qu'elle se met à crier. Alors elle me crie de me trouver un emploi. Je lui réponds sur le même ton que j'essaie et qu'elle devrait se trouver elle aussi un meilleur emploi. Nous raccrochons tous les deux violemment et ne nous parlons plus jusqu'à ce qu'elle téléphone de nouveau le mois suivant.»

Certains d'entre nous provoquent intentionnellement des drames pour libérer des émotions, tramer quelque chose et ajouter un peu d'énergie à leur vie. Nous pouvons parfois causer des ennuis dans des domaines où il vaudrait mieux s'en abstenir. Transformer notre foyer en champ de bataille ne nous donne pas un endroit où il fait bon vivre.

Parfois sous l'influence du stress, nous voulons simplement faire sortir ces émotions. Et quelle meilleure manière de les faire sortir que de s'engager dans une bonne vieille dispute. Assurez-vous de ne pas vous faire un ennemi de quelqu'un que vous préféreriez compter comme ami. Et vérifiez si vous n'exprimez pas votre stress aux dépens d'un passant innocent, d'un amant, d'un membre de la famille ou d'un ami.

Mon Dieu, aide-moi à lâcher prise sur mon besoin de drame dysfonctionnel dans ma vie. Aide-moi à m'assurer que je ne passe pas mon stress sur les personnes que j'aime. Si c'est le cas, montre-moi une autre façon de libérer mes émotions.

3 mars   Ne pas prendre les tempêtes personnellement

Quelque part dans le Pacifique, une tempête s'est formée, s'est levée, s'est agitée et s'est éteinte sans jamais toucher terre. Trois jours plus tard, sous un ciel bleu clair, l'onde de tempête a atteint la côte de la Californie, près de Los Angeles. La mer a lancé des roches sur ma maison, et les vagues montaient et s'effondraient contre les pilotis de la fondation. Plus haut dans la rue, l'océan a avalé la véranda arrière de deux maisons. Toute la nuit, le littoral a tremblé et a été secoué par la puissance de la mer.

Le lendemain matin, la marée s'est retirée, les vagues se sont calmées et le ciel est redevenu bleu. J'ai marché sur la plage, impressionnée par la façon dont l'océan l'avait jonchée d'énormes bouts de bois et de pierres. Puis je suis retournée chez moi et j'ai bu mon café du matin.

Parfois, les tempêtes n'ont rien à voir avec nous.

Parfois, des amis ou des êtres aimés nous attaquent sans raison apparente. Ils s'agitent, fulminent et nous parlent sur un ton brusque. Quand nous leur demandons pourquoi, ils disent: «Oh! excuse-moi. J'ai eu une mauvaise journée au bureau.»

Mais nous nous sentons quand même blessés et fâchés.

Tenez les gens responsables de leur comportement. Ne les laissez pas vous maltraiter. Mais ne prenez pas sur vous les tempêtes de leur vie, car celles-ci n'ont peut-être rien à voir avec vous.

Abritez-vous si nécessaire. Éloignez-vous de vos amis cassants jusqu'à ce qu'ils trouvent le temps de se calmer, puis approchez-les quand c'est plus sûr. Si la tempête ne vous concerne pas, vous n'avez rien à faire. Tenteriez-vous d'arrêter les vagues de l'océan en vous y tenant debout, les bras écartés?

Dites *peu importe*. Laissez les tempêtes s'essouffler.

Mon Dieu, aide-moi à ne pas prendre trop personnellement les tempêtes dans la vie de mes amis et de mes proches.

4 mars   **Permettre les différences**

Il est rationnel. Il veut des exemples du problème, se concentrer et trouver une solution.

Elle veut parler de ce qu'elle ressent.

Il veut s'asseoir en face du téléviseur et jouer avec la télécommande.

Elle veut se blottir contre lui sur le divan et le regarder dans les yeux.

Il compose avec son stress en jouant au basketball avec ses amis, en bricolant sur la voiture ou en partant en randonnée.

Elle veut aller au cinéma, de préférence pour voir un film qui la fera pleurer.

J'ai passé une bonne partie de ma vie à croire que les hommes et les femmes – et tous les gens en général – devraient être pareils. J'ai mis longtemps à me rendre compte que, même si nous avons beaucoup en commun avec d'autres gens, chacun de nous est unique.

J'ai mis encore plus longtemps à me rendre compte qu'en pratique cela signifiait que je devais apprendre à permettre les différences entre les gens que j'aimais et moi-même.

Avoir quelque chose en commun avec quelqu'un, et même croire que nous sommes en amour, ne veut pas dire que chaque personne va réagir et se comporter de la même façon.

Très souvent dans nos relations, nous essayons d'amener l'autre à se comporter comme nous le voulons. Lui imposer ainsi notre volonté créera au bout du compte une grande tension. Cela peut aussi bloquer l'amour. Lorsque nous tentons de changer quelqu'un, nous ne tenons pas compte de ses talents. Nous n'accordons pas de valeur aux aspects de cette personne qui sont différents de nous, parce que nous sommes trop occupés à tenter de la changer en quelqu'un d'autre.

Ne faites pas que permettre les différences, appréciez-les. Accordez de la valeur à ce que chaque personne a à offrir et aux cadeaux que chacune d'elles peut apporter.

Apprenez à dire *peu importe,* avec une étincelle d'amusement et de curiosité quand quelqu'un est différent de vous. Essayez de vous réjouir de la façon unique dont chaque personne considère la vie.

Mon Dieu, aide-moi à comprendre les riches cadeaux qu'apportera à ma vie le fait de lâcher prise sur le contrôle.

Activité. Cette activité sert à vous aider à permettre et à apprécier les différences entre vous et quelqu'un d'important dans votre vie. Il peut s'agir d'un enfant, d'un conjoint, d'un meilleur ami, d'un collègue ou d'un parent. Le but de cette activité est de favoriser la sensibilisation. Dressez une liste dans votre journal. Inscrivez-y votre nom au début. À côté de votre nom, inscrivez celui de l'autre personne. Ensuite, faites la liste de ce qui est différent et de ce qui est semblable chez vous et l'autre. Peut-être que certaines des choses qui sont différentes sont des qualités que vous aimeriez vous-même acquérir. Peut-être que non – peut-être que les différences sont simplement cela – différentes façons de s'adapter et de réagir à la vie. Vos idéaux et vos comportements sont peut-être franchement incompatibles, et fréquenter cette personne est tout simplement inacceptable pour vous. Cette liste devrait au moins vous donner quelques idées des domaines où vous pouvez vous exercer à lâcher prise.

5 mars — Ne pas laisser la colère mener sa vie

Le mari de Cheryl était un tyran. Sa colère contrôlait la plupart de ses gestes à elle. Il ne se fâchait pas souvent, mais quand il le faisait, il explosait de rage. Il cassait des choses, il ne lâchait pas. Sa rage la terrifiait.

«Je n'ai jamais bien transigé avec la colère, disait Cheryl, la mienne ou celle d'un autre. J'ai passé mon enfance à marcher sur des œufs, tâchant de ne pas agacer mon père. Puis j'ai épousé un homme à qui j'ai permis de me contrôler entièrement par la seule menace de sa rage.»

Qu'on les appelle des enragés, des tyrans ou des bourreaux, bien des gens en ce monde parviennent à leurs fins en étant méchants. Il se peut que nous nous trouvions instinctivement à marcher sur des œufs autour de ces personnes, priant Dieu de ne pas les provoquer.

La colère est une émotion puissante. Mais nous n'avons pas à laisser la rage de qui que ce soit contrôler notre vie. Si quelqu'un que vous connaissez ou que vous aimez est un bourreau ou un tyran, ne le prenez pas sur vous. Cessez de marcher sur des œufs et de laisser leur colère contrôler tous vos faits et gestes. Au lieu d'endosser leur problème, essayez quelque chose de différent. Redonnez-leur leur problème de tyrannie.

Comment transigez-vous avec la colère? Quelqu'un dans votre vie se sert-il de la colère comme moyen de vous contrôler? Il est peut-être temps de lâcher prise sur votre peur de les provoquer.

Si vous vous trouvez dans une situation dangereuse, sortez-en à tout prix. Si vous vous permettez simplement d'être contrôlé par la peur d'un éclat émotionnel, alors apprenez à dire *peu importe* quand quelqu'un explose.

Mon Dieu, ne laisse pas la colère de qui que ce soit, y compris la mienne, être maître de ma vie.

6 mars   Neutralisez les conflits

À moins de vouloir une dispute ou un différend avec les gens, ne leur donnez rien à quoi s'opposer.

Voici une clé pour vous harmoniser avec les gens qui sont fâchés ou qui ont un point de vue différent du vôtre. Soyez tellement détendu en leur parlant que vous pouvez vous permettre de faire preuve d'empathie pour ce qu'ils pensent et ressentent. Cela ne veut pas dire que vous cédiez à tous leurs caprices, mais plutôt que vous êtes tellement concentré et lucide que vous pouvez véritablement laisser les autres être ce qu'ils sont, eux aussi.

Il est à la fois naïf et égoïste de croire que chacun pense et se sente comme nous. Il est ridicule de croire que chacun puisse être en accord avec notre point de vue. L'un des signes qui prouvent que la conscience d'une personne croît est que celle-ci reconnaît que chacun a des motifs, des désirs et des sentiments individuels.

«Au lieu de répondre à une attaque verbale par une contre-attaque verbale, répondez d'abord en vous rangeant à l'opinion de votre adversaire, en voyant la situation de son point de vue», a écrit George Leonard dans *The Way of Aikido*.

Il parlait d'utiliser un concept appelé «mélange» pour faire face aux confrontations verbales de la vie quotidienne. «La réponse, qu'elle soit physique ou verbale, est très désarmante, laissant l'adversaire sans cible sur laquelle viser. C'est un moyen par lequel vous pouvez multiplier vos options en répondant à tout type d'attaque.»

Si la personne qui fait valoir son point de vue essaie seulement de nous faire réagir ou n'a aucun désir de réconciliation, nous pouvons quand même neutraliser le conflit en demeurant détendu, en laissant l'autre personne être et en répondant seulement par un son. C'est une façon polie de dire *peu importe,* alors qu'exprimer un désaccord ne ferait que provoquer une dispute inutile. À tout le moins, vous deviendrez un brillant causeur, un art respectable à développer. Au mieux, vous ferez la paix dans le monde, au moins dans votre coin.

Mon Dieu, aide-moi à si bien savoir qui je suis que je puisse généreusement me permettre de laisser les autres être ce qu'ils sont, eux aussi. Aide-moi à mettre de côté mon comportement défensif, et apprends-moi à me mêler aux autres et à voir leur point de vue tout en n'abandonnant pas le mien.

7 mars   Reconnaître la manipulation

Voici une ironie à ce propos: la personne qui tente de vous manipuler vous voit comme ayant une plus grande force ou puissance qu'elle n'en a.

– GEORGE H. GREEN ET CAROLYN COTTER,
STOP BEING MANIPULATED

George Green et Carolyn Cotter décrivent la manipulation comme étant une rencontre où quelqu'un d'autre tente de contrôler vos sentiments, votre comportement ou votre pensée – sans votre permission – vous causant ainsi un malaise.

La plupart d'entre nous utilisent la manipulation, de temps à autre, pour obtenir ce qu'ils veulent. Nos manipulations sont parfois inoffensives, même mignonnes. Les deux personnes savent qu'une manipulation de faible intensité a cours. Au fond, les deux veulent ce que le manipulateur travaille si fort à obtenir – un dîner au restaurant, une sortie au cinéma, une promenade au parc. Rien d'important.

Parfois, les enjeux sont plus élevés et les personnes en cause ne s'entendent pas. C'est alors que les manipulations peuvent être nuisibles. Quand nous ne savons pas ce que nous voulons, quand nous ne sommes pas lucides avec les autres et nous-même à propos de ce que nous ressentons, la manipulation est dans l'air.

Parfois les manipulations peuvent être conscientes et délibérées. D'autres fois, ce sont de vagues tentatives inconscientes d'obtenir ce que nous voulons.

«Simplifions notre définition de la manipulation», suggèrent Green et Cotter. «Si après une rencontre, vous vous sentez mal à l'aise, il y a probablement eu manipulation d'un type quelconque.»

N'est-il pas ironique que, parfois, le sentiment même que nous tentons de nier est exactement celui qu'il nous faut ressentir pour prendre soin de nous-même?

La prochaine fois que vous ferez face à une situation qui vous laisse mal à l'aise, prenez un moment pour vérifier s'il y a eu manipulation. Souvenez-vous que chaque fois que les autres essaient de vous manipuler, ils vous perçoivent comme ayant quelque chose qu'ils veulent et comme étant plus fort qu'eux. Si vous êtes assez puissant pour être la cible de manipulation, vous l'êtes assez pour prendre soin de vous.

Mon Dieu, aide-moi à lâcher prise sur ma conviction que j'ai besoin de manipuler les autres pour obtenir ce que je veux. Aide-moi pour que je cesse de laisser les autres me manipuler.

8 mars   Apprenez à composer avec les manipulations

Même si vous comprenez et que vous suivez toutes les règles pour mieux vous défendre contre les mani-

pulateurs, la vie auprès d'eux ne sera probablement pas facile.

– GEORGE K. SIMON JR.

Parfois, ils veulent quelque chose. Parfois, ils veulent quelqu'un. Parfois, ils veulent que quelqu'un leur donne quelque chose ou se sente d'une certaine façon. Ils veulent du pouvoir sous quelque façon ou quelque forme que ce soit. Les manipulateurs exploitent nos points faibles.

L'obsession et la culpabilité sont des armes. Et les manipulateurs nous font utiliser ces armes contre nous.

Nous pouvons parfois nous dégager des manipulateurs – nous éloigner, fixer une limite claire, en finir avec eux. D'autres fois, ce n'est pas si facile. Il se peut que nous soyons au moins temporairement coincés avec un patron ou une figure d'autorité qui s'adonne constamment à la manipulation. Un de nos enfants peut traverser une période de manipulation intense. Ou nous avons un parent que nous aimons profondément qui a adopté la manipulation comme mode de vie.

Apprenez à traiter efficacement avec les manipulateurs. Les gens ne pensent pas tous ce qu'ils disent. Ils nous jettent des mots au visage pour atteindre nos points de culpabilité, de vanité ou de peur. Reconnaissez ce pincement de culpabilité ou de contrainte que vous ressentez quand les autres tentent de vous obliger à faire les choses à leur manière. Apprenez à reconnaître quand les autres vous disent ce qu'ils croient que vous voulez entendre. Apprenez à ne pas réagir, à rester lucide, à pratiquer la non-résistance et à rester vrai envers vous-même.

Soyez délicat à votre égard si vous avez un manipulateur dans votre vie. Vous n'êtes pas responsable des tentatives de manipulation de l'autre. Vous êtes responsable de demeurer lucide.

Mon Dieu, aide-moi à lâcher prise sur mes points faibles qui me permettent de devenir la proie des manipulations. Aide-moi à rester exempt de culpabilité et d'obsessions de sorte que je puisse décider ce qui me convient le mieux.

9 mars — Connaître ses limites

Même s'il est bon d'avoir de la compassion, nous pouvons parfois en avoir un peu trop. N'essayez pas de ne pas juger les gens au point d'en oublier de faire attention à ce que vous n'aimez pas.

«Je sais ce qu'on ressent lorsqu'on est abandonnée et laissée. Je n'aime pas ressentir cette émotion, alors je ne vais pas quitter mon copain», dit Clara. Elle vit avec un homme qui est violent envers elle, émotionnellement et physiquement.

«Je ne vais pas la juger», dit Ralph au sujet de sa nouvelle épouse. Elle prend de la cocaïne et lui vole de l'argent pour sa drogue. «Elle a eu une vie difficile, et je n'ai pas vécu ses problèmes.»

«Je dois être compatissant avec mon fils et ne pas le juger», dit Robert à propos d'un enfant qui le rend fou avec ses manipulations et ses mensonges. «Il a eu la vie dure. Sa mère est morte quand il avait trois ans. Et je suis la seule personne qu'il lui reste.»

Vous pouvez établir des frontières avec quelqu'un, sans juger cette personne. Vous pouvez décider que certains comportements sont inadéquats et vous blessent, sans condamner cette personne.

N'oubliez pas, vous avez le droit de dire «aïe!».

Nous pouvons dire *peu importe* avec compassion et quand même prendre soin de nous-même.

Mon Dieu, aide-moi à établir des limites appropriées avec les personnes dans ma vie.

10 mars   Laissez être

La vie est une série de lâcher prise – une série «infinie» de lâcher prise. Toutes choses de la vie nous sont prêtées. Regardez la vie en face, apprenez à lâcher prise et peu importe ce qui nous est donné de vivre – le succès ou l'échec, la joie ou la peine, le soutien ou la trahison, la lumière ou les ténèbres – tout nous est bienfait. Une fois que nous avons appris à lâcher prise, nous sommes prêts à tout ce que la vie nous envoie. Et la mort elle-même ne nous effraie en rien.

– MATTHEW FOX

Pendant bien des années, j'ai résisté au concept de lâcher prise. Je résistais surtout parce que je ne comprenais pas de quoi les gens parlaient. Si j'obsédais sur une chose à haute voix, on me disait: «Lâche tout simplement prise.» «Je veux bien», répondais-je. Puis je m'en allais et je me demandais ce qu'ils voulaient dire, et surtout comment faire. J'ai rapidement compris. Si je ne voulais pas que les gens me rebattent les oreilles avec leur lâcher prise, je devais obséder en silence. Privément. Ou du moins en présence de quelqu'un qui ne me sermonnerait pas sur le lâcher prise.

Au fil des ans, j'ai été obligée de lâcher prise. J'ai même fini par écrire un livre intitulé *Savoir lâcher prise*. Je croyais que c'en était fini de mon besoin de pratiquer le lâcher prise.

Quand mon fils est mort, j'ai su que l'écriture du livre n'était que le prélude, un cours préparatoire au lâcher prise. Au cours des années suivantes, j'ai progressivement acquis un nouveau respect pour ce comportement appelé *lâcher prise*.

Nous pouvons nous exercer à lâcher prise chaque jour, quelles que soient les circonstances de notre vie. C'est un comportement qui profite aux relations que nous voulons voir fonctionner. Il est également utile dans les relations malsaines. C'est un outil précieux à utiliser quand nous voulons vraiment amener quelque chose ou quelqu'un dans notre vie, et pour atteindre nos buts. C'est un outil précieux à utiliser pour les comportements dépassés comme une faible estime de soi et la manipulation.

Lâcher prise élimine la charge émotionnelle, le drame, hors des choses et nous ramène à un sens de l'équilibre, à la paix et au pouvoir spirituel.

Lâcher prise fonctionne bien tant pour le passé que pour l'avenir. Cela nous amène à aujourd'hui.

Pour paraphraser l'auteur mystique Matthew Fox, tout ce qui vient, vient à passer. Démystifiez le lâcher prise. Ce n'est pas aussi compliqué qu'il peut sembler. Apprendre l'art du lâcher prise signifie vraiment apprendre à laisser calmement les choses être.

Mon Dieu, aide-moi à apprendre à lâcher prise.

11 mars   Les choses arrivent

Une amie en santé meurt en participant à un sport qu'elle aime. Un mari consacre beaucoup d'efforts à son couple jusqu'à ce qu'il rentre à la maison et trouve sa femme au lit avec un autre homme.

On frappe à la porte et une famille miséreuse ouvre et trouve des sacs d'épicerie déposés anonymement sur la véranda. Une grosse commande arrive juste au moment où une entreprise s'apprêtait à fermer ses portes, et le rêve du propriétaire connaît une nouvelle vie.

La vie a des tournures inattendues. Parfois, elle tourne du mauvais côté aussi. Les choses arrivent. Nous qualifions ces événements parfois de *bons,* parfois de *mauvais.* Nous ne pouvons pas toujours y voir une raison ou une utilité, mais la plupart d'entre nous choisissent de croire en un plan divin.

Je ne sais pas *pourquoi* j'ai reçu certains des bienfaits dont on m'a fait cadeau ; je ne sais pas *pourquoi* la peine m'a été envoyée. Tout ce que je peux faire, c'est croire que peu importe ce qui m'arrive, il y a là une leçon.

Êtes-vous axé sur les circonstances de votre vie plutôt que sur les leçons ? Les circonstances sont les outils. Vivez-les. Ressentez la douleur de la perte et l'exaltation de la victoire. Laissez la compassion faire son chemin jusqu'à votre âme. Apprenez la sollicitude et la bonté envers les autres et vous-même également.

Au lieu de demander *pourquoi,* apprenez à demander ce qu'est la leçon. Dès que vous serez prêt à l'accepter, la leçon deviendra évidente.

Mon Dieu, aide-moi à accepter tous les revirements et les détours sur mon chemin. Aide-moi à apprendre à dire peu importe *aux incidents bons et malheureux qui me sont donnés de vivre.*

12 mars　　　　　　　　　**Ne pas se blesser**
　　　　　　　　　　　　　　　　avec ses cadeaux

Les incidents sont comme des couteaux, ils nous ser-
vent ou nous coupent, selon que nous les saisissons
par le manche ou par la lame.

— JAMES RUSSELL LOWELL

Le succès nous tombe dessus sans raison apparente. La tragédie frappe comme un train. Nous
devons composer avec les résultats. Nous pouvons
permettre à notre ego de se gonfler de notre chance
soudaine, ou nous pouvons accepter humblement le
fruit de notre travail et continuer à nous améliorer.
Nous pouvons nous coucher et abandonner après une
tragédie, ou nous pouvons pleurer, nous relever et
commencer à prendre des mesures pour poursuivre
notre vie.

Regardez les situations de votre vie. Vous a-t-on
donné le succès? Apprenez-vous les leçons du malheur? Peut-être votre don est-il celui de l'ordinaire.
Ne vous vantez pas trop de votre succès, et ne restez
pas trop longtemps dans votre peine. Et ne dormez pas
sur votre vie ordinaire. Vous perdrez votre sens de
l'émerveillement et, en bout de ligne, vous ne saurez
pas où vous étiez.

Nous ne pouvons pas toujours contrôler ce qui va
nous advenir. Nous devons lâcher prise sur toutes les
fausses pensées que nous pouvons avoir. Nous pouvons choisir comment nous traiterons la situation, tout
comme nous choisissons la façon de prendre un couteau – par le manche ou par la lame. Attention au bord
tranchant. Ce que vous faites avec ce que l'on vous
donne est important.

Mon Dieu, merci de ce qu'on m'a donné.

13 mars   **Dites *peu importe* quand**
                               vous n'avez pas le contrôle

Nous ne pouvons pas contrôler tout ce qui nous arrive. Mais nous pouvons contrôler notre réaction à ces choses. Nous ne pouvons pas contrôler les sentiments d'autrui – leurs peurs, leurs abus de pouvoir, leurs problèmes. Tout ce que nous pouvons choisir, c'est comment nous voulons y réagir.

Peut-être avez-vous subi des torts. Peut-être qu'un rêve vous a été enlevé par les actions d'un autre. Qu'allez-vous y faire? Vous pouvez abandonner et baisser les bras, ou vous pouvez vous accommoder au mieux de la situation et continuer si vous le pouvez. Ou vous pouvez vous construire une vie là où vous êtes.

Dites *peu importe*. Apprenez à vivre et à laisser vivre. Vous pouvez recommencer, encore et encore, si nécessaire.

Mon Dieu, donne-moi la force de me lever debout quand les actions ou les pensées des autres me dépriment. Aide-moi à pratiquer les bonnes pensées et les bonnes actions. Aide-moi à parcourir le chemin qui est tracé devant moi, peu importe ce qu'il me réserve.

14 mars   **Apprendre quelque chose**
                               de nouveau sur soi-même

Les incendies de forêt dévastent d'immenses étendues chaque été. Cela fait partie du cycle naturel des choses. Après un certain temps, la nature décide qu'il est temps de recommencer et un bout de forêt part en fumée.

Cette année, un incendie faisait rage près du parc national Mesa Verde dans le sud-ouest du Colorado.

J'ai lu les articles de presse avec intérêt, dans l'espoir d'apprendre que les sites archéologiques qui s'y trouvent ne soient pas détruits. Des équipes combattaient le feu, et bien qu'il y ait eu des dommages dans la région, les ruines principales n'ont pas été touchées. Pendant que le feu avait détruit des milliers d'acres du parc, il avait également fait autre chose – il avait brûlé le sous-bois qui avait commencé à pousser autour de douze sites jamais découverts auparavant.

Parfois, la vie nous envoie aussi des incendies dévastateurs. Ils font également partie du cycle naturel des choses. La vie, la nature, ou notre Puissance supérieure, nous indiquent qu'il est temps de repartir à zéro, de nouveau.

Servez-vous des événements malheureux comme d'une occasion. Qui sait? Ce feu qui ravage votre vie pourrait aussi bien nettoyer la brousse du passé. Gardez votre cœur ouvert et restez conscient. Vous pourriez apprendre quelque chose de nouveau et de jamais découvert sur vous-même.

Mon Dieu, aide-moi à demeurer conscient des leçons d'aujourd'hui.

15 mars — Lâchez prise sur les commandes

«Tu as les commandes», dit mon instructeur de vol. «Non, c'est toi qui as les commandes», rétorquai-je. «Non, je ne les ai pas, dit-il. C'est toi.»

Mon badinage avec mon instructeur de vol peut être amusant parfois. Mais c'est moins drôle quand nous nous disputons au sujet des questions de pouvoir et de contrôle dans nos vies. Et habituellement, c'est le contraire qui se produit. Nous ne voulons pas céder les commandes à quelqu'un d'autre, nous voulons tenir nous-même les rênes.

Nous voulons faire à notre guise. Et nous nous fâchons quand ça ne fonctionne pas. Parfois, après que nous ayons fait un travail sur nous-même et sur nos problèmes de contrôle pendant un certain temps, nous devenons complaisants. Étant donné que nous utilisons et dirigeons notre pouvoir si efficacement, nous nous jetons rarement dans des batailles que nous ne pouvons pas gagner. Tout baigne dans l'huile. Nous arrivons à nos fins la plupart du temps, parce que nous ne tentons pas de contrôler ce qui nous échappe. C'est alors qu'il est facile de croire que nous sommes plus puissants que nous le sommes vraiment.

Êtes-vous dans une lutte de pouvoir avec quelqu'un ou quelque chose que vous ne pouvez changer? Réfléchissez-y un moment. Est-ce vraiment ainsi que vous voulez utiliser votre énergie et votre pouvoir, en tentant l'impossible, en créant des fossés et en livrant des batailles perdues d'avance? Quand nous essayons de contrôler quelqu'un ou des événements qui échappent à notre pouvoir, nous perdons.

Quand nous apprenons à faire la différence entre ce que nous pouvons changer et ce que nous ne pouvons pas, il est habituellement plus facile d'exprimer notre pouvoir dans notre vie. Étant donné que nous ne gaspillons pas toute notre énergie à utiliser notre pouvoir pour changer les choses que nous ne pouvons pas changer, il nous reste beaucoup d'énergie pour vivre notre vie.

Apprenez à dire *peu importe* lorsque vous n'obtenez pas ce que vous voulez. Apprenez à laisser les choses être comme elles sont.

Mon Dieu, aide-moi à lâcher prise sur mon besoin de contrôler et à être ouvert au mouvement de l'univers.

16 mars — Ne pas être le deuxième conducteur

J'étais dans un magasin de jouets un jour, quand j'ai vu un petit volant jouet accroché au plateau d'une poussette. L'enfant pouvait jouer avec le volant et prétendre qu'il contrôlait la direction de la poussette. Le volant n'était relié à rien; quelqu'un d'autre était derrière la poussette, la menant ici ou là. L'enfant pouvait diriger à sa guise, mais si maman allait au département de la quincaillerie, l'enfant y allait, lui aussi.

Quelle bonne leçon à enseigner aux enfants en si bas âge: peu importe où tu te diriges, quelque chose de plus grand que toi va te pousser où il veut.

Nous avons vite fait d'être trop grands pour la poussette et nous sommes précipités dans la vie adulte. Nous apprenons d'abord à conduire – enfin un volant qui fait quelque chose! À nous la vraie liberté! Mais la voiture a besoin d'essence, nous avons un couvre-feu, il y a des limites de vitesse et des lois pour la conduite. Ou nous terminons nos études et arrivons dans le vrai monde. Enfin, plus de parents pour surveiller nos faits et gestes. Mais ensuite il y a le loyer, et le patron, et les colocataires, ou un conjoint et des enfants dont il faut tenir compte.

Peu importe à quel point nous grandissons, où nous allons ou quel âge nous avons, il y a quelqu'un au-dessus, quelqu'un de plus grand qui nous pousse dans une direction ou une autre. Désolé, pas de voiture neuve cette année, vous avez une leçon différente à apprendre.

Nous pouvons vouloir des choses, prier pour les obtenir et espérer que d'autres choses en viennent à passer. Mais en bout de ligne, nous n'avons pas le contrôle. Au lieu de perdre notre temps et notre énergie à tenter de nous rendre ailleurs, nous pouvons apprendre la leçon et profiter de la beauté de la vie qui nous est donnée.

Mon Dieu, aide-moi à me rendre compte que, même si je ne suis pas en contrôle de tout ce qui arrive dans ma vie, je peux choisir comment j'y réagirai.

17 mars   N'évitez pas le vide

J'étais assise avec un groupe d'amies dans un restaurant, un soir. Tout le monde, sauf une personne, avait fini de manger. Les pieds s'impatientaient sous la table. Nous étions prêtes à partir. Une personne du groupe, une femme plus âgée, chipotait dans son assiette. Elle avait commandé un dessert, mais ne l'avait pas encore mangé. Elle sirotait plutôt lentement son café.

«Je ne mange pas mon dessert tant que je n'ai pas terminé mon café», dit-elle, quand le serveur lui a demandé s'il pouvait prendre son assiette.

Nous la regardions toutes prendre une toute petite gorgée, déposer sa tasse et bavarder, racontant des histoires et des blagues, faisant une conversation futile. Nous l'observions avec impatience saisir sa fourchette pour prendre une bouchée de dessert, puis soupirer doucement en changeant d'idée, déposer la fourchette et commencer à raconter une autre histoire.

Elle était seule, veuve, et ses enfants habitaient un autre État. Il était évident qu'elle essayait d'étirer le dîner avec ses amies aussi longtemps qu'elle le pouvait. Elle tentait de remplir cet espace désert et silencieux qu'on appelle le vide.

Dans la vie et dans ce livre, il y a beaucoup de discours qui portent sur agir, accomplir et aller vers ce que nous voulons. Il y a bien des incitations à l'activité qui crient: «Oui, je suis en vie, et je vis ma vie pleinement et richement du mieux que je peux.»

Dans toute cette occupation et cette vie, il faut aussi porter une attention minutieuse à une autre partie de la vie. Il s'agit du cycle naturel et répétitif que certains appellent «le vide».

C'est un espace vide dans notre vie.

Le vide peut occuper une petite place dans notre vie – durer quelques jours ou quelques semaines. Ou il peut durer plus longtemps. Une relation a pris fin. Nous sommes seuls. Nous ne savons pas quoi faire ensuite. Ou un cycle de notre vie a pris fin – peut-être avons-nous reçu un diplôme d'études secondaires ou universitaires, et nous ne savons pas où aller ensuite. Peut-être que notre temps de parent est terminé. Peut-être que quelqu'un que nous aimions, un colocataire ou un meilleur ami, qui était une partie importante de notre vie, est parti au loin.

N'ayez pas peur du vide. Reportez-le pendant un certain temps, s'il le faut. Traînez au dîner avec des amis, refusant de terminer votre dessert. Aussi sombre, froid et dénudé qu'il semble, le vide est un endroit favorable. Ses rythmes sont plus lents et souvent plus confus que d'autres cycles de notre vie, mais les rythmes de ce cycle sont quand même là.

Rappelez-vous ces moments paisibles de votre vie, ceux que vous avez déjà vécus, quand un cycle vient de se terminer et qu'un autre n'est pas encore entamé. Rappelez-vous, quand le vide survient, que vous n'avez pas à le craindre. Ce n'est pas la fin. Ce n'est qu'une pause créatrice et nécessaire, un cycle en soi, parmi les cycles et les rythmes de la vie.

Mon Dieu, donne-moi le courage d'entrer dans le vide de ma vie avec dignité, foi et le sens de l'humour. Aide-moi à chérir l'inconnu autant que j'aime l'activité et la lucidité.

18 mars   Le secours de la prière

«Parfois je me convaincs de ne pas prier, disait Sheila. Je me dis que c'est seulement plus de travail, parce que même si je prie pour quelque chose, il faut aussi que je travaille à l'obtenir.»

Je m'assois pour écrire. L'énergie n'est pas là, mais l'échéance, elle, y est. *Mon Dieu, aide-moi s'il te plaît.* Je me souviens d'une blague que j'ai entendue quelque part: «J'adore les échéances. Surtout le son qu'elles font quand elles me dépassent.» J'écris quand même, un mot après l'autre. Puis, surgissant de nulle part, arrive une chaîne de mots que je n'avais pas prévus, une nouvelle idée, une fraîche perspective, une histoire complète avec une conclusion. *Super! D'où cela vient-il?*

Un problème survient dans une relation avec un ami. Il est blessé et en colère. Sa douleur et sa colère évoquent plus de douleur et de colère en moi. J'essaie de raisonner, de l'écouter, de lui faire voir les choses de mon point de vue. Il croit avoir raison. Moi aussi. Jour après jour, nous travaillons à la relation. La tension continue. Je ne sais plus quoi faire. «Mon Dieu, aide-moi à régler cette situation. Montre-moi quoi faire ensuite.» Je continue à parler à mon ami. Il me parle encore. Puis, un jour, je me sens moins sur la défensive et moins coupable. Un nouveau sentiment enveloppe la relation. «Je suis désolée», dis-je un jour. «Moi aussi», ajoute-t-il. *Super!,* que je poursuis. *D'où cela vient-il?*

Je monte sur le pèse-personne, regardant fixement les chiffres. Je veux perdre cinq kilos. Je commence à manger moins, à faire plus d'exercice. Quelques jours plus tard, je remonte sur le pèse-personne. *Zut. J'ai pris un demi-kilo.* Je continue de moins manger, les chiffres ne bougent pas. *Mon Dieu, aide-moi à perdre ce poids. Pourquoi est-ce que je m'y accroche?* Je continue à surveiller mon apport alimentaire et je fais attention à mes exercices. Un matin, je monte sur le pèse-personne. *Super! J'ai perdu trois kilos. Comment est-ce arrivé?*

Priez. Lâchez prise. Puis agissez comme si vous deviez faire tout le travail. Ne prévoyez pas de magie ou de miracles. Mais faites-leur quand même une place.

Mon Dieu, aide-moi à me souvenir que, lorsque je sors de moi, j'entre en Toi.

19 mars   Se détendre

Ce qui nous occupe est sérieux. C'est grave. Nous devons prendre la relation amoureuse au sérieux. Nous devons prendre la tâche au sérieux.

Peut-être que ce que nous avons vraiment besoin de faire est d'apprendre à nous détendre.

Des nations grandissent et chutent, des héros naissent et meurent, le soleil se lève et se couche, et vous voulez que je prenne au sérieux la notion qu'aller à l'église bien vêtu va changer quoi que ce soit?

L'important, c'est ce que nous avons dans le cœur.

«La raison pour laquelle les anges peuvent voler est qu'ils se prennent tellement à la légère», a écrit G.K. Chesterton. Quand vous cessez de vous prendre autant au sérieux et que vous lâchez prise sur la gravité de tout ce que vous faites, vous pouvez aussi apprendre à voler.

Mon Dieu, aide-moi à me détendre.

20 mars — Lâchez prise sur ce que pensent les autres

Plus tôt cette journée-là, nous avions pris une marche dans la neige, dans le bassin de Bryce Canyon, en Utah. Après une douche rapide à l'hôtel, nous sommes descendus dîner au restaurant. Nos bottes étaient trempées de neige, alors nous avons porté nos sandales.

L'hôtesse fut la première à le remarquer. «Vous ne portez pas les bonnes chaussures, nous avertit-elle. Il y a de la neige dehors!»

«Oui je sais, dit Chip. Nous sommes de Californie.»

«Ah bon», fit-elle d'une moue dédaigneuse, en nous indiquant notre table.

Quand le serveur s'est approché de notre table, l'hôtesse est revenue lui signaler rapidement que nous étions mal chaussés. Nous avons essayé d'expliquer que nous étions allés en randonnée et que nos bottes étaient mouillées, mais cela ne fit que la vexer davantage.

«J'espère sincèrement que vous ne portiez pas ces chaussures-là, dit-elle. Il y a de la neige sur les pistes.» Puis, elle retourna à son poste.

Notre serveur n'en fit pas de cas. Il écouta le compte rendu de notre randonnée, nous parla d'une des siennes et veilla à ce que nos verres soient pleins.

Plus tard au cours du repas, l'hôtesse guida un autre couple vers une table plus loin et pointa nos pieds. «Regardez ces gens, dit-elle. Ils sont de la Californie et ils sont mal chaussés!»

Nous avons rigolé durant tout le dîner ce soir-là, seulement parce que nos bottes de randonnée étaient trempées.

Parfois, ce qui est approprié à une situation ne fonctionne tout simplement pas pour vous et vous êtes obligé d'improviser. Portez les mauvaises chaussures s'il le faut, mais ne ratez pas la soirée en raison de ce qu'une personne pourrait penser.

Mon Dieu, aide-moi à me rappeler que l'important, c'est comment je vis, et non de quoi j'ai l'air.

21 mars   Lâchez prise sur les finances

Lâcher prise ne signifie pas que nous sommes indifférents. Il s'agit d'avoir la foi que les choses vont se régler. Regardons comment le lâcher prise s'applique en matière d'argent.

John a bu pendant des années. Au fil du temps, la maladie a détruit sa vie, y compris sa situation financière. Il a touché le fond et a finalement commencé à se rétablir. Après un certain temps, il était en mesure de progresser dans sa vie. Mais ses finances étaient dans un état pitoyable. Pendant quelque temps, il a caché toutes ses factures dans un tiroir. Puis un jour, il a sorti les factures et s'est créé un plan. Au lieu de se sentir désespéré et dépassé, il a appliqué les Douze

Étapes à ce domaine de sa vie. Il a téléphoné à ses créanciers. Il s'est fixé un budget. Il a fait de son mieux et a lâché prise sur le reste.

Lentement, au fil des ans, il a commencé à rebâtir son crédit. Il a payé ses dettes, un petit montant à la fois. Il a fait une demande de carte de crédit, du type qu'il faut payer d'avance. Puis, après un an, sa limite a été haussée. Il ne se sert pas de la carte pour du crédit, il s'en sert comme indice de solvabilité. Il possède maintenant un compte-chèques et un compte d'épargne. Il paie ses impôts et arrive à épargner un peu chaque semaine.

Parfois des imprévus arrivent. Les voitures tombent en panne. Les gens sont malades. Le loyer est augmenté. Cette dépense inattendue qui arrive de nulle part, juste au moment où vous croyiez prendre le dessus.

Pendant bien des années, je n'étais pas capable de faire un budget sur papier. Peu importe comment je m'y prenais, il sortait toujours plus d'argent qu'il n'en rentrait. J'ai fait de mon mieux, j'ai pris mes responsabilités et j'ai lâché prise.

L'inquiétude n'a jamais été utile, mais une attitude responsable vis-à-vis de moi-même l'a été.

Ce que nous ne pouvons pas faire par nous-même, Dieu le fera pour nous. Et Dieu sait que nous avons besoin d'argent pour vivre sur cette terre. Que disait donc la Bible? Cherchez l'argent d'abord, puis vous aurez la paix? Non, ce n'est pas ça. «Cherchez le Royaume du Père et le reste vous sera donné par surcroît.»

Manifestez vos besoins dans une attitude de responsabilité, de confiance et de paix.

Mon Dieu, enseigne-moi à lâcher prise sur mes préoc-
cupations face à l'argent.

22 mars Lâchez prise sur l'avenir

Il y a des siècles, dans des temps anciens, Moïse a mené un groupe d'esclaves hors d'Égypte vers leur patrie. En chemin, ils ont erré pendant des années dans la péninsule du Sinaï, une terre dénudée, rocheuse et sans vie.

Durant leur séjour prolongé dans le désert, Dieu leur a fourni la manne, de la nourriture apparue de nulle part qui a sustenté les gens chaque jour. Le truc du rythme de cette foi en Dieu, et pour recevoir ce dont ils avaient besoin, était que toute manne reçue devait être consommée le jour même.

La manne ne pouvait être engrangée. Elle ne pouvait être stockée ou conservée pour les mauvais jours. Si les gens amassaient leur manne, elle se gâtait et pourrissait. Ou elle disparaissait mystérieusement, aussi magiquement et sûrement qu'elle était apparue.

La plupart d'entre nous savent ce qu'est de recevoir notre pain quotidien. C'est l'amour, l'orientation, la grâce et les choses matérielles dont nous avons besoin chaque jour sur notre chemin.

Parfois, nous nous arrêtons pour prévoir les temps à venir. Nous pouvons envisager notre argent, nos forces, nos capacités, notre résistance et dire d'un ton inquiet: «Ce ne sera pas suffisant.» C'est parce que nous regardons trop loin.

Regardez autour de vous ce à quoi vous avez accès, en ce moment. Utilisez les ressources et les dons qui vous ont été donnés. La manne de demain viendra au moment convenu.

Mon Dieu, aide-moi à apprécier le chemin de la
liberté, même s'il doit me faire passer par le désert.
Aide-moi à me rappeler les règles de la manne: vivre
un jour à la fois.

23 mars   Lâchez prise
sur les apparences

Cela s'appelle rivaliser avec les voisins. Ils achètent un bateau et nous en achetons un plus gros. Ils se procurent un nouveau téléviseur et nous achetons un grand écran. Ils démarrent une entreprise et nous commençons à planifier nos documents de constitution en société ainsi que notre première émission d'actions. Et tandis que nous sommes si occupés à rivaliser, nous ignorons notre âme, la voix intérieure qui nous dit qu'elle aimerait vraiment enseigner à lire aux enfants.

Bien qu'il soit utile de nous identifier les uns aux autres, nous ne sommes pas les mêmes. Alors pourquoi nous comparer en fonction des choses matérielles?

Suivez votre propre talent et votre cœur. Il se peut que vous soyez un brillant orateur, capable de convaincre des centaines de personnes avec vos paroles. Ou peut-être avez-vous le talent de l'amitié, et vous allez doucement, individuellement, aider vos proches à suivre leur propre chemin.

Si vous devez vous comparer à quelque chose, comparez votre vie quotidienne à vos idéaux et à vos rêves. Se correspondent-ils? Si ces idéaux et ces rêves entraînent une grande richesse matérielle, c'est fantastique. S'ils se traduisent par une vie de service anonyme et discret, c'est aussi fantastique. Oui, les biens matériels peuvent être amusants. Mais ils peuvent aussi constituer un piège.

Suivez-vous le chemin du cœur dans votre vie, peu importe ce que les autres possèdent?

Mon Dieu, aide-moi à lâcher prise sur les apparences. Enseigne-moi à suivre mon propre chemin.

24 mars   Cultivez la paix intérieure

D'après mon expérience, la caractéristique princi-pale du bonheur véritable est la paix, la paix inté-rieure.

– SA SAINTETÉ – DALAÏ LAMA

Cultivez un sentiment de paix, une paix intérieure durable qui ne dépend pas des circonstances extérieu-res.

Il y a tellement de chaos, de drames et d'émotions qui surgissent en nous. Il est si facile, si tentant de croire qu'une fois que nous aurons traversé cette cir-constance, une fois que nous aurons atteint ce but, une fois que nous aurons réglé ce problème, alors nous serons en paix.

C'est une illusion.

« Je suis heureux quand j'obtiens ce que je veux», dit Kent. «Pour quelques minutes. »

Obtenir ce que nous voulons peut nous rendre heureux pour un moment, mais c'est un bonheur limité, transitoire. L'émotion ou le problème suivant se présentera. Ou nous commencerons à éprouver du ressentiment pour telle personne ou tel emploi, parce qu'elle ou cela ne nous aura pas apporté le bonheur que nous escomptions. Comme la carotte ou le bâton, le bonheur sera toujours à quelques pas du prochain problème, de la prochaine acquisition ou de la pro-chaine émotion.

Soyez en paix maintenant. Soyez heureux maintenant. Débarrassez-vous des limites de votre joie.

Mon Dieu, aide-moi à me souvenir d'être d'abord en paix, peu importe la situation à laquelle je fais face.

25 mars   **Lâchez prise**
                                    sur les ressentiments

Les ressentiments sont de petites rancunes sournoises et rusées. Ils peuvent nous convaincre qu'ils sont justifiés. Ils peuvent nous assécher le cœur. Ils peuvent saboter notre bonheur. Ils peuvent saboter l'amour.

Pour la plupart, nous avons subi une injustice dans notre vie. Nous connaissons presque tous quelqu'un qui s'est plaint d'une injustice que nous lui avons fait subir. La vie peut être un site de reproduction des ressentiments, si nous la laissons faire.

«Oui, mais cette fois, on m'a vraiment causé du tort», nous plaignons-nous.

C'est peut-être vrai. Mais nourrir un ressentiment n'est pas la solution. Si c'était le cas, notre liste de ressentiments ressemblerait à l'annuaire téléphonique de Los Angeles! Traitez vos émotions. Apprenez la leçon qui vous est servie. Puis, lâchez prise sur les émotions.

Les ressentiments sont un comportement d'adaptation, un outil pour quelqu'un qui décide de survivre dans la vie. Ils sont une forme de vengeance. Le problème, c'est que, peu importe envers qui vous éprouvez du ressentiment, ultimement la colère est dirigée contre vous-même.

Prenez un moment. Examinez votre cœur. Vous êtes-vous joué le tour d'abriter un ressentiment?

Si c'est le cas, prenez un autre moment et lâchez prise sur ce ressentiment.

Mon Dieu, donne-moi la sérénité qu'apporte l'acceptation.

26 mars — Dire *peu importe* avec le plus d'amour possible

Il existe une vieille histoire à propos de la compassion, du détachement et de Mohammed, prophète de l'Islam.

Mohammed avait un voisin qui avait un problème d'ordures. C'était un vieil homme grincheux qui laissait ses ordures s'empiler et déborder partout dans sa cour. Le spectacle n'était pas beau à voir, mais Mohammed pratiquait la tolérance et la compassion. Il ne dit rien au voisin agaçant, pendant des années.

Un jour, le désastre des ordures disparut.

Mohammed alla chez son voisin et frappa à la porte. Le voisin lui ouvrit.

«Je m'inquiétais de ne plus voir vos ordures, dit Mohammed. Je venais juste vérifier si vous n'étiez pas malade.»

Il nous faut établir des frontières, être clair et prendre notre propre défense. Il nous faut vérifier régulièrement si nous prenons soin de nous-même. Mais de temps à autre, il nous faut aussi vérifier si nous nous permettons de devenir irrités et fâchés par des vétilles, oubliant l'essentiel de l'amour.

Apprenez à dire *peu importe,* mais dites-le avec autant de compassion et d'amour que vous le pouvez.

Mon Dieu, aide-moi à apprendre à prendre soin de moi et à vivre avec passion, compassion et un cœur ouvert.

27 mars   **Se libérer**

Je vais lâcher prise demain, j'ai trop de plaisir à
me torturer aujourd'hui. Non, ce n'est pas vraiment
ça. Je vais lâcher prise demain, les choses auxquelles
je m'accroche ont besoin que je les tienne aujourd'hui.
Oui, c'est plus près de la vérité. Je n'ai aucun plaisir
aujourd'hui, mais je dois m'accrocher à mes désirs, à
ma culpabilité, à mes limites et à mes inquiétudes. Ils
me définissent. Et vous voulez que je lâche prise sur
eux aujourd'hui? Désolé, peut-être demain. Alors
nous nous accrochons. Et l'ulcère s'aggrave. Et la
douleur dans nos cœurs provenant d'attentes non com-
blées continue de nous ronger. Ce que nous remettons
vraiment à plus tard est la liberté que nous procure le
lâcher prise.

Oui, je sais que ce à quoi vous vous accrochez est
important. Tout ce sur quoi j'ai dû lâcher prise était
aussi important pour moi. Si ce n'était pas important,
lâcher prise ne serait pas un combat. Nous le déposé-
rions et nous nous éloignerions.

Aujourd'hui vous est donné. Vous en servirez-
vous ou manquerez-vous les merveilles d'aujourd'hui
parce que vous êtes trop préoccupé à retenir les choses
qui échappent à votre contrôle?

Mon Dieu, aide-moi à lâcher prise, aujourd'hui.

28 mars   **Lâchez prise sur les résultats**

Certains d'entre nous s'attachent aux résultats.
Nous croyons qu'un projet ou une relation doit se
dérouler d'une certaine façon.

Parfois, nous nous attachons tellement au résultat
d'une chose que nous ne faisons même pas attention à
l'impression que nous donne cette chose. Nous som-

mes peut-être tellement déterminés à épouser la personne que nous fréquentons que nous oublions de vérifier si elle nous plaît. Nous pouvons être tellement intéressés à faire publier ce livre de photos et à devenir célèbres que nous ne nous souvenons même pas si nous avons quelque passion pour les sujets photographiés. Nous pouvons être tellement axés sur le fait de recevoir les félicitations de tous pour une merveilleuse soirée que nous en oublions de nous détendre et de nous amuser.

Nous faisons des efforts. Mais nous essayons de contrôler tant le déroulement que l'issue des choses.

«Dieu est dans les détails», a dit un jour un professeur d'écriture. Ce dont il parlait, c'était d'être attentif à chaque petit détail de notre écriture: la couleur du ciel, la texture d'un divan, les nuances des sentiments du personnage principal, l'éclat dans son œil.

On peut interpréter cette devise autrement, cependant. Et c'est de croire que Dieu est présent dans les détails de notre vie et qu'Il s'y intéresse. Sachez quels sont vos rêves et soyez attentif à ce que vous voulez. Mais focalisez votre attention sur les détails de votre vie – comment vous ressentez chaque instant, les détails de ce que vous faites. Ne soyez pas attaché aux résultats au point que vous en oubliez le plaisir de vivre.

Rappelez-vous que Dieu est dans les détails, surtout dans la façon dont les choses se déroulent.

Mon Dieu, aide-moi à définir avec Toi et avec moi-même ce que je veux dans la vie. Aide-moi à apprendre à être présent aux détails de chaque instant de chaque jour, en faisant ce que je fais avec passion.

29 mars　　　　　**Que Ta volonté soit faite**

Vous pouvez défricher une terre, labourer le champ, épandre de l'engrais et planter le maïs. Mais vous ne pouvez pas faire tomber la pluie. Vous ne pouvez pas empêcher un gel hâtif. Vous ne pouvez pas déterminer exactement ce qui arrivera dans votre vie. La pluie peut tomber ou non, mais une chose est sûre : vous n'aurez une récolte que si vous avez planté quelque chose dans le champ.

Il importe de tout tenter en notre pouvoir pour faire en sorte de réussir, mais il nous faut aussi laisser l'univers suivre son cours. Nous fâcher ne servira à rien. Nous acharner sur une situation ne fait que drainer notre énergie, tout en ne donnant que peu de résultats favorables.

La prière de la sérénité nous vient à l'esprit. Elle débute ainsi : «Mon Dieu, donne-moi la sérénité d'accepter les choses que je ne peux changer.»

Défrichez la terre, labourez le champ, plantez la culture, puis lâchez prise. Les choses vont fonctionner, parfois comme nous le voulons, parfois non. Mais elles vont fonctionner.

Parfois, tout ce que vous pouvez faire est de hausser les épaules, de sourire et de dire *peu importe*.

Que Ta volonté soit faite, et non la mienne.

Mon Dieu, aide-moi à agir de façon éclairée, puis à m'abandonner à Ta volonté. Aide-moi à me rappeler que mon pouvoir véritable provient en alignant ma volonté, mes intentions et mes désirs avec Toi.

30 mars　　　　　**Suivez le mouvement**

Il y a bien des années, j'étais dans ma cuisine à préparer le repas de l'Action de grâce. Les enfants couraient dans la maison. J'attendais des invités. Le repas ne prenait pas l'allure que j'avais prévue. Puis j'ai remarqué, à ma consternation, qu'un de mes ongles en acrylique manquait. J'ai cherché autour, affolée, puis je me suis rendu compte qu'il était probablement là où je le craignais : à l'intérieur de la dinde, dans la farce.

J'ai téléphoné à ma meilleure amie et je lui ai expliqué ce qui se passait.

«Détends-toi», dit-elle de sa voix joyeuse que j'aimais tant – parfois. «Suis le mouvement.»

«Comment?» ai-je dit, inquiète.

Je ne me souviens pas des détails du déroulement de cette journée, mais tout a bien été – je crois que Nichole a trouvé l'ongle. Et la journée suivante également a bien été, et encore le surlendemain. Avec le temps, la leçon est devenue limpide – apprenez à vous détendre, et suivez le mouvement. De cette attitude détendue, vous apprendrez à manifester naturellement votre pouvoir.

Certains le nomment ki, d'autres chi, d'autres le Saint-Esprit, d'autres la Voie, le Tao, la volonté de Dieu ou la force. Peu importe comment nous l'appelons, il y a un flux d'énergie, un sentier qui nous conduira à travers n'importe quelle situation de la vie.

J'ai passé nombre d'années à résister à ce flux, à cette force de vie universelle. J'ai dépensé beaucoup d'énergie à créer des drames autour de chaque incident qui avait lieu. Je passais autant de temps à résister à un sentiment ou à un événement que j'en passais à composer avec celui-ci. Je vivais dans un état de crainte.

La réponse se manifestera. Une solution vous viendra. Vous serez conduit à l'endroit, à la personne ou à l'événement suivant. Vous obtiendrez l'occasion dont vous avez besoin, de même que l'inspiration, le courage et la sagesse. Les sentiments viendront et partiront.

La leçon n'est pas que tout ira bien. C'est que tout va bien, dès maintenant.

Mon Dieu, apprends-moi à relâcher ma résistance et à suivre le mouvement.

31 mars   Changez ce que vous pouvez

Il y a des moments où il est préférable de dire *peu importe,* et d'autres où il vaut mieux dire *assez.* Soyez conscient des différences entre ces moments, et soyez prêt à dire les deux.

Est-ce qu'on abuse de vous ou vous contrarie-t-on simplement? Votre colère est-elle fondée sur une blessure légitime, ou quelqu'un n'a-t-il tout simplement pas répondu à vos attentes? Soyez conscient qu'il y a une différence. Puis apprenez à appliquer les stratégies, si besoin, à cette situation particulière.

Y a-t-il des règles à connaître? Non, il n'y en a pas. Vous devez décider et choisir ce qu'il y a de mieux pour vous à tout moment. Faites confiance à vous-même et à votre Puissance supérieure. Vous êtes plus sage que vous ne le croyez.

Cherchez l'équilibre dans votre vie. Apprenez quand il est temps de lâcher prise et quand il est temps d'agir.

Mon Dieu, aide-moi à lâcher prise sur les situations qui échappent à mon contrôle et aide-moi à agir, quand il en est temps.

Avril

Apprenez à dire quoi

1er avril   **Apprenez à dire** *quoi*

C'était un de ces magnifiques matins. Les vagues cognaient juste assez fort pour qu'on les entende. Nous étions sur le balcon à observer la marée montante.

«Les rythmes de la marée varient tellement, dis-je. Parfois, tu ne peux pas marcher sur la plage, le matin. D'autres fois, elle est haute en fin d'après-midi.» J'ai ensuite indiqué un endroit, à environ 30 mètres plus loin. «Et parfois, elle est aussi loin que ça.»

«Nous devons vraiment nous procurer un horaire des marées pour nous aider à comprendre ce qui se passe. Bien des commerces les offrent gratuitement.»

Puis, cette pensée et ces mots disparurent.

«Allons prendre le petit-déjeuner», dit-il.

«J'ai une idée, ai-je ajouté. Allons au restaurant de fruits de mer.»

La circulation était fluide ce matin-là. Nous n'avions pas besoin de réservations. Nous avons pu avoir une table immédiatement. Vingt minutes plus tard, nous avions devant nous un plat de pattes de crabe et de la tarte à la lime. Ce n'était pas au menu du petit-déjeuner, mais c'était ce que nous voulions, avons-nous dit.

Nous nous sommes ensuite rendus en voiture vers l'anse, une petite crique cachée le long de la côte. Nous avons dû marcher longtemps pour nous y rendre. Une fois là, il fallait encore descendre une centaine de marches. Nous avons plutôt décidé de nous laisser glisser le long de la falaise. Nous nous sommes promenés dans la petite baie, nous mouillant et nous salissant les pieds dans le sable. Nous avons grimpé sur des rochers et contemplé chacune des beautés que nous voyions, beautés créées par Dieu.

«Qu'est-ce que c'est?» ai-je demandé en effleurant une boule ronde hérissée.

«Une anémone de mer», répondit-il.

Je ne voulais pas trop y toucher avec mes mains, alors j'ai pris un coquillage avec lequel j'ai touché à l'anémone.

La boule hérissée et hirsute s'est alors ouverte et a aspiré le coquillage. Elle croquait le crabe. J'ai ri. Je voulais la voir faire encore.

Nous avons poursuivi notre promenade dans la baie. Des étoiles de mer, des galets et de jolis coquillages décoraient la voie. «Défense de se baigner nu», commandait un panneau usé. Un hélicoptère de patrouille passa, pour s'assurer que nous observions la consigne. Nous sommes remontés vers la rue. Cette fois encore, nous n'avons pas utilisé les marches.

Nous sommes retournés en ville. Le magasin d'articles de surf était ouvert, alors nous y sommes entrés. Nous avons regardé les lunettes de soleil, les combinaisons de plongée, les kayaks et les shorts. Nous ne voulions rien acheter, alors nous avons dit *merci* et nous nous sommes dirigés vers la porte. Comme nous quittions le magasin, un homme s'est écrié en tenant quelque chose dans la main: *N'oubliez pas votre horaire des marées,* dit-il en nous tendant la brochure.

Nous nous sommes regardés et avons éclaté de rire. Même si nous avions oublié ce que nous voulions, l'univers s'en souvenait et insistait pour nous le donner.

Il y a bien des choses sur lesquelles il nous faut lâcher prise. Probablement toute chose, en fait. Mais il importe de dire ce que nous voulons d'abord – avant de lâcher prise – parce que parfois lorsque nous lâchons prise, ce que nous voulions nous revient.

Une importante partie de savoir lâcher prise consiste à apprendre à identifier et à dire ce que nous voulons.

2 avril   Apprenez à dire *oui*

Apprenez à dire *oui,* et à le penser.

Depuis quand avez-vous dit *oui* à quelqu'un dans votre vie? *Oui, j'aimerais faire ça. Oui, ça me semble bon. Oui, je vais me risquer.*

Depuis quand vous êtes-vous dit *oui? Oui, je reconnais ce que tu ressens. Oui, j'ai entendu ce que tu veux. Oui, je me rends compte que tu es fatigué. Oui, nous allons nous reposer un peu.*

Quand les occasions se présentent – que ce soit pour une croissance personnelle, spirituelle ou économique – ne soyez pas toujours si prudent et timide. Qu'est-ce que ça peut bien faire si, en disant *oui,* vous ne répondez pas aux attentes de quelqu'un? Parfois, nous apprenons si bien à dire *non* que ça en devient une habitude. Nous ne considérons même pas ce que nous refusons.

Un *oui* placé au moment propice est aussi important pour manifester notre pouvoir que d'apprendre à dire *non.* C'est le signe d'une ouverture du cœur.

La prochaine fois que quelqu'un vous demande de sortir ou vous suggère une possibilité, ou que votre corps essaie de vous parler, arrêtez-vous. Au lieu de dire *non* immédiatement, comme un parent sur le pilote automatique, écoutez l'offre. Pourrait-elle être importante ? Vous aiderait-elle à vous guider sur votre chemin ? Peut-être avez-vous peur. Peut-être croyez-vous ne pas être à la hauteur de la situation. Peut-être aimez-vous la sécurité de dire *non* en tout temps.

Apprenez à dire *oui* à la vie.

L'honnêteté, l'ouverture d'esprit et la bonne volonté d'essayer. *Hum !* Cela ressemble beaucoup à un *oui,* selon moi.

Mon Dieu, aide-moi à apprendre à dire oui *et à le penser, lorsque c'est la réponse appropriée.*

3 avril   Priez et manifestez votre pouvoir

Les soufis ont un proverbe : Louez Allah, et attachez votre chameau à un poteau. *Cela réunit les deux côtés de la pratique : priez, bien sûr, mais assurez-vous aussi de faire ce qui est nécessaire en ce monde.*

– JACK KORNFIELD, *SEEKING THE HEART OF WISDOM*

Il est facile de jouer au martyr. Nous passons notre vie dans les luttes et les tourments à désirer ardemment le délicieux moment imminent où tout sera parfait.

Le délicieux moment, c'est aujourd'hui. Oui, dès maintenant. Il est ici. Si nous devons avoir du bon dans notre vie, c'est à nous de le chercher.

Voici deux choses que nous enseigne la Bible à propos de la foi: premièrement, elle dit que la foi est comme un grain de sénevé. Le plus petit d'entre eux peut pousser très haut et, le temps venu, se multipliera. Deuxièmement, la Bible nous dit que la foi sans les œuvres est une foi morte. Si vous ne faites rien, alors vous ne gardez pas votre foi vivante.

Priez. Confiez tout à Dieu. Mais faites aussi quelque chose.

Cessez d'attendre que quelqu'un vienne à votre rescousse. Apprenez à venir à votre propre rescousse.

Mon Dieu, aide-moi à agir de façon éclairée aujourd'hui pour faire de ma vie un meilleur endroit.

4 avril   Demandez d'être guidé

Parfois, les choses ont l'air d'être de bonnes idées, mais elles ne le sont pas vraiment.

— PIGLET

Demandez d'abord d'être guidé.

La volonté personnelle est rusée, tout comme le sont les comportements impulsifs.

Nous avons entendu parler des achats impulsifs – acheter rapidement et sans y penser, à partir d'une impulsion momentanée. Il est facile de nous laisser prendre à vivre notre vie de cette façon aussi. Nous nous enfuyons si souvent sous la pression du moment.

La spontanéité est une bonne chose. Dire *oui* à la vie est bon, aussi. Mais vivre impulsivement peut entraîner des ennuis. Nous pouvons réagir à outrance à un problème, puis nous asseoir sur un tas de regrets. Parfois, l'étape suivante nous apparaît clairement, dans une inspiration soudaine. Parfois, nous devons continuer et ne pas laisser nos peurs ou nos pensées négatives nous retenir. Parfois, nous agissons sur le coup d'une impulsion et nous finissons par nous saboter nous-même.

Demandez d'abord d'être guidé. Il ne faut qu'une seconde pour consulter la carte et voir si le tournant que nous entendons prendre nous mène bien là où nous voulons aller.

Mon Dieu, montre-moi quelle est ta volonté pour moi. Montre-moi si la décision que je m'apprête à prendre sert mes intérêts ou s'il y a un meilleur chemin à explorer.

5 avril   Juste ce que vous pouvez

> *Mon Dieu,*
> *Je fais de mon mieux.*
>
> *– LETTRES D'ENFANTS À DIEU*

Parfois, tout ce que nous pouvons faire est tout ce que nous pouvons faire.

«Peut-être que mon talent est d'être un bon écoutant, dit John. Je ne suis peut-être pas censé devenir riche et célèbre. Je suis censé n'être que la personne qui s'assoit et écoute.»

Le monde a aussi besoin d'écoutants. Si tout le monde racontait des histoires, il y aurait beaucoup de bruit, et personne ne les entendrait jamais. Vous êtes peut-être un conteur ou peut-être un écoutant. Peut-être les deux. Votre chemin consistera peut-être à atteindre la notoriété et la célébrité, peut-être que le vôtre sera un chemin anonyme de service.

Si vous avez fait tout ce que vous pouviez – qu'il s'agisse de poursuivre vos rêves, de faire fonctionner une relation, d'aider quelqu'un ou de prendre soin de vous-même – alors vous avez fait votre part.

Peut-être que tout ce que nous *pouvons* faire est ce qu'il nous revient de faire, pour aujourd'hui.

Mon Dieu, aide-moi à faire ce que je peux et à ne pas me torturer sur ce que je ne peux pas faire.

6 avril   Le pouvoir de la pensée

En 1922, l'Égypte célébrait la découverte du tombeau du pharaon Toutankhamon par l'archéologue Harold Carter. Sur les murs du tombeau, les magiciens de la cour du pharaon avaient inscrit qu'un châtiment sévère attendait quiconque troublerait la paix des lieux.

Dans les dix ans qui ont suivi, plus de vingt personnes chargées de l'excavation sont mortes subitement ou mystérieusement.

Que vous l'appeliez mauvais sort ou suggestion hypnotique d'un type quelconque, ce dont il est question ici est l'effet formidable qu'ont les suggestions sur nous. Nous parlons ici du pouvoir des croyances.

Nous dépensons des milliers de dollars en thérapie et consacrons des années de notre vie à désembrouiller nos pensées des croyances de nos parents, croyances qui leur ont été transmises par leurs parents, et leurs grands-parents et même plus loin dans la généalogie.

Parfois, l'effet des pensées des autres est moins évident, mais encore plus contrôlant. Nous pouvons réagir instinctivement aux demandes tacites d'un conjoint ou d'un amant ou d'un patron. Ils sourient ou froncent les sourcils – ou nous regardent simplement – et nous savons ce qu'ils veulent et ce qu'ils attendent. Parfois, un commentaire anodin d'un ami peut nous faire paniquer quand il suggère, *Tu ne peux pas faire ça, ça ne fonctionnera pas; fais-le comme ça.* Des mois plus tard, lorsque notre mode d'action ne fonctionne pas et que nous essayons encore tout en nous demandant pourquoi, nous réfléchissons et nous nous disons: «Oh! mon ami m'avait dit de le faire comme ça. Peut-être qu'il avait tort.»

Une part importante de vivre en harmonie avec les autres consiste à aimer faire des choses qui leur plaisent, et à ne pas blesser sans raison ou malicieusement les personnes avec qui nous interagissons. Une part importante d'être fidèle à nous-même consiste à nous interroger de temps à autre pour voir si les choses que nous faisons sont vraiment ce que nous voulons, ou si nous ne sommes qu'une marionnette dont les fils sont tirés par quelqu'un.

Mon Dieu, aide-moi à respecter le pouvoir des croyances.

Activité. Tentez une expérience pour vous prouver à quel point la pensée est puissante. Allez vers deux personnes, que vous connaissez ou non. Ayez une pensée très positive et aimante à leur égard mais ne la dites pas à voix haute.

7 avril — Examinez les attentes des autres

«Il y a une différence entre dire que nous n'allons pas répondre aux attentes des autres et ne pas y répondre», m'a dit un ami un jour.

Les attentes des autres, ou même ce que nous croyons que les autres attendent de nous, peuvent constituer une force puissante et motivante. Nous nous sentons nerveux, mal à l'aise et décentrés lorsque nous ne sommes pas à notre *place*. Ces émotions peuvent survenir lorsque nous ne répondons pas à ce que les autres attendent de nous – même si, et parfois surtout si, ces attentes ne sont pas verbalisées.

Les attentes sont des demandes tacites.

Ne pas répondre aux attentes des autres peut exiger un effort de notre part. Ce que nous faisons vraiment quand nous refusons de nous plier aux attentes d'autrui est de tenir fermement et dire *non*. Cela prend de l'énergie et du temps.

Qu'est-ce que les gens attendent de nous ? À quoi les avez-vous entraînés ou encouragés à s'attendre ? Attendent-ils vraiment cela de vous ou vous imaginez-vous simplement cette attente pour ensuite vous l'imposer ?

Une vie que l'on n'examine pas ne vaut pas la peine d'être vécue, dit-on. Répondre excessivement aux attentes d'autrui ne nous laisse pas le temps de vivre. Prenez un moment. Posez-vous la question et ne craignez pas de regarder en profondeur : laissez-vous les attentes d'une autre personne contrôler votre vie ? Examinez les attentes auxquelles vous répondez, puis vivez selon votre guide intérieur.

Mon Dieu, aide-moi à prendre conscience de l'effet contrôlant qu'ont les attentes des autres sur ma vie quotidienne. Aide-moi à reconnaître que je n'ai pas à répondre aux attentes de quiconque, sauf les miennes.

8 avril   Cessez de vous piéger

« Je me suis retrouvée à rester à la maison les fins de semaine, à ne pas trop m'éloigner de chez moi, dit une femme. Je m'obligeais à être là pour ma fille au moment où elle aurait besoin de moi, comme lorsqu'elle était une enfant. Le problème, c'est qu'elle était dans la vingtaine et qu'elle ne vivait même plus dans la même ville.»

Il est facile de nous coincer nous-même avec ce que nous nous sommes habitués à attendre de nous. Parfois, nous travaillons si dur à bâtir une carrière, à obtenir cette relation ou à devenir de telle manière que nous nous mettons à vivre selon une image de nous-même qui est dépassée.

Cessez de vous piéger.

Ces buts correspondaient peut-être à ce que nous voulions alors, mais ils ne fonctionnent plus. Et si nous les avons atteints, cela ne signifie pas que nous ne pouvons continuer et faire autre chose. Qu'attendez-vous de vous-même? Y avez-vous réfléchi? Vos attentes reflètent-elles les véritables désirs de votre cœur, ou représentent-elles autre chose?

Un aspect de votre vie vous fait-il grogner et vous plaindre – quelque chose que les autres s'attendent à ce que vous fassiez mais que vous détestez? La seule personne qui s'attend à ce que vous le fassiez est peut-être vous. Les attentes peuvent être subtiles. Dégagez-les et examinez-les. Si certaines d'entre elles sont dépassées ou inutiles, il est peut-être temps de les jeter.

Sentez-vous le courant? Écoutez attentivement. Il est là. C'est le son d'une vie et d'un esprit qu'on libère.

Mon Dieu, aide-moi à me libérer des attentes ridicules et superflues.

Activité. Si vous saviez que ce sont les dix dernières années de votre vie, que feriez-vous? Où habiteriez-vous? Que feriez-vous pour le plaisir, le travail, l'amitié, l'amour? Si la réponse diffère d'où vous en êtes présentement, peut-être devriez-vous être ailleurs.

9 avril   Avoir le choix

N'oubliez pas que nous avons le choix.

J'ai obtenu un permis «A» de parachutisme. J'ai continué à sauter. Mais je retardais l'achat de mon propre parachute et de mon équipement. J'utilisais un équipement de location, même s'il n'était pas bien ajusté à mon corps, et je jetais l'argent par les fenêtres. J'utilisais l'équipement de location parce que les parachutes des étudiants étaient gros.

Beaucoup de parachutistes cherchent la voilure la plus petite possible dès qu'ils se mettent à pratiquer ce sport. Mais pas moi. Même si j'essaie d'être prudente et d'atterrir adéquatement, je me pose d'habitude sur le derrière.

Plus la voilure est grande au-dessus de moi, mieux mon derrière se sent quand j'atterris.

Chaque fois que je discutais d'acheter mon équipement, les autres parachutistes insistaient pour que je me procure une petite voilure, et que je ne gaspille pas mes sous sur une grande toile. Alors j'ai reporté l'achat, me demandant quand je voudrais sauter et atterrir avec une si petite toile.

Un jour, Eddy, un parachutiste comptant plus de dix mille sauts et aucune blessure, m'a prise à part. Il m'a demandé si j'avais acheté mon équipement. Je lui ai dit non. Il m'a demandé pourquoi. Je lui ai répondu que tout le monde m'avait dit que, lorsque j'achèterais ma première voilure, il fallait qu'elle soit plus petite que celle avec laquelle j'étais à l'aise de sauter.

«Ne sois pas ridicule. Commande la taille la plus grande que tu peux. Tu es celle qui saute. Tu es celle qui paie l'équipement. Ne laisse pas les autres te convaincre que tu ne devrais pas avoir ce que tu veux. Fais comme bon te semble et tu pratiqueras ce sport très longtemps.»

J'étais réconfortée et étonnée par ses paroles. Comme il est facile de laisser les attentes d'autrui contrôler nos pensées et nos actions. Parfois, il ne faut qu'un petit rappel qu'il est plus que correct de choisir ce qui nous convient – c'est ce que nous devons faire.

Mon Dieu, aide-moi à me libérer des limites que m'imposent d'autres personnes.

10 avril   Prendre des décisions difficiles

Parfois, nous faisons des choix relativement faciles. Une option nous semble la bonne. Nous n'avons pas de mauvaise impression à propos de l'autre choix. En certains cas, il se peut que nous fassions face à ce qu'un homme m'a décrit comme étant une «dure décision».

«J'ai élevé seul mes enfants, dit Jason. Et je m'en suis bien tiré. J'aimais mon indépendance, mais je caressais l'idée d'être en couple à un moment de ma vie. Quelques années après le départ de mes enfants de la maison, j'ai rencontré une femme qui me plaisait vraiment. Nous avons passé du temps ensemble, nous en sommes arrivés au point de nous engager, mais j'ai dû reculer.

«Elle me plaisait, mais elle avait deux enfants. C'étaient des adolescents qui ne voulaient pas de moi dans la vie de leur mère. Je ne voulais pas perdre cette femme. Mais à un niveau plus profond, je ne voulais vraiment pas être mêlé à l'éducation des adolescents de quelqu'un d'autre. Je savais que je devais la laisser aller. Ce fut une dure décision.»

Une décision difficile, c'est quand nous n'aimons aucun des choix, mais ne pas la prendre est une option inacceptable. Les décisions difficiles peuvent prendre maintes formes. Il se peut que nous aimions quelqu'un qui a un sérieux problème d'alcool et que nous décidions que nous ne pouvons tout simplement pas vivre avec lui ou elle – malgré ce que nous ressentons à son égard. Ou nous pouvons aimer quelqu'un qui a physiquement abusé de nous ou qui a affiché des signes de comportement violent; bien que nos sentiments soient authentiques, le danger l'est également. Nous avons peut-être des décisions difficiles à prendre au travail. À un moment de ma vie, je pouvais à peine tolérer mes supérieurs. Mais j'aimais mon travail. J'ai décidé de rester; je suis encore contente de l'avoir fait.

Les décisions difficiles font partie de la vie. Elles nous obligent à examiner nos valeurs et à déterminer ce qui importe vraiment pour nous. Elles insistent pour que nous choisissions le chemin qui sera pour notre plus grand bien.

Mon Dieu, quand je fais face à une décision difficile, aide-moi à être doux envers moi-même et les autres, alors que je choisis, avec ton aide, ce qui est bon pour moi.

11 avril   Consentir à changer et à grandir

Il y a beaucoup de bernard-l'ermite dans les flaques d'eau laissées par la marée, près de chez moi. Ce sont d'intéressantes petites créatures. Un bernard-l'ermite trouve un coquillage qui lui sied, le revêt et y vit. Après un certain temps, il grandit et le coquillage ne lui va plus, alors le bernard-l'ermite court au fond de la mer et trouve un autre coquillage où vivre. Il rampe hors du premier coquillage et va dans le nouveau qui répond à ses besoins. Cette scène se répète encore et encore, tout au long de sa vie.

Tirez une leçon des bernard-l'ermite.

Si une décision était bonne pour vous hier, cela ne veut pas dire qu'elle réponde à vos besoins aujourd'hui. Les gens grandissent. Les gens changent. Et parfois, nous devons lâcher prise sur nos abris sûrs, afin de grandir et de changer.

Vous accrochez-vous à quelque chose qui ne fonctionne plus seulement parce que c'est sûr et connu? Ce pourrait être un mode de comportement – comme de vous sentir victimisé dans toutes vos relations ou vous épuiser à tenter de contrôler ce qui vous échappe.

Remerciez les leçons, les gens et les endroits du passé de tout ce qu'ils vous ont enseigné. Remerciez vos comportements de survie de vous avoir aidé à vous adapter. Se sentir à l'aise et en sécurité n'a rien de mauvais en soi – avoir des amis de toute une vie et une carrière satisfaisante. Mais ne vous laissez pas aller au confort au point de ne pas pouvoir lâcher prise et poursuivre votre route, le temps venu. Si les murs vous confinent et vous limitent trop, et que vous vous sentez coincé ou que vous vous ennuyez, il est peut-être temps de sortir et de trouver un nouveau coquillage. Il y en a un autre qui vous attend et qui vous ira mieux, mais vous ne pourrez y emménager avant de quitter celui-ci.

Mon Dieu, montre-moi les comportements, les choses, les gens et les endroits pour lesquels je suis devenu trop grand. Puis donne-moi la foi de lâcher prise.

Est-ce vraiment ce que vous voulez ?

«Es-tu encore dans cette relation ?» ai-je demandé à un ami, un jour.

«Si j'étais vraiment malade, je pourrais encore l'être, dit mon ami. Mais j'ai décidé de ne plus me faire ça.»

Parfois, une porte est ouverte. Nous pouvons y passer et entrer dans cette pièce. Nous pouvons y demeurer aussi longtemps que nous le souhaitons et que nous pouvons supporter d'y rester. Nombre d'entre nous ont si bien appris à prendre soin d'eux-mêmes qu'ils peuvent se trouver dans des situations extrêmement inconfortables et prendre encore bien soin d'eux-mêmes.

La question devient alors non plus «Est-ce que je peux ?» mais «Est-ce que je veux ?»

Dans de nombreuses situations de la vie, nous pouvons insister pour faire à notre tête et à notre façon, parfois pour une longue période. L'entêtement et la persévérance peuvent être de bonnes qualités. Nous pouvons rester avec une chose jusqu'à ce que nous l'ayons bien apprise. Mais nous pouvons également pousser trop loin et nous acharner sur quelque chose – un projet ou une relation – là où d'autres âmes plus faibles et plus sages auraient abandonné.

Au lieu de vous demander si vous pouvez, posez-vous une autre question. Si vous avez tenu bon, que vous avez essayé encore plus fort et que vous avez pris soin de vous-même avec diligence, prenez du recul. Cessez de vous demander si vous êtes assez bon pour maîtriser la situation. Demandez-vous si la situation est bonne pour vous.

Mon Dieu, aide-moi à prendre le temps de me demander : «Est-ce vraiment ce que je veux?»

13 avril　　　Se permettre des erreurs

Il y a des moments où nous ne savons pas de quelle façon procéder ou quoi faire ensuite. Nous pouvons parvenir à une telle impasse en tentant de comprendre que nous ne faisons que rester assis à tourner en rond. Dans ces cas-là, la solution peut comporter un certain choix à faire – même s'il s'avère être le mauvais par la suite.

Idéalement, nous pouvons méditer sur nos choix et une voie nous paraîtra claire et nette, et les autres, non. Mais dans les occasions où ce n'est pas si évident, il faut parfois essayer des choses. Acceptez cet emploi. Déménagez dans ce condo. Fréquentez cette femme. Si c'est une erreur, vous pouvez la corriger aussi honnêtement, rapidement et humblement que vous le pouvez.

Vous n'êtes pas tenu de vivre votre vie aussi parfaitement que vous le croyez. Parfois, il faut faire une erreur afin de devenir lucide.

Mon Dieu, aide-moi à lâcher prise sur mon perfectionnisme. Aide-moi à me donner la permission de vivre.

14 avril　　　Que voulez-vous?

«Je suis allé à l'épicerie chercher quelques petites choses, me dit un ami. J'étais devant la section des condiments, à fixer les cornichons et les olives. Je voulais vraiment les olives, mais j'ai acheté les cornichons. Ce n'était pas à cause du prix. Il s'agissait de me priver délibérément de ce que je voulais.»

Des choses arrivent parfois dans la vie. Nous en avons déjà parlé. Nous débutons avec de bonnes intentions quant à ce que nous voulons : une famille, la santé et un peu de succès dans notre carrière. Puis, quelque chose d'inattendu fout tout à l'eau. Peut-être que, dans notre enfance, notre vie familiale a été détruite quand quelqu'un est tombé malade ou est mort. Peut-être est-ce arrivé plus tard – quand nous avons été trahis par un conjoint.

Nous ne sommes peut-être pas en mesure d'avoir tout ce que nous voulons dans cette vie. Et il se peut que nous obtenions des choses que nous croyions vouloir, puis que nous ayons changé d'idée. Mais nous n'avons quand même pas à nous torturer en nous disant que nous ne pouvons pas avoir ce que nous voulons.

Que voulez-vous ? Le savez-vous ? Ou vous êtes-vous fermé à cette partie de vous ? Oui, nous avons tous des moments de discipline. Et il y a beaucoup à apprendre en nous refusant parfois certains plaisirs. Il n'est pas sain de vouloir quelque chose ou quelqu'un au point où le désir mène et dirige notre vie. Et parfois, désirer ce que nous ne pouvons pas avoir rend la vie plus intéressante.

Mais il est bon d'ouvrir notre cœur à nous-même et d'être précis à propos de ce que nous voulons à petite et à grande échelle. Apprenez à maîtriser le désir.

Ouvrez votre cœur à ce que vous désirez. Puis dites-le. Cornichons ou olives, qu'est-ce que ce sera ?

Mon Dieu, apprends-moi à maîtriser mes désirs. Donne-moi la sagesse de savoir quand quelque chose n'est pas pour moi, et quand je me prive inutilement des plaisirs et des joies ici-bas.

15 avril   **Dites ce que vous
                                 ne pouvez pas avoir**

«Pourquoi, me demanda un homme, si j'entre
dans une pièce où il y a cent femmes, celle qui m'atti-
rera sera soit fiancée à quelqu'un, soit vivra à l'autre
bout du pays? Quelqu'un peut-il m'expliquer cela?»

J'ai ri quand il a posé la question, même s'il ne
cherchait pas à être drôle. Bien des gens sont séduits
par ce qu'ils ne peuvent pas avoir. Sa question a touché une corde sensible, car je suis une de ceux-là. La
non-disponibilité – et ne pas être capable d'avoir ce
que vous voulez – quoique douloureuse, peut être déli-
cieusement tentante à maints égards.

Ce misérable lieu de privation est si confortable et
familier pour nous. Même si nous savons où il mène –
à l'abandon, à la solitude, à l'attente du téléphone –
nous laissons ce sentiment nous mener par le bout du
nez.

Vouloir ce que nous ne pouvons pas obtenir est un
dilemme universel. Il est si facile de fantasmer; ce
serait tellement délicieux si seulement nous pouvions
obtenir cela, même si nous savons que nous ne le
pourrions jamais. Alors nous n'avons pas besoin de
nous occuper de ce que nous avons. Et nous n'avons
pas à faire face à des questions comme l'intimité,
l'engagement et l'amour.

Apprenez à reconnaître l'envie et le désir de ce
que vous ne pouvez pas avoir. Et demandez le courage
et la sagesse de connaître les vrais délices de l'amour
disponible et partagé.

Si nous commençons à désirer quelque chose que
nous ne pouvons pas obtenir, nous n'avons pas à nous
prendre autant au sérieux. Nous pouvons voir cette

chose pour ce qu'elle est et simplement prendre plaisir à nous moquer de nous.

Mon Dieu, aide-moi à cesser de me saboter.

16 avril   Dire son deuxième choix

Bon, alors vous ne pouvez pas avoir ce que vous désirez le plus dans la vie.

Qu'est-ce qui vient ensuite sur votre liste? Si vous ne pouvez pas obtenir ce que vous voulez vraiment, mettez cela de côté. C'est non. Cela ne veut pas dire que vous ne pouvez pas obtenir d'autres choses. Ne laissez pas cela contaminer le reste de votre vie. Vous ne pouvez donc pas avoir cette relation en particulier. Que voulez-vous, une saine et bonne relation amoureuse? Inscrivez-le dans la liste de vos désirs. Vous ne pouvez donc pas vivre dans cette maison. Qu'est-ce que vous aimiez à propos de cette maison? Qu'aimeriez-vous là où vous voulez vivre?

Creusez profondément. Regardez à l'intérieur. Je parie qu'il y a toutes sortes de rêves enfouis en vous. Allez-y. Prenez un risque. Laissez-les sortir. Voyez – vous pensez déjà à quelque chose que vous vous êtes refusé il y a longtemps.

Pour la plupart d'entre nous, il y a des choses dans la vie que nous voulions plus que tout ou que quiconque. Nombre d'entre nous ont dû apprendre à lâcher prise sur ces choses ou ces gens. Inscrivez toutes les choses que vous ne pouvez pas avoir sur une liste distincte. Ou ajoutez-les à votre liste de questions à Dieu, vos «pourquoi». «Mon Dieu, pourquoi n'ai-je pas obtenu cela alors que c'était ce que je voulais le plus?» Puis, lâchez prise.

Dressez ensuite une autre liste, que vous intitulerez: «Si je ne peux pas obtenir ce que je désire le plus, qu'est-ce que je préfère obtenir le plus ensuite?»

Mon Dieu, aide-moi à trouver une liste de mes deuxièmes choix. Montre-moi quoi y inscrire et aide-moi à réaliser mes rêves.

Activité. Faites une liste de souhaits et de rêves. Cette liste est très importante. Nous avons parlé de la dresser le premier jour de l'an. Si vous l'avez déjà fait et qu'elle vous satisfait, cette activité ne vous concerne peut-être pas. Mais si vous croyez vous être retenu, ou que vous n'avez pas fait de liste du tout, le moment est opportun pour commencer à poursuivre vos rêves. Si vous pouviez avoir n'importe quoi dans la vie, qu'est-ce que ce serait? Quels endroits visiteriez-vous? Quelles personnes rencontreriez-vous? Quel genre de travail feriez-vous? Où habiteriez-vous? Quelle sorte de croissance spirituelle connaîtriez-vous? Comment traiteriez-vous les autres, et vous-même? Quels idéaux guideraient vos actions? Quel serait votre code d'éthique dans la vie? Pimentez votre liste. Ne vous retenez pas.

17 avril   Gardez votre équilibre

Parfois, nos besoins et désirs légitimes deviennent incontrôlables.

Nous voulons quelque chose tellement fort – par exemple, que notre conjoint cesse de boire, ou cet emploi ou cette femme ou cet homme – que nous en devenons obsédés et que nous nous acharnons. Nous nous soustrayons à l'équilibre et nous finissons par courir à notre perte.

Ce n'est pas que ce que nous voulons ou ce dont nous avons besoin est mauvais pour nous. Seulement, ce que nous voulons présentement n'est manifestement pas ce qui a lieu. Ne vous en prenez pas à vous-même en jugeant que vous avez tort. Ne blâmez pas vos besoins en vous disant que vous ne devriez pas en avoir.

Détendez-vous. Recentrez-vous, reprenez place dans ce lieu net, équilibré.

Ne laissez pas vos besoins et vos désirs vous emporter. Oui, la passion est formidable. Identifiez ce que vous voulez. Puis lâchez prise. Et demandez à Dieu quelle est votre leçon.

Aujourd'hui, je vais rétablir l'équilibre face à tout besoin ou désir qui semble contrôler ma vie. Au lieu de m'y acharner, je vais le confier à Dieu et me concentrer à m'occuper de moi.

18 avril · Dites ce que vous voulez vraiment

Qu'est-ce que vous voulez? Non, je ne vous demande pas quelle chose vous voulez, mais plutôt ce que vous recherchez dans cette chose. Allez à la racine de votre quête. Voulez-vous une nouvelle voiture? Voulez-vous un moyen de transport fiable ou le prestige lié à la conduite d'un véhicule flambant neuf? Voulez-vous vraiment faire ce type de travail ou ne voulez-vous que l'argent et le prestige qu'il vous apportera? Voulez-vous une relation amoureuse? Voulez-vous un partenariat basé sur l'égalité ou quelqu'un qui prendra soin de vous? Qu'est-ce que vous recherchez vraiment?

Soyez aussi précis que possible. En examinant nos buts et nos rêves, nous découvrirons peut-être qu'ils sont motivés par un désir plus profond. Je veux atteindre ce point dans ma carrière, disons-nous. Regardez plus à fond. Qu'est-ce qui est à la racine de ce but? Si vous désirez une plus grande liberté de créer, peut-être pouvez-vous l'obtenir autrement que par une promotion. Si vous voulez que votre conjoint cesse de boire, il se peut que ce que vous recherchiez vraiment soit un milieu familial plus calme et un soulagement de cette douleur. Si vous ne pouvez le ou la faire cesser de boire, il existe peut-être une autre façon de réaliser ce rêve. Ou vous pouvez décider d'y contribuer dès maintenant, en attendant que l'être aimé change.

Soyez honnête dans la recherche de la racine de vos buts. Les racines de certains de vos buts peuvent se révéler malsaines en fin de compte; peut-être faudra-t-il changer de but. Mais vous pouvez vous épargner des peines en le découvrant maintenant. La racine peut être en santé, mais vous avez trop misé sur une seule manière de parvenir à ce but.

Soyez conscient de toutes les possibilités autour de vous. Prenez la vie à sa juste valeur. Il y a peut-être plus d'une façon d'obtenir ce que vous voulez vraiment.

Mon Dieu, aide-moi à prendre conscience de ce que je recherche vraiment dans la vie.

19 avril — Dites ce que vous ne savez pas

Un jour, j'étais au restaurant avec des amis. Mes amis – un en particulier – savaient que je ne mange pas de porc. Ce n'est rien de religieux. Le porc me rend simplement malade, même la plus petite bouchée me donne un mal de tête, et parfois la nausée. Alors peu importe à quel point le bacon est alléchant ou que je salive à l'idée de côtelettes de porc rôtissant dans la poêle, je me tiens loin du porc.

Donc, nous sommes au restaurant. J'ai consulté le menu. Le serveur se présente à notre table et nous déclame les spéciaux du jour. Les tortellini semblaient particulièrement savoureux. Je savais qu'il avait utilisé un autre mot pour les décrire – *prosciutto* – mais je n'y ai pas prêté attention. Le plat me semblait intéressant.

Nous faisons la conversation à table. Puis, les plats arrivent. Le serveur dépose mon assiette devant moi. Je prends ma fourchette et commence à manger.

«Sais-tu ce qu'est le prosciutto?» me demanda mon ami.

«Oui», mentis-je.

«Montre-le-moi.»

Je choisis un légume qui ressemblait quelque peu au céleri et le piquai avec ma fourchette. «Voilà, dis-je, c'est ça.»

«Tu veux blaguer, non? Montre-moi le prosciutto!»

Je me sentis rougir. «Je n'aime pas qu'on me fasse passer un examen, je sais ce qu'est le prosciutto.»

«Ça, dit-il en piquant un morceau de quelque chose dans mon assiette, c'est du prosciutto. C'est du jambon. Du jambon italien. Je croyais que tu voudrais le savoir, étant donné que tu ne manges pas de porc.»

«Oh! fis-je, en repoussant mon assiette. Je n'ai pas très faim après tout.»

Je sais. C'est une vieille leçon dont j'ai déjà parlé. J'ai dû la réapprendre. Nous nous sentons parfois inadéquats, mais ce que nous ignorons peut nous faire du mal. D'ailleurs, si nous avouons honnêtement notre ignorance quand c'est le cas, nous pouvons apprendre quelque chose de nouveau.

Aujourd'hui, si la vraie réponse est «Je ne sais pas», c'est celle que je donnerai.

Mon Dieu, aide-moi à lâcher prise sur ma croyance que je devrais savoir quelque chose que je ne sais pas.

20 avril   Pile ou face

Jouer à pile ou face... C'est la technique secrète de bien des dirigeants en vue. Parce que souvent il importe peu que vous preniez une décision ou une autre, pourvu que vous en preniez une. Puis vous vous y tenez tout simplement, en étant confiant que vous avez provoqué le résultat.

– JAY CARTER

Nous sommes parfois vraiment ambivalents. Nous ne savons pas ce que nous voulons. La balance est en équilibre, cinquante-cinquante.

Jouez à pile ou face.

Si vous n'aimez pas la décision que la pièce de monnaie vient de prendre pour vous, au moins vous reconnaîtrez que vous savez ce que vous voulez.

Mon Dieu, aide-moi à découvrir qui je suis et ce que je veux vraiment.

21 avril   Discernez l'important

D'abord et avant tout, j'avais appris à discerner ce qui était important dans la vie et ce qui ne l'était pas. L'important était souvent un peu d'eau, parfois un campement protégé, un livre, une conversation.

– Reinhold Messner, *Free Spirit*

Un de mes amis, désireux de poursuivre une vie d'aventures en se joignant au milieu des parachutistes, a laissé un bon emploi, vendu tous ses biens et s'est présenté à un aéroport avec quelques sacs de sport et un parachute. Aujourd'hui, il a réalisé son rêve. C'est un parachutiste professionnel, il s'est marié et vit dans une maison convenable près du travail de ses rêves – sauter des avions. «Je ne serai jamais riche à faire cela, explique-t-il. Mais chaque matin, je me réveille et je sais que je vais faire exactement ce que je veux. Et surtout, mes années de vagabond de la zone de saut m'ont appris ce qui est vraiment important et ce qui l'est moins.»

Nous nous attachons à nos choses. Nous nous alarmons quand quelqu'un répand du liquide sur le sofa, nous nous fâchons pour la moindre égratignure sur notre Honda louée, et nous compensons le temps perdu avec nos proches en leur apportant encore plus de choses.

Examinez votre vie de près. Décidez de ce qui vous importe vraiment. Qu'est-ce qui vous manquerait réellement si vous ne l'aviez pas? Y a-t-il une chose dont vous ne remarqueriez peut-être même pas l'absence si vous ne l'aviez plus dans votre vie? Ou une chose sans laquelle vous seriez mieux?

Apprenez à discerner entre l'essentiel et le superflu. Vous pourriez constater, à l'instar de mon ami, que vous seriez plus heureux avec deux sacs de sport et un rêve, que vous ne l'êtes avec un garage encombré d'objets qui ne servent jamais.

Mon Dieu, donne-moi la force de poursuivre mes rêves. Aide-moi à dégager le fouillis et à découvrir ce qui importe vraiment pour moi et ma famille.

22 avril Résoudre les vrais problèmes

Résolvez-vous les problèmes que vous voulez résoudre, ou ceux que vous croyez devoir résoudre?

— THOM RUTLEDGE

Peter passait ses journées à résoudre des problèmes. Il était allé à la bonne université, avait trouvé la bonne profession et travaillait pour les bonnes personnes. En tant que comptable prospère, il comptait l'argent des autres et calculait ce qu'ils devaient au gouvernement. Peter était un bon comptable. Toutefois, il voulait faire de la photographie. Mais la comptabilité était un travail important, et les gens avaient besoin de son aide pour leurs impôts. Résoudre les problèmes financiers des autres prenait à Peter la majeure partie de son temps, tellement qu'il en a progressivement oublié la photographie.

Un jour, il a pris une revue de photographie et s'est mis à lire. Il a acheté un appareil-photo et a pris quelques photos. Puis, il a pris des vacances et d'autres photos. Il a participé à un concours local et a reçu le deuxième prix.

Peter n'a pas cessé d'être comptable. Mais maintenant, il passe autant de temps à résoudre des problèmes d'ouverture et de vitesse d'obturation que de régimes d'épargne et de retraite.

Résolvez-vous les problèmes que vous voulez résoudre? Ou résolvez-vous le même problème encore et encore?

Trouvez les réponses aux questions que *vous* avez. Puis, trouvez d'autres questions à poser.

Mon Dieu, donne-moi le courage de suivre mon cœur.
Montre-moi à connaître plus de joie dans ma vie.

23 avril   Dites vos intentions

Avez-vous déjà fait délibérément quelque chose pour blesser quelqu'un, pour être quitte avec cette personne ou vous venger d'elle? Avez-vous déjà fait quoi que ce soit inconsciemment avec des intentions qui n'étaient pas nobles?

«J'ai fréquenté une femme pendant trois mois, dit Kent. Il m'a fallu tout ce temps pour me rendre compte que je réglais simplement mes comptes avec mon ancienne petite amie, qui avait rompu avec moi. Je me servais de cette femme comme d'un instrument de revanche et d'un moyen d'être quitte avec mon ex. J'ai eu un sentiment d'horreur quand je me suis rendu compte de ce que j'avais fait. Mais quand j'y ai regardé de plus près, j'ai vu que mes relations étaient une série de tentatives de trouver revanche et châtiment. Je n'ai jamais pris le temps de ressentir et de régler ma colère issue de la dernière relation qui avait échoué.»

Les intentions sont une force puissante. Elles combinent désir, émotion et volonté. Elles sont plus fortes et plus efficaces que les souhaits et les simples désirs. Elles peuvent être une force profonde dans notre vie et dans celle des gens que nous influençons.

Prenez un moment avant de plonger dans une situation. Examinez qu'elles sont vos intentions véritables. Avez-vous un motif, un plan, une attente définie en cause? Avez-vous été aussi clair que possible avec vous-même, et avec toute personne concernée, à propos de ce que vous attendez et voulez vraiment? Ou avez-vous des intentions cachées, et espérez qu'en imposant votre volonté assez longtemps vous parviendrez à vos fins?

Demandez à Dieu de vous révéler les intentions des gens avec qui vous transigez. Parfois ils les ignorent eux-mêmes. Parfois ils les connaissent, mais ne vous les disent pas. Dans ces circonstances, vous pouvez vous attendre à de la manipulation et possiblement à des torts.

Soyez clair quant à vos intentions. Et soyez aussi clair que possible à propos de ce que les autres veulent de vous.

Mon Dieu, jette la lumière sur mes intentions et mes motifs, ainsi que sur les intentions et les motifs des personnes avec qui j'interagis.

24 avril   Manifestez vos intentions

Soyez clair sur ce que vous voulez. Si vous démarrez une entreprise, que vous commencez un nouvel emploi, que vous apprenez une nouvelle discipline ou que vous entreprenez une relation, énoncez clairement à vous-même ce que vous recherchez. Quel niveau de rendement espérez-vous atteindre? Soyez réaliste, mais non pessimiste. Qu'est-ce que vous voulez? Soyez limpide avec l'univers sur la nature de vos intentions. Soyez aussi précis que possible.

Si vous en êtes dans les fréquentations, que cherchez-vous? Du plaisir? Un conjoint? Soyez clair et précis à propos de ce que vous voulez.

Après avoir ciblé et clarifié vos intentions, lâchez ensuite prise sur elles. Dans la vie, parfois, nous n'obtenons pas ce que nous voulons et, parfois, oui.

Le chemin pour y parvenir peut être rempli de détours et de tournants, beaucoup plus aventureux que tout ce que nous avions prévu.

Par ailleurs, plus nous sommes clairs à propos de ce que nous voulons, plus il sera facile de le reconnaître et d'en profiter lorsque cela se présentera.

Mon Dieu, aide-moi à être clair avec Toi et avec moi-même à propos de ce que je veux réellement. Puis, aide-moi à lâcher prise sur mes intentions et à m'abandonner à tes desseins.

25 avril   Être aussi clair que possible

Marcia n'aime pas blesser les gens. Alors quand elle ne veut plus fréquenter ou voir quelqu'un, elle ne leur dit pas cela. Elle ment. Mais elle appelle cela «être gentille». Soit qu'elle provoque une scène dramatique qui justifie qu'elle se fâche et rompe, soit qu'elle leur serve une excuse qui les laisse en attente.

Lâchez prise sur le drame. Réglez les détails. Si vous savez où vous en êtes avec quelqu'un, vous pouvez être diplomate, mais soyez aussi clair que possible.

Soyez clair avec vous-même aussi. Observez le comportement des autres. Vous donnent-ils des excuses pour expliquer pourquoi ils ne peuvent être avec vous? Leur trouvez-vous des excuses de ne pas vous téléphoner? Certains d'entre nous attendent longtemps quelqu'un qui ne pense même pas à eux.

Cessez de dire aux autres ce qu'ils veulent entendre lorsque ce n'est pas la vérité. Arrêtez de vous dire ce que vous voulez entendre lorsque ce que vous vous dites n'est pas non plus la vérité. Ne laissez pas les gens en suspens. Ne vous mettez pas vous-même en attente.

Soyez aussi clair que possible, avec les autres et avec vous-même. C'est faire preuve de compassion.

Mon Dieu, aide-moi à comprendre que je n'ai pas à créer de drame pour obtenir ce que je veux. Aide-moi à vivre ma vie dans une honnêteté centrée et pleine de tact, même si cela signifie que je dois dire aux gens des choses qu'ils préféreraient ne pas entendre.

26 avril   Pratiquez la diplomatie

Prendre soin de nous ne nous donne pas le droit d'être méchant. Simplement parce que nous disons la vérité, ce n'est pas une raison pour mettre les gens en pièces. Parfois, lorsque nous commençons à nous approprier notre pouvoir après des années – peut-être une vie – passées à être timide et faible, nous devenons trop agressifs lorsque nous tentons de nous faire comprendre.

Nous pouvons être honnêtes envers les autres sans être méchants. Nous pouvons être diplomates dans tout ce que nous avons à dire, du moins la plupart du temps. Et nous n'avons habituellement pas à hurler ou à élever la voix.

J'ai appris un petit truc en cours de route. Plus je me sens faible et vulnérable, plus je crie et plus mes réactions sont méchantes. Plus je suis vraiment efficace, claire et centrée, plus je parle tranquillement, doucement et sur un ton aimant.

La prochaine fois que vous vous sentirez menacé ou que vous vous mettrez à vociférer, arrêtez-vous. Respirez à fond. Parlez délibérément plus doucement que vous ne le feriez normalement. Vous pouvez parler doucement et quand même employer la manière forte.

Mon Dieu, aide-moi à être diplomate. Montre-moi à m'approprier mon pouvoir de manière délicate, paisible.

27 avril   Cesser de lire entre les lignes

Chelsea a fréquenté Tom pendant cinq ans. Au cours de ces années, Tom a dit à Chelsea qu'il ne voulait pas de relation sérieuse, et qu'elle ne devrait escompter rien de sérieux de lui. Chelsea n'aimait pas ce qu'elle entendait. Elle croyait que Tom s'attachait à elle parce qu'ils passaient de si bons moments ensemble et qu'il revenait toujours la voir.

Savoir si Tom était manipulateur ou non n'est pas la question, pas plus que de savoir s'il se gardait une porte de sortie. La question, c'est que Chelsea ne croyait pas ce que disait Tom – jusqu'à ce qu'il la laisse pour quelqu'un d'autre.

Oui, parfois les gens sont timides. Oui, parfois les gens hésitent à s'engager. Mais si les gens vous disent qu'ils se sentent d'une certaine façon, ne lisez pas entre les lignes. Prenez ce qu'ils disent au pied de la lettre. Corrigez votre comportement pour l'adapter à la réalité de la situation, et non aux fantasmes de votre esprit.

Prenez les gens au pied de la lettre. Dites vraiment ce que vous voulez quand vous avez affaire aux autres, afin qu'eux aussi puissent vous prendre au pied de la lettre.

Mon Dieu, aide-moi à m'habituer à faire face à la vérité, à composer avec elle et à l'accepter.

«Comment as-tu trouvé l'expérience?» m'a demandé Rob, mon instructeur de vol, après ma leçon de pilotage d'une heure.

J'étais habituée à cette partie de la formation, à ce moment-là. Après une leçon de parachutisme ou de pilotage, l'élève prend habituellement le temps de s'asseoir avec l'instructeur et de passer la leçon en revue. J'ai revu le décollage et l'atterrissage, les manœuvres que j'avais faites, et j'ai analysé objectivement ma peur et mon rendement. J'ai déterminé les points à améliorer et fixé mes objectifs pour la prochaine leçon. Puis, vint le moment de ma partie préférée. Je devais choisir ce que j'avais le mieux aimé du vol de ce jour-là.

J'ai réfléchi un moment. «Je crois que j'ai très bien roulé au sol, dis-je. Je commence vraiment à maîtriser ce mouvement.»

Parfois, dans le brouhaha et l'exubérance de notre vie, il est facile d'oublier de prendre le temps de nous interroger. Lorsque nous nous mettons au lit le soir, nous sommes fatigués et épuisés de notre journée.

Prenez un moment ou deux de plus le soir. Faites place à une nouvelle habitude dans votre vie. Le programme Douze Étapes appelle cela «faire un inventaire». D'autres appellent cela un «compte rendu».

Le but d'un inventaire n'est pas de critiquer. C'est de demeurer conscient et d'analyser objectivement ce qui s'est passé. Passez en revue les événements de la journée. Qu'avez-vous fait? Comment vous sentez-vous par rapport à ce que vous avez fait? Où pourriez-vous apporter des améliorations? Qu'aimeriez-vous faire demain? Et surtout, quelle a été votre partie favorite de la journée?

N'analysez pas à outrance. Ne vous servez pas de ce compte rendu comme d'une séance d'autotorture. Dites simplement ce que vous avez fait, où vous aimeriez voir de l'amélioration et ce qui vous a plu davantage. Vous pourriez être étonné de la conscience et du pouvoir que cette simple activité peut apporter.

Mon Dieu, aide-moi à prendre le temps de faire mes comptes rendus.

Activité. Si vous avez un conjoint ou un colocataire, adopter comme rituel de faire un compte rendu ensemble peut être une activité menant à une merveilleuse intimité. Vous pouvez encourager vos enfants à apprendre à s'interroger sur leur journée dès leur jeune âge. Ou vous pouvez faire votre compte rendu avec un ami, au téléphone, en fin de journée. Non seulement vous apprendrez à mieux vous connaître vous-même, mais vous deviendrez aussi beaucoup plus proche de l'autre personne.

29 avril   Demandez à Dieu quoi faire

J'étais en traitement pour la chimiodépendance. Tout ce que je voulais, c'était de planer, de trouver de la drogue, de faire ce que j'avais fait durant les douze années précédentes – m'anéantir. Comme geste ultime, presque désespéré, j'ai fixé le plafond de la chambre austère que l'on m'avait assignée. J'ai prié: *Mon Dieu, s'il existe un programme pour m'aider à cesser de consommer, je t'en prie, aide-moi à le trouver.* Douze jours plus tard, la sobriété m'est tombée dessus, me changeant au plus profond de moi-même et modifiant le cours entier de ma vie.

J'ai divorcé de mon mari, et j'ai assumé mon rôle de parent célibataire et mon autonomie financière, tout en poursuivant mon rêve de devenir écrivaine. Mes armoires de cuisine étaient presque vides. *Je n'ai pas tellement faim, mais mes enfants, eux, ont faim,* priais-je. «Ne t'en fais pas, me murmurait une voix angélique à l'oreille. Bientôt tu n'auras plus jamais à te soucier d'argent – à moins que tu ne le veuilles.» Une paix imperturbable s'est installée en moi. La nourriture et l'argent ne sont pas tombés du ciel. Mais la paix, une paix aussi tangible et épaisse que le beurre, et aussi apaisante que les huiles célestes elles-mêmes, s'est étendue à toute ma vie.

Des années plus tard, mon fils était attaché à un lit d'hôpital. Je touchais son pied, sa main. Je savais, malgré le sifflement du respirateur, qu'il n'était plus dans cette coquille. Puis, on a débranché. «Pas d'espoir, pas d'espoir, pas d'espoir» sont les seuls mots dont je me souviens. Ensuite, le sifflement du respirateur a fait place au silence. J'ai dit adieu, je suis sortie de la chambre, mettant un pied devant l'autre comme une automate.

«Viens me chercher et apporte de la drogue», ai-je dit à un ami, trois jours plus tard. «Il faut que je trouve un soulagement à cette souffrance.» Roulant en voiture, des heures plus tard, je regarde la boîte de seringues neuve sur le siège d'à côté. «Dis-moi ce que tu veux y mettre, dit-il. De la cocaïne? De la Dilaudide? Quoi?» Son irritation est aussi manifeste que mon désespoir. Mon esprit fait le tour de mes habitudes. Cocaïne? Imprévisible. Roulette russe pour mon cœur. Dilaudide? Une ordonnance médicale. Si j'en avais besoin, un besoin légitime, un médecin m'en prescrirait. Pas de prières. Pas d'espoirs. Seu-

lement des mots simples me vinrent, cette fois:
«Ramène-moi à la maison, ai-je ajouté. Je ne veux pas
vraiment me droguer.»

La prière change les choses. La prière nous
change. La prière change la vie. Parfois, un événement
se manifeste et il doit être interrompu en plein milieu.
Ne priez pas seulement quand vous avez des ennuis.
Priez chaque jour. Entourez-vous de la prière. Vous ne
savez jamais quand vous aurez besoin d'un miracle
additionnel.

Aujourd'hui, si j'ai tout essayé, je vais essayer la
prière aussi.

30 avril   Y aller en douceur

Il y a une puissance en ce monde, que vous
l'appeliez le destin ou autrement, qui réunit les gens
faits pour être ensemble. C'est l'histoire du papillon.

Si vous tenez un papillon trop serré dans vos
mains, vous enlevez toute l'huile de ses ailes et il ne
peut plus voler. Vous pouvez ainsi vous en approprier,
mais le papillon ne peut plus être un papillon.

Si vous aimez vraiment un papillon, vous ne lui
déroberez pas toute l'huile de ses ailes rien que pour le
tenir dans vos mains. Si vous aimez vraiment quelque
chose ou quelqu'un, ne le tenez pas trop serré. Laissez
cette personne libre. Laissez les gens être qui ils sont.

N'enlevez pas l'huile des ailes du papillon. Laissez-le revenir à vous de son plein gré.

Mon Dieu, aide-moi à apprendre à y aller en douceur
avec chaque personne que j'aime.

Mai

Apprenez à dire quand

1er mai   **Apprendre à dire** *quand*

Chip est sorti de la route dans la jeep de location à
quatre roues motrices et s'est engagé en plein champ.
Nous étions tous trois en Floride, Chip, Andy et moi,
lors d'un autre voyage improvisé sur la route. Nous
avions rencontré Andy à la zone de saut, où il faisait
des essais pour se joindre à une équipe de parachutistes. Et maintenant, nous étions tous trois en route
pour Orlando. Il avait plu la veille. Nous venions
d'emprunter le champ, quand les roues du côté droit se
sont enlisées dans un fossé.

Chip a fait avancer et reculer le véhicule. Les
roues se sont enfoncées plus profondément. Andy a
sauté de la jeep, a regardé aux alentours, puis est
remonté à bord. «Nous sommes coincés», a-t-il dit.

«J'ai mon téléphone cellulaire, ai-je ajouté. Je
vais demander de l'aide.»

Chip et Andy m'ont regardée.

«Tu disais que tu voulais une aventure, a renchéri
Chip. Eh bien, tu l'as!»

Nous sommes tous sortis de la jeep. Les roues de
droite étaient enlisées dans une rigole, et une grosse
bûche était coincée sous le véhicule. Andy avait un
plan. Nous devions tous aller à la recherche de planches ou de morceaux de bois que nous placerions sous
les roues. Nous sommes revenus vingt minutes plus
tard. Les gars ont déposé le bois sous les pneus. Chip a

165

fait rouler le moteur, les roues ont tourné, la boue a giclé, la jeep n'a pas bougé.

«Je pourrais téléphoner pour une dépanneuse», ai-je offert de nouveau.

À quelque cent cinquante mètres du champ, il y avait une intersection qui promettait, vraisemblablement du moins, la présence de passants. Nous nous y sommes rendus et avons attendu. Avant longtemps, nous avons arrêté une vieille Cadillac dans laquelle prenaient place un homme et une jeune femme.

L'homme a promis de revenir dans quelques minutes avec son camion et son frère.

Environ quinze minutes plus tard, les deux hommes et la femme se sont présentés dans un camion. Ils ont accroché une chaîne à la jeep. Puis, ils sont montés dans leur camion et ont roulé lentement. Ils ont fait tourner le moteur. La boue a giclé. Puis *snap,* la chaîne a cassé.

Nous avons regardé leur camion. Nous avons regardé la jeep boueuse enfoncée. Nous avons regardé la chaîne brisée.

«Désolés», dirent les deux hommes.

«Merci d'avoir essayé», avons-nous ajouté. «Essayez d'appeler une dépanneuse, dit le plus grand des deux. Ils vont vous sortir de là.»

Andy, Chip et moi nous sommes assis dans la jeep embourbée.

«Bon, ai-je conclu. Êtes-vous prêts à téléphoner pour une dépanneuse maintenant?»

Le camion est arrivé. Le dépanneur professionnel nous a dégagés en quinze minutes, et nous étions en route pour Orlando. Nous étions restés enlisés pendant plus de six heures. Tout ce temps, nous savions tous ce qu'il fallait faire pour nous en sortir: téléphoner pour une dépanneuse. Pour diverses raisons, nous ne voulions pas le faire avant de nous lasser d'être embourbés.

Parfois, s'enliser est l'aventure qui nous est servie. Il se peut que nous ne sachions pas quoi faire pour aller de l'avant. Ou que nous aimions le drame d'être embourbés. Il se peut que nous soyons coincés dans une situation accablante au sein d'une relation. Ou que nous ayons atteint un plateau dans notre carrière. Nous sommes peut-être coincés dans notre croissance spirituelle. Peut-être qu'à un moment nous avons voulu être où nous nous trouvons, mais il est maintenant temps de passer à autre chose.

Apprendre à dire *quand* – que ce soit quand nous voulons quelque chose de plus, ou de différent, ou quand nous en avons assez – est une part importante de savoir lâcher prise.

Mon Dieu, aide-moi à me rappeler que j'ai le pouvoir de dire quand.

2 mai   Dites quand c'est assez

«Dis-moi quand», dit mon amie qui remplit mon verre et qui veut que je lui dise *quand* j'aurai suffisamment de jus.

Dire *quand* est une notion simple que nous pouvons utiliser dans notre vie quotidienne également. Parfois, il n'y a pas de fin en vue aux problèmes qui nous accablent, et nous ne pouvons que chercher un abri dans la tempête. Mais souvent, il nous revient de décider quand nous en avons assez. Un irritant peut n'être qu'un léger inconvénient pendant un certain temps, mais plus il se prolonge, plus il devient exaspérant. Dites *quand*. Dites que vous en avez assez, et ne laissez plus entrer l'irritant dans votre vie.

Une personne épuisante peut s'accrocher à une oreille compatissante. Sachez quand cette personne commence à prendre plus que vous n'êtes prêt à donner. Dites *quand*. Cela s'applique aussi aux bonnes choses. Certains de mes amis aiment faire cinq, sept, parfois même dix sauts en parachute ou plus dans une journée. Pas moi. J'aime ce sport, mais je sais également quand cela devient trop pour moi. Je dis *quand*.

Sachez combien peut contenir votre coupe. Quand vous en avez assez, dites *quand*.

Mon Dieu, aide-moi à connaître et à respecter mes limites.

3 mai   Dites quand c'est trop

J'étais assise à un arrêt d'autobus, il y a bien des années, surveillant impatiemment l'arrivée de l'autobus. J'étais patiente depuis si longtemps – je prenais l'autobus pour aller à l'épicerie, transportant de gros sacs de vivres à la maison. Chaque fois que je me sentais irritée de ne pas avoir de voiture, j'éprouvais de la reconnaissance. Reconnaissante d'être sobre et de pouvoir me déplacer. J'étais reconnaissante de toutes les bonnes choses dans ma vie.

Pourtant, être reconnaissante devenait de plus en plus difficile.

L'autobus est finalement arrivé, et je me suis taillé une place avec mes sacs lourds, que j'ai ensuite portés jusqu'à mon appartement, à deux coins de rue de l'arrêt où j'étais descendue. Je ne voulais pas pleurer, mais je n'ai pas pu m'en empêcher ce jour-là.

«Mon Dieu, j'en ai marre de marcher et de prendre l'autobus, ai-je dit. Je suis fatiguée de tout cela. Combien de temps dois-je encore attendre avant d'avoir une voiture?»

En moins de deux mois, je conduisais une automobile.

Il importe d'être reconnaissant. Mais parfois, réprimer nos émotions et ne pas dire comment nous nous sentons à propos d'une situation est aussi une forme de tentative de contrôle de cette situation. Nous croyons que si nous retenons notre souffle, que nous ne nous plaignons pas et que nous faisons tout comme il faut, l'univers nous donnera simplement ce que nous voulons, avec bienveillance.

Avez-vous déjà espéré qu'une situation s'améliore comme par magie si vous vous mordez les lèvres et le souhaitez assez longtemps? Si vous avez adopté une politique d'attentisme dans une situation particulière, avouez-vous comment vous vous sentez réellement.

Peut-être est-il temps de dire *quand*.

Mon Dieu, aide-moi à me pardonner d'avoir des besoins et des désirs.

4 mai   Savoir quand dire *non*

Dire *non* est une autre façon de dire *quand*. Pour certains d'entre nous, le mot le plus difficile à prononcer est le simple et bref *non*. Plutôt que de dire *non*, nous continuons péniblement notre route. *Qu'est-ce qu'il va penser si je dis* non? *Mary ne sera plus mon amie si je ne fais pas cela. Le projet ne se fera pas si je ne m'en occupe pas. Je ne suis pas une bonne équipière si je dis* non. *Un bon chrétien doit se sacrifier.*

Dire non *est égoïste.* Et la liste continue. Nous nous mentons, nous en prenons plus que nous n'en voulons et nous nous retrouvons pleins d'amertume et de ressentiment. Et nous nous infligeons tout cela.

Connaissez vos limites. Sachez quand dire *non.* Il y aura peut-être quelques personnes qui s'offenseront des limites que vous fixez, mais ce sont habituellement celles qui tentent de vous contrôler ou de vous manipuler. Certains collègues bien pensants peuvent vous dire que vous êtes égoïste, mais votre responsabilité finale est à votre propre égard. Cette responsabilité consiste aussi à savoir comment et quand imposer vos limites.

Regardez votre horaire. Êtes-vous tellement surchargé ou pris que vous ne pouvez pas voir quand vous aurez du temps pour le plaisir, la détente ou votre propre croissance personnelle? Il est peut-être temps pour vous de commencer à fixer vos limites. Rappelez-vous, c'est vous qui décidez ce qui est mieux pour vous.

Apprenez à dire *non* et soutenez votre choix.

Mon Dieu, aide-moi à avoir la force de fixer des limites raisonnables pour moi-même et de dire aux autres que je ne peux pas les aider. Aide-moi à apprendre à dire non.

5 mai Apprenez quand dire *non* et *oui*

Lisez les phrases suivantes à voix haute.

«Non.»

«Non, ça ne fonctionne pas pour moi.»

«Non, merci. Ça ne me dit rien de bon.»

«Non. Ce n'est pas pour moi en ce moment.»

Essayez ceci maintenant.

«Je dois d'abord y penser, avant de prendre une décision. Je vais vous en reparler.»

«J'y ai réfléchi, et la réponse est non.»

Lisez ce qui suit, maintenant.

«Je sais que j'ai dit oui et que c'était ce que je voulais. Mais j'ai changé d'idée. Ça ne me convient plus. Ce n'est pas bon pour moi. Je suis désolé de tout inconvénient que j'ai pu vous causer.»

Maintenant, ceci.

«Allez-vous-en et ne rappelez plus.»

Voyez, vous êtes capable de dire toutes ces choses que vous ne croyiez pas pouvoir dire.

Maintenant, lisez ces phrases à voix haute.

«Peut-être.»

«Peut-être, mais je penche pour le non.»

«Peut-être. Ça semble intéressant mais je ne suis pas certain.»

«Oui. Ce serait bien.»

«Oui, j'aime l'idée. Quand?»

«Oui, j'aimerais cela.»

«Oui, mais le moment est mal choisi pour moi.»

Ce sont vos choix fondamentaux, avec quelques variantes. Apprenez-les. Mémorisez-les. Puis, demandez-vous quand chaque réponse s'applique.

Apprenez à dire honnêtement aux gens ce qu'est votre vraie réponse. Examinez votre cœur pour décider quand une chose est bonne pour vous ou ne l'est pas.

Mon Dieu, aide-moi à me faire confiance que je sau-
rai quand dire non, peut-être *et* oui. *Aide-moi aussi à*
m'exprimer de façon honnête et aimante.

Activité. Avez-vous de la difficulté à vous
exprimer? Qu'est-ce qui est le plus difficile à dire
pour vous – *non* ou *oui*? Essayez de vous y autoriser
en vous écrivant une note de permission que vous por-
terez dans votre portefeuille ou votre sac à main. Elle
peut être formulée ainsi: Claire a la permission de dire
non quand elle le désire. Ou encore: J'ai la permission
de dire *non* dix fois cette semaine, et *oui* cinq fois.
Puis, signez la note qui vous rappellera de vous approprier votre pouvoir en disant *non, oui* et *peut-être*
quand une de ces réponses est la bonne pour vous.

6 mai   Dites quand c'est usé

Si c'est usé, jetez-le.

John et Al parlaient un jour d'un ami commun,
quelqu'un que tous deux connaissaient et aimaient.
«Mark croit qu'il doit constamment souffrir, dit John.
Il se définit par ses ressentiments. Il est toujours en
colère, toujours contrarié et si préoccupé par l'aspect
tragique de la vie qu'il est toujours en train de s'arracher les cheveux et de se lamenter sur la vie. Il
m'inquiète.»

«Laisse-le faire, dit Al. Les gens ont besoin
d'user les choses. Il faut qu'ils prennent leur temps
pour user leurs convictions et leurs attitudes avant
d'être prêts à s'en débarrasser. Tu as pris ton temps
pour faire ça. Moi aussi. Laisse à Mark le temps qu'il
lui faut – peu importe la durée – pour user ses
convictions.»

Êtes-vous attaché à quelque conviction qui sabote
votre vie – des convictions sur votre capacité d'être

heureux, joyeux et libre? La vie est un voyage à travers les endroits, les gens et nos convictions. Nous usons ces convictions une à une, les déchirons et faisons place à un peu plus de lumière.

Donnez aux autres le temps et la liberté d'user leurs convictions. Donnez-vous également cette liberté.

Dès maintenant, en ce moment, vous êtes en train d'user une conviction. Examinez votre vie. Fiez-vous à l'endroit où vous êtes. Fiez-vous à ce que vous vivez. Une conviction quelconque est en train de s'effriter dès maintenant, au moment où vous lisez ceci. Dites quand il est temps de jeter cette conviction.

Vous êtes digne d'amour. Vous êtes une belle personne, tel que vous êtes. Vous avez une utilité. Il y a un plan pour votre vie. Vous pouvez prendre soin de vous-même. Vous pouvez réfléchir, ressentir et résoudre vos problèmes. La vie est dure parfois, mais ce n'est pas nécessaire d'en faire un combat. Pas plus qu'il n'est nécessaire de souffrir autant et aussi longtemps. Plus maintenant. Vous pouvez vous détacher, et vous détacher avec amour.

Examinez-vous dans le miroir quelques minutes. Au lieu d'être honnête avec vous-même seulement sur ce que vous voyez, soyez honnête avec vous-même sur ce que vous croyez de la personne que vous voyez.

Mon Dieu, aide-moi à lâcher prise sur mes convictions qui me limitent et me sabotent.

7 mai   Dire quand il est temps de cesser de s'adapter

Dans son livre *Recovering from the Loss of a Child*, Katherine Fair Donnelly parle d'un homme dont la fillette, Robyn, est morte du syndrome de mort subite du nourrisson. L'enfant est morte dans sa poussette, pendant que sa mère la promenait. Le père était allé se faire couper les cheveux ce jour-là et il avait pris un numéro pour attendre son tour.

«C'est quelque chose qu'il n'a plus jamais fait par la suite, écrit Donnelly. Il n'a jamais repris de numéro chez le barbier et est toujours revenu à la maison d'abord pour s'assurer que tout allait bien. Puis il allait se faire couper les cheveux. C'est devenu une des façons qu'il a trouvées pour s'adapter.»

Je déteste «l'adaptation». Ce n'est pas vivre. Ce n'est pas être libre. Ça sent la «survie» à plein nez.

Mais parfois, c'est le mieux que nous puissions faire, pour un certain temps.

Huit ans après la mort de mon fils, je signais des documents pour acheter une maison. C'était la première maison que j'achetais depuis son décès. La veille de sa mort, j'avais également signé des documents pour acheter une maison. Je ne savais pas que j'avais commencé à associer l'achat d'une maison à sa mort, jusqu'à ce que je remarque ma main qui tremblait et mon cœur qui battait fort comme je finissais de signer la convention d'achat. Pendant huit ans, j'avais simplement évité d'acheter une maison, louant un endroit médiocre après l'autre et me plaignant des misères d'être locataire. Tout ce que je savais alors, c'est que «plus jamais je n'achèterais de nouvelle maison». Je ne comprenais pas que je m'adaptais.

Nous sommes nombreux à trouver des façons de nous adapter. Enfants, nous avons peut-être développé une énorme colère envers nos parents. N'ayant aucun recours, nous nous sommes peut-être dit: «Je vais leur montrer. Je ne serai plus jamais bon en musique ou dans les sports ou dans mes études.» Comme adultes, il se peut que nous fassions face à une perte ou à un décès en disant: «Je vais toujours être gentil avec les gens et les rendre heureux. Alors ils ne s'en iront pas.» Ou nous pouvons transiger avec une trahison en disant: «Jamais plus je n'ouvrirai mon cœur à une femme, ou à un homme.»

L'adaptation consiste souvent à établir un lien erroné entre un événement et notre comportement. C'est peut-être utile à la survie, mais à un certain moment nos comportements d'adaptation nous nuisent habituellement. Ils deviennent des habitudes indépendantes de notre volonté. Et même si nous croyons que nous protégeons notre personne ou quelqu'un que nous aimons, il n'en est rien.

Robyn n'est pas morte parce que son père a pris un numéro et attendu son tour chez le barbier.

Mon fils n'est pas mort parce que j'ai acheté une maison.

Vous empêchez-vous de faire quelque chose dont vous avez vraiment envie comme moyen de vous adapter à quelque chose qui vous est arrivé il y a longtemps?

Adaptez-vous s'il le faut, si cela vous sauve la vie. Mais peut-être qu'aujourd'hui est le jour où vous pourriez vous libérer.

Mon Dieu, montre-moi si je me limite moi-même et ma vie d'une manière quelconque en recourant à un comportement d'adaptation désuet. Aide-moi à savoir que je suis en sécurité et assez fort maintenant pour lâcher prise sur ce comportement de survie.

8 mai   **Dites quand**
quelque chose vous provoque

Comment vous défendez-vous quand vous vous sentez fâché et blessé?

Quand Sally était enfant, elle vivait avec des parents perturbés qui, la plupart du temps, lui disaient des méchancetés blessantes. On ne lui permettait pas de répliquer quoi que ce soit, et surtout pas de dire à quel point elle était en colère et blessée.

«La seule façon dont je pouvais composer avec la colère était de m'engourdir et de me dire que je m'en balançais – que la relation n'était pas importante, dit Sally. Puis, j'ai traîné ce comportement dans ma vie adulte. J'ai appris à être froide quand je me sentais fâchée ou blessée. Je me renfermais automatiquement et repoussais les gens loin de moi. Au moindre signe de colère ou de douleur, je n'étais plus là!»

Il importe de connaître nos limites. Il importe encore plus de ne pas laisser les gens jouer avec notre cœur. Il importe tout autant de savoir comment les blessures et la colère déclenchent nos défenses.

Avez-vous une réaction instantanée, non pas aux autres, mais à vos propres sentiments, d'être trahi, blessé ou fâché? Vous renfermez-vous? Perdez-vous votre estime de vous-même? Vous arrive-t-il de n'être «plus là» pour vous et les autres? Contre-attaquez-vous?

Les sentiments de colère et de blessure seront soulevés dans la plupart des relations. Parfois, quand nous les éprouvons, c'est une incitation à prendre garde. D'autres fois, ce n'est qu'un incident bénin, quelque chose qui peut se régler. Il vous a peut-être fallu vous protéger une fois, il y a longtemps. Mais

maintenant, vous pouvez être vulnérable et vous permettre de ressentir ce qui se passe en vous.

Dites quand quelque chose vous provoque et
apprenez à vous défendre.

*Mon Dieu, aide-moi à prendre conscience de la
manière dont je me protège quand je me sens blessé,
en colère et attaqué. Donne-moi le courage d'être vulnérable et d'apprendre de nouvelles façons de prendre
soin de moi.*

9 mai — Dites quand il y a trop de compassion

Il est facile de dépasser les bornes et d'avoir trop
de compassion pour les personnes dans notre vie. Bien
que ce sentiment soit bon en soi, un excès de compassion peut paralyser les gens que nous tentons d'aimer.
Nous comprenons si bien comment ils se sentent que
nous ne les tenons pas responsables d'eux-mêmes.
Trop de compassion peut aussi nous faire mal. Nous
pouvons nous sentir victimes des gens envers qui nous
éprouvons trop de compassion et en développer du
ressentiment. Nous sommes tellement préoccupés par
leurs sentiments que nous négligeons les nôtres.

Trop de compassion signifie que nous ne croyons
pas suffisamment en les autres pour les laisser faire ce
qu'ils doivent faire pour s'aider. C'est une façon de
leur dire : «Tu n'es pas capable.» *Tu n'es pas capable
de composer avec ta réalité. Tu n'es pas capable
d'apprendre tes leçons. Tu n'es pas capable de prendre la vérité, alors je vais te traiter comme un enfant
démuni.*

Trop de compassion nous laisse en proie à la victimisation et à la manipulation. Nous sommes tellement

préoccupés par les sentiments de l'autre que nous négligeons de prendre soin de nous-même.

Voici quelques lignes de conduite sur la compassion.

- Si nous nous créons un problème pour résoudre le dilemme de quelqu'un d'autre, nous avons probablement dépassé les bornes.

- Si nous sommes tellement préoccupés par la douleur d'une autre personne que nous en négligeons nos propres émotions, nous sommes probablement trop impliqués.

- Si la culpabilité est le motif sous-jacent de notre comportement, ce que nous pratiquons n'est sans doute pas la compassion.

La leçon dont il est ici question n'est pas de cesser de se préoccuper des autres. Nous devons plutôt respecter le droit des autres d'apprendre leurs propres leçons.

Trop de quoi que ce soit n'est pas une bonne chose. Si nous avons dépassé les bornes de la compassion, nous pouvons faire marche arrière dans la zone de sécurité et y aller plus doucement.

Mon Dieu, montre-moi si je fais du mal à quelqu'un dans ma vie – un parent, un enfant ou un ami – en étouffant cette personne par trop de compassion.

10 mai   Dire quand il est temps de cesser de se saboter

Jenny a pris place dans le fauteuil confortable du petit bureau à l'éclairage agréable. L'homme assis en face d'elle avait l'air normal et gentil – pas du tout ce qu'elle imaginait d'un voyant. Elle s'est détendue et s'est mise à lui dire pourquoi elle était là.

«Je n'ai pas l'habitude de consulter des voyants, mais j'aimerais avoir des renseignements et une orientation à propos de ma relation, dit-elle. Le garçon que je fréquente est formidable. Je suis vraiment amoureuse de lui.»

Le voyant n'avait pas besoin de ses dons pour savoir qu'un «mais» ne tarderait pas. Il avait entendu cette histoire de nombreuses fois auparavant.

«Mais, dit Jenny, c'est un trafiquant de drogues. Seulement de la marijuana, cependant. Et il n'en fume pas lui-même. Il fait ça juste assez longtemps pour amasser suffisamment d'argent pour démarrer son entreprise. Devenir légal, vous savez.»

Après un moment, elle s'est arrêtée. «Alors, dit-elle au voyant, qu'en pensez-vous?»

«Vous n'avez pas besoin d'un voyant pour vous dire d'en sortir le plus vite possible, dit-il en lui remettant son argent. C'est évident. La relation est vouée à l'échec.»

Comme dans le cas de Jenny, il est facile de voir l'erreur de pensée ridiculement manifeste chez nos amis et nos proches. Il est parfois plus difficile de voir notre façon de penser erronée et nos points faibles.

«Je l'aime, mais elle est mariée.» «Je l'aime, mais c'est un cocaïnomane.» «Je l'aime, mais je sais qu'il me trompe tout le temps.»

Même si nombre de gens profitent des avantages d'une orientation spirituelle intuitive à un certain moment de leur vie, bien des fois, nous pouvons facilement prédire notre propre avenir. Cessez de vous saboter. Écoutez ce que vous dites. Écoutez les *mais,* les mots qui sortent de votre bouche. Oui, certains trafiquants de drogues se rétablissent. Oui, des gens se sortent de la dépendance à la cocaïne tous les jours. Oui, des gens qui ont de lourds antécédents d'infidélité peuvent arrêter ce comportement. Et certaines personnes mariées divorcent et épousent la personne avec qui elles ont une aventure.

Des gens gagnent à la loterie – chaque jour. Mais plus de gens ne gagnent jamais.

Nous sommes parfois surpris par des événements qui ne peuvent être prévus. D'autres fois, il est facile de prédire des problèmes. Autant que possible, épargnez-vous la douleur qui vous attend inévitablement au détour.

Cessez de vous saboter. Soyez votre propre voyant. Écoutez ce que vous dites, et prodiguez-vous les mêmes conseils de base que vous donneriez à un ami. Vous êtes peut-être l'exception à la règle, mais probablement pas.

Mon Dieu, aide-moi à lâcher prise sur mes points faibles, ceux qui me font saboter mon propre bonheur et mon bien-être.

11 mai   Dire quand il est temps
de se désengager

«Courez, baissez-vous, cachez-vous.»

C'est une devise qui m'a bien servi, surtout depuis que j'ai déménagé en Californie. «Il faut de l'argent et une voiture pour vivre ici», m'a déjà dit un ami. Il avait raison. Et ceux qui n'ont ni argent ni voiture peuvent essayer de prendre les vôtres, ai-je rapidement appris.

Les manipulations, les arnaques et les détraqués sont légion.

On peut les trouver n'importe où. Et parfois, ces gens-là ne sont pas si détraqués. Ils s'occupent seulement de leurs affaires, et ça ne nous regarde pas.

Parfois, il est insensé d'être thérapeutique, utile ou gentil quand les autres tentent de décharger leur folie sur vous. Vous ne ferez que vous enfoncer. Recourir à n'importe quelle règle d'engagement voudra simplement dire que vous êtes engagé. Désengagez-vous immédiatement.

Sachez quand vous servir de votre savoir-vivre. Et sachez quand il est temps de courir, de vous baisser ou de vous cacher.

Mon Dieu, aide-moi à me détacher quand il est nécessaire de me désengager immédiatement.

12 mai   Dites quand il est temps de sauver votre propre vie

J'ai sauté de l'avion, et mon moniteur de saut m'a suivie de près. Ce devait être un saut amusant. Nous allions jouer à «Simon dit» dans les airs.

Il a effectué un tournant de 360 degrés sur la droite. J'ai tourné aussi. Il a tourné à gauche, et moi aussi. Puis, il a fait un salto arrière. *Bon,* me suis-je dit. *J'y vais.* J'ai relevé les genoux, mais au lieu de faire un salto arrière, j'ai roulé sur le côté et me suis mise à tourner sur moi-même. À chaque rotation, je tournais de plus en plus vite.

J'ai tenté de m'arquer, position qui me stabiliserait sur le ventre et qui m'assurerait de pouvoir ouvrir mon parachute en toute sécurité, mais mes mouvements corporels ne fonctionnaient pas comme ils auraient dû. *Peut-être que si j'étire mon bras droit davantage, ou peut-être ma jambe gauche.*

Mon moniteur de saut me regardait tournoyer comme une pale de ventilateur. Il essayait de m'attraper à chaque rotation, mais il ne pouvait pas m'agripper. Je me concentrais sur ma tentative de cesser de tournoyer. Finalement, il a tiré sur ma main, indiquant mon altimètre.

Mon Dieu, j'étais trop bas. En moins de 30 secondes, j'allais frapper le sol et ma vie serait finie. Je serais morte.

La morale de cette histoire est simple. Je l'ai apprise quand j'ai rejoint mon moniteur de saut au sol. «Qu'est-ce que tu vas faire? m'a-t-il demandé. Passer le reste de ta vie à essayer de prendre le contrôle?»

Il est facile de se laisser prendre dans une situation. Nous sommes tellement absorbés par les détails sur la façon de résoudre un problème que nous ne pouvons pas régler, que nous perdons de vue le temps. Nos vies défilent à toute vitesse, et le sol se rapproche.

Vous êtes-vous pris à tenter de contrôler quelque chose qui vous échappe? Le cas échéant, il est peut-être temps de mettre un frein à vos tentatives de le régler et de sauver plutôt votre vie.

Mon Dieu, accorde-moi la conscience de ce que je dois faire pour prendre soin de moi.

13 mai — Respecter ses propres échéances

«As-tu ton permis A?»

Cette question commençait vraiment à m'énerver. Tous ceux que je connaissais en parachutisme accéléraient le cours, satisfaisaient à toutes les exigences et se dépêchaient d'obtenir leur permis. Je savais dès le début qu'il ne me ferait aucun bien de me précipiter.

C'était un sport que je devais maîtriser, ce qui voulait dire que je devais apprendre à mon propre rythme.

«C'est le voyage qui compte, pas la destination», me disais-je continuellement en observant mes camarades de saut progresser, me laissant derrière. «Chaque chose arrive en son temps.»

Enfin, j'ai trouvé ma réponse. Nous étions en novembre. J'annonçais fièrement, quand on m'interrogeait sur mon permis, que je ne prévoyais pas l'obtenir avant juin. Je l'ai dit, et redit. Les gens m'ont laissée tranquille. Et j'ai commencé à progresser rapidement, après m'être donné tout ce temps.

En février, une série d'événements ont fait grimper ma courbe d'apprentissage. J'ai fait mes sauts en solo, j'ai appris à plier mon propre parachute et j'ai passé mon examen écrit. Je satisfaisais maintenant à toutes les exigences de mon permis A. Tout ce qui me restait à faire était de soumettre l'information, et je détiendrais mon permis.

Après avoir envoyé mes documents, j'ai attendu pendant un laps de temps approprié, puis je me suis mise à attendre le courrier. Semaine après semaine, le permis n'arrivait pas. J'attendais patiemment et continuais à vérifier. Vers la fin de mai, je suis allée aux bureaux de l'école de parachutisme. Je leur ai fait part de mon inquiétude au sujet de mon permis qui n'arrivait pas.

Les agents ont vérifié mon dossier. «Il y a eu une certaine confusion dans la paperasse, m'ont-ils dit. Mais tout est en ordre. Vous aurez votre permis bientôt.»

Quand le permis est-il arrivé? En juin, il est arrivé par la poste exactement au moment que j'avais prévu.

Certaines échéances dans notre vie ne sont pas entre nos mains, et d'autres le sont. Tout comme vous avez le pouvoir de dire *quoi,* dire *quand* confère également un grand pouvoir.

Mon Dieu, aide-moi à synchroniser mes échéances avec les tiennes. Indique-moi si je me pousse indûment ou si je me retiens.

14 mai — Dire quand arrive le temps de changer

Finalement, assez c'est assez. Nous nous sommes cramponnés à notre rêve brisé jusqu'à ce qu'il nous pèse lourd, à notre relation rompue jusqu'à ce que nous n'ayons plus la force d'essayer de nouveau. Nous nous sommes accrochés à nos attentes, à nos peurs, à nos inquiétudes et à nos chaînes jusqu'à ce que nous ne puissions plus supporter la tension.

Nous sommes à la croisée des chemins. Une voie mène plus loin en territoire familier. L'autre conduit vers une percée. Nous ne pouvons voir ce qui se trouve de l'autre côté.

C'est le vide, l'inconnu, l'insondable.

Ce n'est pas la mort. C'est une renaissance, un réveil aussi profond que cet instant où la sobriété s'empare de l'ivrogne depuis toujours. Ou quand le codépendant confus franchit les premières étapes de l'autonomie.

Êtes-vous prêt à le risquer? Avez-vous enfin atteint le point où assez, c'est assez? Ou emprunterez-vous encore le chemin familier pour y ressasser ce que vous avez déjà vécu? Il est parfois plus facile de rester avec nos limites et avec ce qui ne fonctionne pas. Au moins alors, nous savons à quoi nous attendre.

Courez la chance. Essayez quelque chose de nouveau. Allez-y. Prenez ce nouveau chemin, même si vous ne savez pas très bien où il vous mènera. Voyez! Dès le premier détour, une lumière luit. Le nouveau chemin n'est peut-être pas plus facile à parcourir que l'ancien, mais il mènera à la joie.

Pour l'instant, être disposé à changer est suffisant.

Pour ce faire, lancez-vous dans le vide.

Mon Dieu, aide-moi à voir les choses sur lesquelles je dois lâcher prise pour continuer ma croissance. Aide-moi à m'éloigner du confortable et du connu pour me lancer dans l'inconnu, et dans ce que je ne peux pas voir ou prévoir.

15 mai — Dire quand arrive le temps du plan de secours

J'ai sauté de l'avion, ai profité de ma chute libre, puis j'ai vérifié mon altimètre.

Il était temps de tirer sur la corde.

J'ai déployé mon parachute, attendant le son du doux froissement, celui qui me disait que ma voilure fonctionnait et était ouverte. Je n'ai pas entendu le son. Je penchais vers l'arrière et je tournais plutôt que de flotter doucement vers le sol. Je n'ai pas eu à faire ma vérification de voilure en huit points. J'ai su immédiatement que quelque chose clochait.

Depuis que j'avais commencé à sauter en parachute, j'étais consciente que même si les choses se déroulent bien en général, parfois, le contraire arrive. Pendant un certain temps, j'ai redouté la possibilité d'un pépin à l'ouverture de ma voilure, et que j'aurais à la couper. Pour composer avec ma peur et mes doutes, je prévoyais recourir à un plan de secours – couper mon parachute principal et tirer sur mon parachute auxiliaire – chaque fois que je sautais de l'avion.

Il était temps d'exécuter le plan de secours.

Zoum! Quel doux son à mes oreilles, quand le parachute auxiliaire s'est ouvert au-dessus de ma tête.

Pour la plupart, nous avons des plans et des idées sur l'évolution d'une activité, d'une relation ou d'un emploi. Nous nous marions et nous nous attendons à ce que la relation s'épanouisse. Nous fréquentons quelqu'un et nous nous attendons à ce que cette personne soit au moins convenable. Nous commençons une amitié avec quelqu'un parce que quelque chose chez cette personne nous attire, nous pousse vers elle. Nous acceptons un poste ou une offre d'emploi – ou nous embauchons un employé – et nous avons une idée du déroulement des choses. Nous espérons que tout ira bien.

La vie, c'est comme le parachutisme. Il n'y a pas de garanties. Et même si nous faisons tout bien et correctement, parfois les choses ne fonctionnent tout simplement pas. Bien qu'il ne soit ni sain ni conseillé de fuir chaque problème, il faut parfois couper les dysfonctions importantes.

Il est bien d'avoir un plan. Mais prenez le temps d'élaborer un plan de secours, aussi. Sachez ce que vous allez faire si le premier plan ne fonctionne pas. Il est plus facile, parfois, d'appliquer une option ou une méthode d'urgence si nous y réfléchissons avant que la crise ne se produise. La panique n'est plus nécessaire alors. Nous n'avons qu'à mettre en œuvre le plan que nous avions préparé.

Avez-vous examiné vos méthodes d'urgence aujourd'hui?

Mon Dieu, donne-moi la vigilance de reconnaître quand il est temps de couper une dysfonction. Donne-moi la présence d'esprit de sauver ma propre vie.

16 mai — Vous seul pouvez évaluer quoi faire

Ce devait être mon cinquantième saut. J'étais déterminée à maîtriser la vrille. Quand mon tour est venu, je suis allée à la porte, je me suis hissée vers l'extérieur, puis je me suis donné le décompte. Prêts, à vos marques, partez. J'ai cessé de m'agripper et me suis laissée tomber dans les airs.

Au début, j'étais stable, sur le ventre. Puis, cette damnée vrille a commencé. J'ai essayé de corriger la position de mon corps. Rien n'y fit. La dernière fois que c'était arrivé, j'avais passé tellement de temps à essayer de corriger le problème que j'avais perdu de vue mon altitude. J'étais devenue obsédée par le problème et j'avais perdu la notion du temps – chose à ne pas faire au sol, et encore moins en tombant des airs.

Je me suis souvenue des paroles de mon moniteur de saut : *Qu'est-ce que tu vas faire, passer le reste de ta vie à essayer d'avoir le contrôle ?* Au lieu de tenter encore de résoudre le problème, j'allais m'arrêter maintenant. En tirant. J'ai tiré sur ma corde de traction. Au lieu d'entendre le doux froissement du parachute qui s'ouvre adéquatement, j'ai entendu un gros bruit sourd. J'ai regardé. J'avais tourné sur moi-même si rapidement quand j'ai ouvert que j'avais un enchevêtrement noueux de cordes et un tas de tissu au-dessus de la tête.

J'avais déjà eu des cordes emmêlées auparavant – quelques torsades faciles à défaire avec un peu d'effort. Ceci était différent. On aurait dit une tresse chinoise au-dessus de ma tête.

Ça ne fonctionne pas, me suis-je dit. J'ai tiré sur la poignée de dégagement, libérant la masse noueuse de matière au-dessus de ma tête, puis j'ai tiré immédiatement sur mon parachute auxiliaire. Il s'est ouvert doucement et immédiatement. J'ai regardé mon altimètre. J'étais à 2 700 mètres. La chute allait être longue.

Environ cinq minutes plus tard, j'étais au sol. J'ai lancé mon parachute par-dessus l'épaule et je me suis précipitée à la salle des étudiants. Quand on m'a demandé ce qui était arrivé, j'ai raconté mon histoire. Elle était truffée de «j'aurais dû». *J'aurais dû être capable d'arrêter de tourner. Je n'aurais pas dû ouvrir à si haute altitude.* Je me suis excusée de ce que j'avais fait et du fait que mon parachute de location, que j'avais dégagé si haut, allait être difficile à retrouver.

«Ce n'était pas une situation idéale, a dit le directeur de l'école. Mais c'est ta vie. Seulement toi peux décider quoi faire pour la sauver. C'est à toi et à toi seule de décider de la bonne chose à faire.»

Certaines situations ne sont pas idéales. Peut-être ne devrions-nous pas nous y trouver du tout, et peut-être que nous aurions dû mieux réfléchir. Mais les faits demeurent. Ne laissez pas la honte vous empêcher de prendre soin de vous. Qu'allez-vous faire?

Parlez à d'autres gens. Demandez des opinions. Lisez des bouquins. Mais c'est votre vie – votre relation, votre situation financière, votre emploi, votre maison. C'est à vous de décider ce qui vous convient le mieux. Vous êtes celui qui vivra en bout de ligne avec les résultats de vos décisions. Évaluez la situation et décidez de ce qui est bon pour vous.

Assumez la responsabilité de vos décisions et de la meilleure façon de vivre votre vie.

Mon Dieu, aide-moi à cesser d'attendre l'approbation des autres pour ce que je fais ou ne fais pas. Guide-moi dans mes prises de décisions et aide-moi à avoir confiance dans mes choix.

17 mai · Il faut parfois beaucoup pour dire *quand*

Quelquefois, nous disons *quand* relativement aisément. Nous disons: «Non merci, ça ne me convient pas», et nous nous en allons. Mais il y a des occasions où il est plus difficile de fixer une limite ou d'en appliquer une nouvelle avec les gens.

Jan et Patrick avaient peine à dire *quand* à leur fille adulte, Elizabeth. Celle-ci n'habitait plus à la maison. Elle voulait son indépendance. Mais elle voulait encore l'argent de ses parents. Elle faisait des marchés avec eux – aidez-moi à acheter cette voiture ou faites ce dépôt sur un appartement, et je vous rembourserai. Puis, elle n'honorait pas son engagement. Papa et maman continuaient d'envoyer de l'argent, même s'ils avaient menacé, averti et tenté de régler la situation de façon rationnelle et aimante. Ils ne voulaient pas se mettre leur fille à dos. Et ils ne voulaient pas qu'elle souffre, ce qu'Elizabeth prétendait qu'il lui arriverait si elle était «coupée».

Un jour, Jan et Patrick se sont assis avec une calculatrice. Ils ont calculé le montant du soutien qu'ils avaient accordé à Elizabeth. Ils ont décidé qu'il était temps de mettre fin à leur appui financier. «De toute façon, les seules fois où elle téléphonait, c'était parce qu'elle voulait de l'argent, dit Patrick. Jan et moi nous sommes dit qu'il n'y avait plus grand-chose à perdre de la relation.»

Ils ont donné à Elizabeth un avertissement de trois mois. La vache à lait se tarirait à cette date. Le jour venu, l'argent a cessé de couler. Quelques jours plus tard, Elizabeth a rappelé, poussant des hauts cris. Elle disait que non seulement elle mais tous ses amis trouvaient ses parents méprisables de ne pas l'aider, comme de bons parents le devraient.

«La culpabilité que j'ai ressentie était étouffante, dit Jan. Mais je savais aussi que c'était un des trucs préférés d'Elizabeth. Elle se servait de notre culpabilité pour nous contrôler. C'était pénible. Fixer cette frontière, cette limite, nous a demandé presque toute notre énergie cette année-là – l'année où nous avons coupé les vivres à Elizabeth, où nous l'avons poussée hors du nid.»

Cela fait maintenant quelques années que Jan et Patrick ont fixé cette frontière. Elizabeth assume sa propre responsabilité financière. Elle n'est pas morte de faim, ni devenue une sans-abri. Elle est beaucoup plus débrouillarde que ses parents ne le croyaient. Jan et Patrick lui envoient encore des cadeaux, l'emmènent encore dîner au restaurant, mais ils n'accordent plus leur soutien financier à leur grande fille. Leur relation avec leur fille a pris de nouvelles bases. Les conversations ne tournent plus autour de l'argent.

Dire *quand* peut être inconfortable pour la personne qui le dit et pour la personne qui l'entend. Cela fait parfois appel à plus qu'une décision ou réaction immédiate, cela exige un changement de mode de vie pour les personnes concernées. Vous devrez peut-être soutenir votre *quand* avec détermination, conviction et engagement.

Ne vous attendez pas à ce que ce soit facile de dire *quand* et de le penser. Laissez aux autres de la latitude pour qu'ils puissent donner libre cours à leurs émotions concernant vos frontières; donnez-vous de la latitude pour éprouver des émotions, vous aussi.

Mon Dieu, donne-moi l'énergie et l'engagement de dire quand *et de m'y tenir.*

18 mai   Dites *quand* avec créativité

Grace était mère célibataire d'un fils de 17 ans, Shawn. Shawn avait du charisme, du pouvoir, de la volonté, de l'intelligence, et était chimiodépendant.

Grace aimait Shawn profondément. Mais elle se sentait aussi piégée par son adolescence rebelle, doublée de sa consommation de drogues et d'alcool. Shawn était déjà allé en traitement une fois, était demeuré sobre pendant un certain temps, puis avait rechuté. Il avait un permis de conduire et une voiture. Quand il était sobre, il assumait bien la responsabilité de son véhicule. Et l'entente était que, si Shawn rechutait, il perdrait ses clés.

Le problème de la chimiodépendance, c'est que le déni et le mensonge vont de pair avec la maladie. Quand Shawn a recommencé à consommer, il s'est aussi mis à mentir à sa mère. Grace a rapidement vu et compris ce qui se passait. Elle savait quelle était sa limite. Lui enlever la voiture.

Grace savait très bien ce qu'elle pouvait et ne pouvait pas faire. Elle ne pouvait pas assurer la sobriété de Shawn, mais elle pouvait refuser de le laisser conduire.

Grace est passée à l'action. Elle a pris un tourne-vis, est sortie dehors, a retiré les deux plaques d'immatriculation de l'auto de Shawn et s'est rendue directement au bureau de poste. Elle a ensuite posté les plaques à un ami de la famille et demandé à cet ami de les garder jusqu'à ce que Shawn redevienne sobre.

Shawn savait qu'une limite venait d'être claire-ment définie. Six mois plus tard, quand ses plaques lui ont été retournées, il était sobre et prêt à respecter la responsabilité que comporte la conduite d'une auto-mobile.

Parfois, dire seulement *quand* ne suffit pas. Nous devons aussi faire preuve de créativité dans la manière de le dire.

Mon Dieu, aide-moi à savoir que tu seras toujours là pour me guider à fixer des limites, lorsqu'il y va de ma responsabilité et de mon intérêt de faire respecter une frontière particulière.

19 mai   Fixez-vous un délai d'attente

Utilisez les échéances comme outil.

Parfois, nous nous trouvons dans une situation inconfortable. Nous ne savons plus quoi faire ensuite. Nous ne savons pas comment régler le problème. Nous ne savons pas quel cours prendront les événe-ments. Peut-être que nous voyons quelqu'un et que la relation stagne, mais que ce n'est pas le temps d'insis-ter. Tout ce que nous avons à faire est sans doute de laisser à l'autre un peu de temps et d'espace pour s'occuper de ses affaires. Peut-être que l'entreprise que nous avons démarrée n'avance pas, mais les cho-ses peuvent changer. Une partie de nous, la partie obsessive, dit: «Il faut que je sache dès maintenant.»

Mais l'autre partie de nous, la partie sage et sereine, dit: «Détends-toi. Ce n'est pas le temps. Tu n'as pas encore toutes les données.»

Fixez-vous une échéance personnelle. Dites-vous que vous vous donnez six semaines ou trois mois ou peut-être une année pour changer le cours des choses. Puis, vous évaluerez les données et prendrez une décision sur ce qu'il faut faire ensuite.

Parfois, fixer une échéance est tout ce qu'il faut pour nous aider à nous détendre. Nous savons que nous ne sommes pas piégés. Nous ne sommes pas une victime. Nous prenons la décision consciente de lâcher prise et de laisser les choses se dérouler.

Mon Dieu, accorde-moi la sérénité de ne pas tenter de forcer les résultats et les solutions trop tôt.

20 mai   Dire quand il est temps de faire quelque chose

Hier, nous avons parlé d'utiliser des échéances pour nous aider à lâcher prise. Les échéances auto-imposées peuvent aussi être une façon de concentrer notre énergie sur la tâche à accomplir, surtout si nous l'avons reportée.

«Je vais me lever et finir le ménage pour 10 h.» «Je vais m'enfermer dans la maison et écrire ce rapport en deux jours.» «Je vais finir de nettoyer la cour pour la fin de semaine.»

Bien des fois dans la vie, il est approprié et sain d'écouter notre horloge interne à propos de ce qu'il faut faire et à quel moment le faire. Suivre le mouvement peut être un processus spirituel, mais il y a d'autres fois où il est utile de recourir à des échéances auto-imposées pour nous aider à accomplir la tâche.

Avez-vous besoin de fixer une échéance pour vous-même?

Mon Dieu, aide-moi à me fixer les échéances appropriées.

21 mai · Dire quand c'est soit l'un, soit l'autre

Une échéance diffère d'un ultimatum. Les échéances impliquent l'utilisation du temps pour accomplir quelque chose. Les ultimatums ont recours au pouvoir.

Les ultimatums impliquent deux notions: *soit l'un* et *soit l'autre*. Servez-vous des ultimatums avec parcimonie. Mais parfois, c'est la seule façon d'attirer l'attention de quelqu'un.

Voici des exemples: «Soit que tu deviennes sobre et que tu cesses les drogues, soit que je te fasse emprisonner.» «Soit que tu te mettes à travailler et que tu cesses de boire, soit que je parte avec les enfants.» «Soit que tu te présentes à l'heure au travail, soit que je trouve quelqu'un d'autre pour ce poste.»

Idéalement, un ultimatum ne sert pas à contrôler l'autre personne. C'est une expression de nos frontières – une façon efficace d'indiquer à l'autre que nous sommes sur le point de hurler *quand*.

Parfois, les gens utilisent les ultimatums comme jeux de puissance. Ils s'en servent pour jouer avec nos peurs, en particulier notre peur de l'abandon: «Fais ce que je veux, ou je vais m'en aller.» «Tiens-toi tranquille et ne me confronte pas sur mon comportement, ou je vais me fâcher et te punir en boudant.» La tactique peut fonctionner pendant un certain temps, mais au bout du compte, elle peut se retourner contre soi.

Ne vous servez pas des ultimatums comme d'un jeu de puissance, ou d'un moyen de contrôler les gens autour de vous. Ne laissez pas les autres s'en servir non plus pour vous contrôler ou vous manipuler. Utilisez-les comme un avertissement ultime que vous êtes sur le point de dire *quand*.

Mon Dieu, aide-moi à être conscient des ultimatums, tant ceux dont je me sers que ceux que les autres utilisent envers moi.

Activité. Rappelez-vous quelques occasions où les gens se sont servis d'ultimatums à votre endroit. Ont-ils fonctionné? Pourquoi ou pourquoi pas? À l'heure actuelle, permettez-vous à quelqu'un de vous contrôler par un ultimatum exprimé ou tacite? Quel est le *soit l'un*? Quel est le *soit l'autre*? Utilisez-vous ou abusez-vous d'ultimatums pour contrôler le comportement de votre entourage? Soyez conscient de l'utilisation d'ultimatums exprimés et tacites dans votre vie. Respectez-en le pouvoir.

22 mai   Dire quand le prix est trop élevé

Le coût d'une chose est la somme de ce que j'appelle la vie qui est nécessaire en échange de cette chose, immédiatement ou à long terme.

— HENRY DAVID THOREAU

Prenez ce jeune homme qui avait d'excellents résultats au secondaire, puis qui a soudainement commencé à prendre du retard. Un jour, un professeur l'a pris à part et lui a demandé ce qui se passait. L'élève lui a dit qu'il avait demandé une voiture à son père, et que celui-ci lui avait répondu que s'il gagnait de l'argent, il pourrait en avoir une. L'élève, assidu et bon travailleur, s'est trouvé un emploi, a épargné la somme et acheté la voiture. Mais ensuite, il fallait des assurances, de l'essence et de l'entretien, alors l'élève a gardé l'emploi pour l'utilisation de la voiture. Cet emploi lui prenait de plus en plus de temps, jusqu'à ce qu'il prenne du retard dans ses études.

«Pourquoi ne te débarrasses-tu pas simplement de la voiture?» demanda le professeur.

«Me débarrasser de la voiture?» répondit-il. «Mais comment vais-je me rendre à mon travail?»

Combien de fois pensons-nous que, si seulement nous pouvions obtenir cette nouvelle voiture, ce nouveau copain ou cette petite amie, cette promotion ou le condo dans le bon quartier, nous trouverions le bonheur ou la satisfaction – pour découvrir finalement que la chose n'apporte avec elle que plus de souffrance, de frais et de soucis qu'elle n'en vaut la peine. La nouvelle voiture sport ne fonctionne que la moitié du temps, le nouveau partenaire nécessite plus d'attention que votre chien, la promotion rogne sur vos fins de semaine et le nouveau condo n'autorise pas les animaux.

Les choses n'apportent pas le bonheur véritable. Souvent, elles sapent plutôt vos forces et vous laissent plus vide qu'auparavant. Réfléchissez au coût véritable d'une chose avant de vous la procurer – en temps, en changement de style de vie, en énergie, en entretien et en argent. Pouvez-vous vraiment sacrifier tout le temps que cette chose vous soutirera en échange du bonheur qu'elle vous apportera? Êtes-vous prêt à en payer le prix?

Mon Dieu, aide-moi à prendre conscience du coût véritable des choses dans ma vie.

Dites quand c'est le bon moment

Si vous attendez le moment idéal où tout est sûr et certain, ce pourrait ne jamais arriver. Personne n'escaladerait de montagnes ou ne gagnerait de courses, et il n'y aurait pas de bonheur durable.

— MAURICE CHEVALIER

«J'attends seulement le bon moment» est une excuse répandue. Nous pouvons rester sur la ligne de touche, à attendre le moment idéal, mais ne jamais prendre part au jeu. Parfois, le moment ne semble pas opportun. J'étais trop vieille quand j'ai commencé à sauter en parachute, trop pauvre quand je me suis mise à l'écriture, trop soudée à un mari alcoolique quand j'ai commencé à me rétablir de la codépendance et trop accrochée à mes dépendances quand j'ai entamé mon rétablissement. Le moment opportun peut ne jamais être le bon. Vous pouvez choisir d'attendre jusqu'à ce qu'un jour il survienne, ou vous pouvez commencer maintenant.

Y a-t-il un rêve caché dans votre vie, quelque chose que vous vouliez faire, mais que vous avez retardé si longtemps que vous l'avez presque oublié? Peut-être est-ce le moment de le ramener à la surface. Procurez-vous la liste des cours universitaires et inscrivez-vous. Allez au gymnase local et commencez des exercices. Prenez un risque. Le bon moment pour un voyage, c'est quand vous le commencez. Pourquoi pas aujourd'hui?

Mon Dieu, motive-moi à vivre une vie plus pleine, plus riche.

Activité. Sortez votre liste de souhaits. Choisissez une chose sur votre liste qui attend patiemment le bon moment. Décidez que le bon moment, c'est maintenant. Puis commencez.

24 mai   Dites quand il est temps de commencer

J'ai une amie qui prévoit toujours commencer un projet d'écriture «dès qu'elle sera organisée». Elle a lu presque tous les livres, assisté à tous les séminaires et acheté toutes les cassettes sur ce sujet. Elle a des armoires remplies de classeurs, des tiroirs bourrés de dossiers et plusieurs programmes informatiques connexes. Il n'y a qu'un problème. Au lieu de démarrer, elle se cache derrière un masque de *d'abord*. «Je vais me mettre à écrire, mais je dois d'abord maîtriser ce programme.» «Je vais écouter cette cassette, mais je dois d'abord lire ce bouquin.»

Vous cachez-vous derrière un masque de *d'abord*? Y a-t-il toujours quelque chose qui vous empêche de commencer? Retirez le masque. Démarrez le projet. Demandez à cette personne spéciale de sortir avec vous. Faites ces Quatrième et Cinquième Étapes. Cessez les excuses. Éliminez-les.

Apprenez à dire quand il est temps de commencer.

Mon Dieu, aide-moi à éliminer les excuses de ma vie. Montre-moi à quel point ma vie peut être pleine quand je poursuis mes rêves.

25 mai   Dire quand le temps est venu de faire cette chose ardue

Parfois, des ouvertures se présentent dans notre vie. Nous avons la chance de faire une amende honorable. Le moment idéal de terminer ou de résoudre une relation survient. C'est comme un cadeau de Dieu quand cette fenêtre s'ouvre. Tout ce que nous avons à faire, c'est de nous y introduire en douceur. Mais parfois, nous devons aider Dieu à ouvrir la fenêtre – surtout lorsque nous nous armons de courage pour entreprendre une tâche difficile.

Peut-être attendons-nous le bon moment de mettre fin à une relation. Peut-être cherchons-nous une occasion de nous excuser, de dire à quelqu'un que nous regrettons une chose qui l'a peiné. Peut-être avons-nous un nouveau projet à commencer. Parfois, nous pouvons passivement attendre et attendre, et cette fenêtre semble fermée et coincée.

Demandez à Dieu de vous aider à ouvrir la fenêtre, mais faites aussi votre part. Prenez la décision de le faire – peu importe de quoi il s'agit. Puis lâchez prise, mais pas trop longtemps. Souvenez-vous de votre décision. Souvenez-vous de votre engagement à ouvrir cette fenêtre. Ne la forcez pas, mais concentrez votre attention. Il se peut que vous sentiez cette petite fêlure dans l'énergie, cette ouverture dont vous avez besoin. Ou vous aurez peut-être à jouer avec le châssis de la fenêtre, le pousser un tant soit peu pour arriver à l'ouvrir vous-même. Puis vous verrez. Vous la sentirez bouger. Voilà. C'est ouvert.

Aidez Dieu à ouvrir cette fenêtre dans votre vie en décidant de le faire.

Mon Dieu, aide-moi à me rappeler que le moment ne semble pas toujours opportun. Aide-moi à honorer mes désirs les plus profonds de faire ce que je dois pour prendre soin de moi.

26 mai   Passez la porte qui est ouverte

Des portes se ferment dans nos vies. Peu importe à quel point nous désirons quelque chose, peu importe les efforts que nous y avons mis, peu importe dans quelle direction particulière nous voulons évoluer, l'univers dit non.

Il y a nombre d'années, je voulais passionnément et désespérément écrire un livre sur la codépendance. Les vingt éditeurs que j'ai interrogés m'ont tous dit la même chose: non. Certains l'ont dit poliment. D'autres l'ont dit en ne répondant pas. Cette porte ne voulait pas s'ouvrir, même si je poussais fort.

Un éditeur m'est revenu avec une contre-offre: «Nous ne voulons pas le livre sur la codépendance. Mais pourquoi n'écrivez-vous pas pour nous quelque chose sur le déni – pourquoi les gens le font, quel rôle joue le déni dans leur vie et comment peuvent-ils prendre plus conscience et accepter la réalité.»

J'ai accepté l'offre. J'avais besoin de travailler. Mais je n'étais pas enthousiaste. J'ai fait ma recherche avec application et j'ai écrit le manuscrit. Environ un an plus tard, ce même éditeur m'est revenu et m'a demandé d'écrire le livre sur la codépendance. J'ai sorti toutes mes notes et ma recherche, y compris un grand cahier dans lequel j'avais inscrit toutes mes idées et mes questions sur le sujet. En parcourant ce cahier, j'ai remarqué une question écrite en lettres si grosses qu'elle prenait toute la page: «Et qu'en est-il du déni? Quel rôle joue-t-il dans la codépendance?» À la page suivante, j'avais noté: «Pourquoi les gens le font-ils? Comment peuvent-ils arrêter? Aidez-moi à comprendre», avais-je écrit, presque comme une prière.

J'ai réutilisé les notions de déni dans mon livre sur la codépendance. J'avais oublié depuis longtemps ma question à l'univers. Mais Dieu ne l'avait pas oubliée.

Parfois, quand les portes se ferment, c'est parce que nous ne sommes pas prêts à passer celle que nous voulons. Peut-être que celle qui est ouverte dans votre vie est celle par laquelle il vous faut passer. Allez-y, passez-la. Regardez autour de vous. Ce n'est peut-être pas aussi passionnant que celle que vous espériez voir s'ouvrir, mais c'est sans doute exactement là où vous devez vous trouver.

Essayez-vous d'enfoncer une porte qui est fermée dans votre vie? Rendez-vous la vie plus facile. Si vous avez bien essayé d'ouvrir une porte et qu'elle ne bouge pas, regardez autour de vous. Poussez sur quelques autres portes. Voyez celle qui s'ouvre. Puis allez-y, passez cette porte.

Mon Dieu, aide-moi à faire confiance à ta notion du temps dans ma vie. Aide-moi à comprendre que parfois Tu en sais plus long que moi lorsqu'il faut dire quand.

27 mai   Dire quand ça ne nous convient pas

Les portes qui s'ouvrent ne sont pas toutes bonnes à passer.

Parfois, nous sommes dans un corridor sombre où ni portes ni fenêtres ne sont ouvertes. Puis, un rayon de lumière apparaît. Nous recevons une offre – pour un emploi, pour une relation, pour un endroit où vivre. Notre instinct se rebelle. Nous savons que ce n'est pas bon pour nous. Si nous n'étions pas désespérés, nous ne l'envisagerions même pas.

Vous n'êtes pas désespéré. Même si vous l'êtes, agissez comme si vous ne l'étiez pas. Si ce n'est pas bon pour vous, ce n'est pas bon. Refusez, même si vous brûlez d'impatience et de désespoir.

Vous n'êtes pas tenu de faire quoi que ce soit qui n'est pas bon pour vous.

Mon Dieu, donne-moi un esprit serein et patient. Aide-moi à réfléchir un moment avant de prendre quelque décision que ce soit pour demander d'abord conseil.

28 mai — Dites quand il est temps de vous concentrer

Je me préparais à sauter en parachute. Il se passait beaucoup de choses à l'époque – des problèmes avec les ouvriers de la construction, des appels téléphoniques que je devais faire.

«Mets tout cela de côté pour l'instant, me dit Andy, mon moniteur de saut. La seule chose au monde sur laquelle tu vas te concentrer dans l'heure qui vient, c'est le saut que tu vas faire. Tu ne veux pas sauter de cet avion en pensant à autre chose.»

J'ai fait de ce qu'il disait. J'ai délibérément mis de côté toutes mes autres pensées sur les gens, ce qu'ils ressentaient, ce que je devais faire et comment ils allaient réagir.

«C'est l'un des avantages du parachutisme, a dit Andy. Il m'a vraiment appris à me concentrer.»

Parfois, nous sommes interrompus. Il est bon de laisser notre conscience voguer et notre esprit errer. Parfois, il est temps de nous concentrer sur une tâche et de laisser aller les autres soucis et idées. Nous avons tellement de pouvoirs en ce monde merveilleux. L'un de ces pouvoirs consiste à se consacrer, à s'engager et à se concentrer à une tâche à la fois.

Apprenez à vous concentrer sur une chose que vous voulez faire. Si vous êtes en lutte à propos de quelque chose et que vous procastinez, engagez-vous à vous concentrer sur cette tâche jusqu'à ce qu'elle soit terminée.

Mon Dieu, aide-moi à apprendre à concentrer mes énergies sur les tâches essentielles qui m'attendent.

29 mai   Dire quand il est temps de chercher un abri

Selon un dicton, un bateau est peut-être en sécurité au port, mais ce n'est pas ce pour quoi il est conçu. Mais n'oublions pas non plus la valeur des havres de sécurité. Un marin avisé connaît les limites de chaque embarcation et cherchera refuge si le temps est plus mauvais que ce que l'embarcation pourra supporter.

Rechercher de nouvelles expériences, rencontrer des gens nouveaux, vivre sa vie pleinement sont parmi les meilleures raisons d'être en vie. Le but de nous rétablir des dépendances et d'apprendre à prendre soin de nous-même n'est pas de nous cantonner en thérapie à perpétuité. C'est de nous libérer pour vivre notre vie. Mais nous devons être conscients de nos limites. Et il n'y a aucune raison de nous mettre dans une situation à risque inutile.

Vous êtes le seul juge à cet égard dans votre vie. Vous avez tous des niveaux différents de liberté et des besoins semblables mais uniques. Un navire de ligne robuste peut traverser des tempêtes beaucoup plus fortes qu'un petit bateau à moteur. Vous pouvez être capable d'endurer plus ou moins de pression qu'un autre. Repoussez vos limites de temps à autre; c'est ainsi que vous grandissez et que vous changez. Mais sachez ce que sont ces limites et soyez disposé à chercher refuge lorsque viennent les tempêtes.

Vous n'êtes pas seul. Que ce soit par la méditation ou la prière, les groupes de soutien laïques ou religieux, les Douze Étapes ou des rencontres d'entraide, il existe un havre où vous pouvez laisser passer la tempête et préserver votre force pour voguer un autre jour sur les eaux stimulantes de la vie.

Savez-vous où sont vos havres? La vie est faite pour être vécue, alors vivez la vôtre aussi pleinement que possible. Mais rappelez-vous que vous ne pouvez pas vivre pleinement quand vous vous remettez des dégâts d'une tempête. Soyez hardi, mais prudent.

Mon Dieu, aide-moi à être conscient qu'en temps de stress il existe un havre sûr.

Activité. Dressez la liste de vos havres sûrs, par exemple, des amitiés qui sont totalement fidèles et aidantes, des groupes de soutien, la prière, la méditation et des lieux de culte. À quelle fréquence avez-vous besoin de recourir à ces havres pour vous garder en forme? Sachez que lorsque vous traversez des périodes de stress et de détresse – et ces périodes reviennent souvent dans notre vie – il se peut que vous ayez besoin de havres additionnels pour vous abriter de la tempête.

30 mai   Donnez-vous du temps

Fixez-vous des échéances. Dites *quand*. Cessez d'attendre ce moment idéal. Mais soyez tendre envers vous-même et les autres.

Trop d'attente est un piège. Attendre, compter les jours, les mois et les années, attendre que quelqu'un ou quelque chose d'extérieur à nous nous rende heureux et nous apporte ce que nous voulons par magie est une fosse. Si vous y tombez, sortez-en.

Mais soyez aussi tendre envers vous-même. Si vous vous attaquez à quelque chose de nouveau –

qu'il s'agisse d'un nouveau métier, d'une nouvelle relation ou de vous rétablir de l'alcoolisme ou de la codépendance, donnez-vous le temps d'atteindre vos buts, de commencer à saisir, à comprendre.

Certaines révélations, idées ou illuminations nous arrivent instantanément. Mais le travail d'assimiler de nouvelles idées et de les traduire par des changements dans le style de vie exige du temps.

Un de mes amis m'a téléphoné un jour. Trois mois auparavant, son meilleur ami et colocataire était décédé d'une maladie subite. «Qu'est-ce qui ne va pas chez moi? dit-il. Mes croyances spirituelles sont intactes. Je travaille fort sur moi. Et pourtant, j'éclate en sanglots sans raison. Je suis une épave. Pourquoi est-ce que je ne peux pas passer à autre chose?»

«Parce que ça prend du temps, lui ai-je dit. Fais-toi ce cadeau.»

Les graines du changement poussent doucement, parfois presque imperceptiblement. La naissance prend du temps. La transformation prend du temps.

Vous êtes transformé et naissez de nouveau. Donnez-vous à vous-même et aux autres le cadeau du temps.

Mon Dieu, aide-moi à lâcher prise sur des attentes irréalistes quant à la rapidité avec laquelle moi et les autres devons grandir et changer. Aide-moi à savoir que j'ai tout le temps qu'il me faut.

31 mai   Lâchez prise sur le temps

«Melody, ce n'est tout simplement pas encore le temps, me dit un jour mon amie Virginia. Tu n'irais pas sur le gazon à essayer de tirer sur les brins d'herbe, les obligeant ainsi à pousser.»

«Oui, je le ferais, si je croyais que ce serait utile.»

La persistance, la détermination, la clarté et l'engagement peuvent être nos meilleurs atouts. Nous emmagasinons de l'énergie, utilisons notre détermination pour accomplir des choses – qu'il s'agisse de faire le ménage de la maison, de consulter un thérapeute pour obtenir de l'aide sur une question qui nous dépasse, de chercher du travail ou d'entamer une relation.

Les buts sont une bonne chose. Viser la tâche à accomplir est utile. Lâcher prise l'est également, et travailler en cadence avec les saisons de notre vie.

Nous ne faisons qu'un avec tout ce qui existe. La même énergie et le même esprit qui habitent l'océan, la montagne, la forêt et les animaux nous habitent aussi. Qui sommes-nous pour croire que nous n'avons pas nos rythmes, nos saisons et nos cycles? Qui sommes-nous pour ne pas nous fier aux rythmes de la vie?

Semez les graines. Arrosez-les s'il y a sécheresse. Mais lâchez prise. L'herbe poussera d'elle-même.

Mon Dieu, aide-moi à lâcher prise sur l'impatience. Aide-moi à m'aligner sur les cycles naturels de ma vie. Aide-moi à me fier au rythme du temps que tu choisis pour ma vie.

Activité. Choisissez un segment de la nature et étudiez-le. Peut-être choisirez-vous le lever ou le coucher de soleil. Ou un parc préféré. Ou l'océan. Même un lac fera l'affaire. Ne faites pas qu'y penser. Faites-le réellement, pendant votre période de méditation aujourd'hui. Passez de dix à trente minutes assis pour contempler une partie de la nature qui vous parle, vous inspire.

Juin

Apprenez à dire
détends-toi

Apprenez à dire
                                        détends-toi

En parachutisme, il y a une position appelée arquée. C'est une position où le corps est précisément arqué à partir du cou. La théorie la justifiant est que, la gravité étant toujours à l'œuvre, si les hanches sont arquées, le parachutiste descendra en chute libre, dans une position stable et équilibrée.

Le truc de cette position du corps, c'est qu'elle doit être maintenue de façon détendue. Si le parachutiste ne se détend pas suffisamment, son corps aura des soubresauts, voire se renversera. Ou bien les jambes et les bras ne seront pas dans la bonne position, et le parachutiste pourra commencer à tournoyer sans pouvoir rien y faire.

C'est une posture voulue et dynamique, quoique détendue. C'est une attitude que les parachutistes appellent «la maison».

«Il faut que tu pratiques ta position arquée, m'a dit mon moniteur de saut. Et tu dois apprendre à te détendre.»

Je lui ai répondu doucement et sincèrement: «Comment peux-tu t'attendre à ce que je me détende quand je tombe des airs à 200 kilomètres à l'heure vers une mort certaine si tout ne fonctionne pas bien?»

«Pratique-toi, dit-il. Sors de ta tête et laisse ton corps se remémorer comment il se sent.»

Durant la chute libre, j'étais stable. J'ai fait la moue à mon moniteur. C'était amusant. Puis, l'espace d'une seconde, je me suis tendue. J'ai commencé à vaciller dans les airs, me sentant perdre le contrôle. Finalement, j'ai respiré à fond et me suis détendue.

J'étais de nouveau là. J'avais finalement trouvé *la maison*.

Que nous poursuivions nos rêves, que nous essayions de lâcher prise dans une relation, que nous tentions d'élever notre famille, que nous voulions nous connaître davantage, que nous nous remettions d'une dépendance, que nous pleurions une perte ou que nous vivions tout simplement notre vie, nous pouvons trouver cette «maison» aussi – même s'il semble que nous nous dirigions vers le sol à 200 kilomètres à l'heure.

Une partie de savoir lâcher prise consiste à apprendre à dire *détends-toi*.

Mon Dieu, apprends-moi à me détendre de l'intérieur, même si ça semble la dernière chose possible.

2 juin   Pratiquez la paix

Je crois que le changement s'insinue souvent en nous quand nous sommes détendus à l'intérieur de nous-même.

— SARK

Détendez-vous. Calmez-vous. Respirez consciemment.

Nul besoin de faire une sieste pour vous détendre, mais c'est utile parfois. Tout comme prendre une douche chaude, marcher dans la forêt, patauger dans un ruisseau, prendre une tasse de thé, aller nager, regarder un film, écouter de la musique, dire une prière, méditer, se faire frotter le dos, observer la lune ou entendre une bonne blague.

Prenez conscience de votre corps lorsque vous êtes détendu de l'intérieur. Comment vous tenez-vous, marchez-vous, vous asseyez-vous, respirez-vous ?

Prenez conscience de vos émotions et de vos pensées lorsque vous êtes détendu. C'est presque comme le néant, mais vous êtes éveillé et conscient. Il n'y a pas de pensée ou de sentiment de colère. Ni pensée ou sentiment de peur.

Exercez-vous à la détente jusqu'à ce que vous puissiez recourir à cet état détendu où que vous alliez, ou quoi que vous fassiez.

Quand le moment est-il choisi de vous détendre ? Lorsque vous ne pouvez rien faire à propos de quoi que ce soit qui vous trouble. Lorsque vous avez peur. Lorsque vous êtes certain d'avoir quelque chose à faire mais que vous ne savez pas ce que c'est. Lorsque vous rencontrez quelqu'un pour la première fois, que vous obsédez, que vous vous sentez coupable, que vous êtes en deuil, que vous vous sentez seul, que vous exprimez à quelqu'un comment vous vous sentez, que vous faites vos comptes, que vous tombez en amour, que vous obtenez un divorce, que vous escaladez une montagne ou que vous apprenez à faire quelque chose de nouveau.

Lorsque vous vous exercez à la détente intérieure, vous pratiquez la paix.

Pratiquez la paix jusqu'à la perfection.

Mon Dieu, aide-moi à apprendre à me détendre consciemment à l'intérieur de moi.

3 juin   **Dire *détends-toi***
quand les soucis se pointent

Parfois, nous nous fatiguons avant même d'avoir commencé. Nous combattons et luttons avec notre esprit avant de finalement consentir, abandonner et décider de suivre notre chemin. Alors quand nous partons, nous nous demandons pourquoi nous sommes si fatigués.

Pourquoi ces choses m'arrivent-elles? Qu'arrivera-t-il si j'exécute cette idée? Où irai-je si ma conjointe me quitte? Comment vivrai-je sans lui? Et si je rate mon coup? Et si?

Le chemin est parfois ascendant. Montez la côte. D'autres fois, il faut contourner un obstacle. Contournez-le. Lorsque nous consacrons du temps et de l'énergie à faire des histoires, à nous plaindre et à remettre en question la voie devant nous, nous nous volons de l'énergie à nous-même – énergie qui pourrait être mieux utilisée en route.

Détendez-vous. Acceptez la route devant vous. Un sentier plat serait ennuyeux. Si nous pouvions voir la route au complet jusqu'au bout, d'où nous sommes, alors à quoi servirait de la parcourir? Cessez de combattre le chemin et commencez à en profiter.

Mon Dieu, garde-moi de la pratique épuisante de l'inquiétude et du ressentiment. Laisse-moi Te faire confiance ainsi qu'en l'univers.

4 juin   **Cessez les efforts**

Cessez de tenter de forcer les choses pour qu'elles se produisent. Ne voyez-vous pas qu'en poussant si fort vous vous sabotez?

Il y a une autre façon, une meilleure façon.

Abandonnez – ne cherchez plus la façon dont vous voulez que les choses soient, mais abandonnez-vous à la façon dont elles sont, présentement. Parfois, cela signifie que nous nous abandonnons à la solitude, à la défaite, à la confusion et à l'impuissance. Cela peut aussi vouloir dire que nous n'obtenons pas ce que nous voulons aujourd'hui. Nous obtenons plutôt ce que nous avons aujourd'hui.

Nous n'avons pas le contrôle sur bien des choses et des circonstances en ce monde. En forçant les choses, nous coupons souvent le lien avec notre véritable pouvoir, au lieu de nous y aligner.

Peut-être faut-il que quelque chose arrive d'abord, avant que vous puissiez obtenir ou faire ce que vous voulez. Il se peut que vous essayiez de sauter par-dessus une importante leçon. Ce n'est peut-être pas le temps. Cessez de tenter aussi fort de pousser et de forcer pour que cela se produise. Cessez de tenter l'impossible et faites plutôt ce que vous pouvez – abandonnez-vous à l'état des choses.

Surveillez ensuite avec quel naturel l'impossible arrive.

Mon Dieu, aide-moi à cesser de tout faire pour forcer les choses. Aide-moi à me rappeler que tout est bien.

5 juin   Nul besoin de tout ce contrôle

«Hé! la Tueuse, qu'est-ce que tu dirais de relâcher un peu ta prise mortelle?»

Pourquoi disait-il toujours cela? Probablement parce que j'étais toujours nerveuse et que je tenais le manche à volant trop serré. Rob, mon instructeur de vol, m'enseignait de nouveau les manœuvres de base pour diriger un petit Cessna 172. Il voulait que je fasse faire un virage serré à l'appareil. Le seul problème, c'est que, chaque fois que j'essayais, je sentais que le petit avion allait tomber du ciel. Je sais. C'est fou. Mais le savoir n'aidait pas beaucoup mon sentiment.

«Regarde-moi. J'ai les commandes», dit Rob. Et prenant les commandes, mon instructeur a donné à l'avion un virage incliné serré. Puis, il a lâché le manche à volant. «Aaaaah!» ai-je crié. Il ne s'est rien passé. Le petit appareil a continué à tourner sans autre commande de qui que ce soit. «Tu vois, dit Rob, quand les réglages de compensation sont bien ajustés, l'avion va faire ce que tu lui dis de faire. Nul besoin de le forcer. Maintenant, détends-toi et essaie de nouveau.»

Je m'exécutai, et le virage fut mieux réussi cette fois-là. Peut-être que l'avion ne tomberait pas du ciel, après tout. Et une autre petite pièce du casse-tête a trouvé sa place.

Nous pouvons faire bien des choses pour conserver le cours de notre vie. Nous pouvons parler à nos mentors et parrains, faire des lectures positives, fréquenter des groupes de soutien, écouter de la musique inspirante, prier, méditer, pratiquer un programme de recouvrance si nous sommes membres, et grandir. Nous ne voulons pas devenir complaisants. Il importe d'être conscient de la sécurité. Mais une fois que nous sommes partis, il n'est pas nécessaire de constamment nous inquiéter de tomber du ciel.

Mettez votre plan en œuvre. Partez sur la bonne piste. Mais rappelez-vous que, s'il importe de sauver votre vie, il importe également d'avoir une vie qui vaille la peine d'être sauvée. Détendez-vous un peu. L'avion va continuer de voler tant que vous lui donnerez les bonnes commandes.

Mon Dieu, donne-moi la grâce de me détendre, de lâcher prise sur les inquiétudes et le doute, et de me laisser profiter des expériences et de la vie que celle-ci a à m'offrir.

6 juin　　　　　Lâchez prise sur la tension

Dans *Trouvez et utilisez votre pouvoir intérieur*, Emmet Fox utilise une métaphore, celle de tenter de forcer une clé dans la serrure pour déverrouiller la porte. Lorsque nous sommes tendus et craintifs, explique Fox, nous cafouillons. Parfois, la bonne clé ne fonctionne pas parce que nous essayons de la forcer, parce que nous sommes tellement tendus et crispés.

Détendez-vous. Voyez! Moins vous utilisez le contrôle et la force, mieux ça va.

Peut-être que la clé que vous essayez d'utiliser depuis tout ce temps est la bonne. Peut-être que votre peur et votre panique vous empêchent de déverrouiller la porte. Vous essayez peut-être de la forcer, après tout.

Voyez comme les choses fonctionnent facilement et naturellement quand vous vous détendez simplement et que vous lâchez prise. Vous puiserez à même votre pouvoir véritable et à celui de l'univers lorsque vous bougerez, aimerez, travaillerez et jouerez dans une attitude de paix intérieure, calme et détendu.

Que vos gestes proviennent de votre centre. Laissez aller les choses.

Mon Dieu, aide-moi à demeurer serein, confiant et joyeux tout au long de ma journée.

Si nous croyons que nos relations ou nos emplois sont des situations fixes, alors il devient facile de nous sentir stressés si les choses ne vont pas comme prévu, dans les délais escomptés. La promotion n'arrive pas à temps, et alors notre plan de carrière soigneusement établi déraille. Et les problèmes liés aux relations deviennent d'énormes monstres dramatiques – une série de problèmes – qui rongent chaque minute de temps libre.

Mais si nous croyons que nous vivons dans un cadre de temps infini, le stress commence à se dissiper. Si je n'obtiens pas la promotion cette semaine, peut-être qu'elle viendra le mois prochain et qui sait, je n'en voudrai peut-être même plus à ce moment-là. Certaines de ces énormes et monstrueuses questions liées aux relations se règlent d'elles-mêmes si elles ne sont pas constamment scrutées à la loupe. Et les moments passés avec nos proches deviennent plus agréables parce que nous ne *travaillons* pas sans cesse à la relation.

Lorsque nous vivons à une échelle limitée, nous pouvons devenir tellement absorbés par les détails de quelques moments que nous ne pouvons nous libérer pour profiter de l'instant suivant. Lorsque nous commençons à vivre sur un plan infini, il est plus facile de nous détendre et de laisser l'univers nous porter sur la rivière, et nous apporter toutes les leçons et la joie dont nous avons besoin.

Mon Dieu, aide-moi à me détendre et à savoir que, si une situation ne se conclut pas aujourd'hui, elle finira par se régler d'elle-même. Et j'ai tout le temps qu'il me faut.

8 juin   Lâchez prise sur les jugements

Nous ne pouvons pas nous détendre si nous jugeons. Dès que nous décidons qu'une chose ou une situation est soit bonne, soit mauvaise, nous nous mettons dans une situation où nous devons agir. Par exemple, si quelqu'un est bon, nous nous mettons à nous comparer à cette personne: *Suis-je meilleur ou pire? Que puis-je faire pour m'améliorer?* Si nous décidons qu'une chose est mauvaise, alors notre conscience nous dicte ce que nous devons faire pour nous en débarrasser.

De toute façon, nous sommes tellement préoccupés par nos jugements et par les scénarios que nous nous permettons d'imaginer, que nous ne pouvons pas nous détendre et profiter des choses comme elles sont.

Chassez votre esprit de jugement aujourd'hui et détendez-vous. Si des bienfaits ou de bonnes gens sont venus dans votre vie, laissez-les être. Vous n'avez pas à être pire ou meilleur qu'eux.

Si quelque chose vous nuit ou vous blesse, vous le saurez et pourrez y faire face le temps venu.

Soyez conscient des gens et des événements de votre vie. Détendez-vous et profitez-en sans porter de jugements sur eux.

Mon Dieu, aide-moi à apprendre à apprécier les gens et les expériences de ma vie.

9 juin   Manifestez votre vie

Aujourd'hui, essayez cette activité: allez à la quincaillerie de votre quartier et achetez une pierre de jardin. Choisissez-en une parmi celles qui sont plates et rondes, une qui ira bien dans votre mallette ou votre sac à dos. Emportez cette pierre à la maison et regardez-la. Puis, prenez un crayon-feutre et songez à l'un des buts que vous avez inscrits sur la liste en début d'année. Pensez à tout ce qui vous empêche d'atteindre ce but – toutes vos peurs, vos excuses et tous vos préalables. Chaque fois que vous évoquez une raison pour laquelle vous n'êtes pas sur cette voie, écrivez-la au feutre sur la pierre. Écrivez jusqu'à ce que vous ne puissiez plus trouver de raison.

Puis, portez la pierre avec vous. Vous avez inscrit la peur du paraître, n'est-ce pas? Apportez la pierre à un dîner – posez-la sur vos genoux en mangeant. Tenez-la en regardant la télévision, à la salle de bain, sous la douche et même au lit ce soir. Demain, passez la journée avec votre pierre. Laissez-la vous rappeler votre rêve et votre peur. Sentez comme elle est dure, lourde et encombrante. Elle rend la tâche difficile à accomplir, n'est-ce pas? Alors, en fin de journée, asseyez-vous encore avec votre pierre. Regardez toutes vos excuses qui y sont inscrites. Prenez la décision consciente de lâcher prise sur elles. Déposez la pierre – tout près de la porte d'entrée. Sentez comme votre démarche est plus légère, comme il est plus facile de faire les choses. Puis, en quittant la maison chaque matin, regardez la pierre posée là sur le seuil – lourde, dure, encombrante – et laissez-la là. Laissez la vie et les éléments user vos peurs.

Vous avez des rêves, des espoirs, des ambitions. Toutes vos peurs et vos excuses sont des pierres qui emplissent vos mains et vous alourdissent. Laissez-les derrière. Commencez à réaliser vos rêves.

Mon Dieu, aide-moi à lâcher prise sur tout ce qui m'empêche de vivre ma vie pleinement et joyeusement aujourd'hui.

10 juin   Lâchez prise sur la culpabilité

La culpabilité est un roc. Elle gît au fond de notre estomac et nous tient éveillés la nuit. Tous nos muscles font des heures supplémentaires dans le seul but de la porter, et pourtant, nous nous y accrochons.

Hier, vous avez trébuché. C'était hier. Mais vous avez aussi réparé vos torts et promis de faire mieux aujourd'hui. Alors pourquoi portez-vous encore cette culpabilité?

Si vous êtes en rétablissement, vous avez probablement fait d'horribles choses avant de devenir sobre. Comment pouvez-vous jamais passer à autre chose? Mais vous êtes sobre. Vous avez fait amende honorable. Ce qui est arrivé hier appartient à hier. Aujourd'hui, vous pouvez lâcher prise sur votre culpabilité et vous détendre dans la paix qui provient du fait de cheminer avec cœur.

Avez-vous dressé la liste des gens à qui vous avez fait du tort et leur avez-vous fait amende honorable, comme le suggèrent les Huitième et Neuvième Étapes du programme Douze Étapes? C'est une excellente façon de commencer à éliminer et libérer la culpabilité.

Si vous n'êtes pas dans un programme Douze Étapes, il y a d'autres options. La plupart des religions offrent des rituels pour éliminer la culpabilité. Parfois, nous avons franchi toutes ces étapes et nous nous sentons encore coupables. Qu'est-ce qui ne va pas? Nous nous accrochons à notre culpabilité, et nous sommes durs envers nous-même.

Vous trouverez qu'il est plus facile de vous détendre et de passer à travers les expériences de votre vie si vous lâchez prise sur le poids de la culpabilité d'hier.

Mon Dieu, aujourd'hui, je te donne toute la culpabilité de mon passé. Libère-m'en, et permets-moi un nouveau départ dès maintenant. Aide-moi à faire les amendes honorables que je dois faire, puis à lâcher prise sur ma culpabilité.

Activité. Si vous avez pris des dispositions pour faire des amendes honorables et éliminer votre culpabilité fondée, et que la culpabilité hante encore tous vos faits et gestes, essayez ceci: en premier lieu le matin et en dernier lieu le soir, regardez-vous dans un miroir. Regardez-vous dans les yeux. Puis dites à voix haute, sept fois: «Je libère maintenant toute ma culpabilité, méritée ou non.» Faites-le pendant une semaine. Voyez si votre culpabilité disparaît.

11 juin   Cessez de vous défendre

Vous promenez-vous avec une armure sur le dos? Souvent, si nous avons été blessés étant enfants ou meurtris fréquemment à l'âge adulte, nous endossons une armure émotionnelle pour nous protéger contre d'autres blessures. Nous baissons notre visière pour éviter de voir la souffrance et masquer toute vue douloureuse. Nous prenons les armes, les mots fielleux, les comportements manipulateurs, les passages à l'acte – n'importe quoi pour nous aider à nous défendre contre ceux qui pourraient nous blesser de nouveau. Nous nous habituons à la bataille et, bientôt, toute la vie est un combat.

Cessez de vous battre. Oui, vous avez été blessé. Nombre d'entre nous l'ont été. Mais lorsque vous projetez les caractéristiques d'une seule personne sur toutes celles que vous connaissez, vous ne laissez pas transparaître leur vraie nature. Tout ce que vous pouvez voir, c'est la vue limitée à partir de votre visière.

Vous grandissez et prenez de la force chaque jour. Vous êtes en sécurité maintenant. Pourquoi ne pas déposer les armes pendant un certain temps, lever la visière de votre armure et voir les gens autour de vous pour ce qu'ils sont – pour la plupart, des gens ordinaires comme vous, aimables et au grand cœur. Ils ont été blessés et ont guéri, ils ont gagné et perdu. Ils rient et ils pleurent. Ouvrez-vous à eux, et laissez le partage commencer à vous guérir, vous et votre cœur.

Mon Dieu, aide-moi à baisser mes défenses aujourd'hui, à être ouvert à ce qu'il y a de bon chez les gens autour de moi et à ce que j'ai de bon à leur offrir.

12 juin — La détente aidera votre travail

Joe est un chef professionnel. Il a commencé à travailler dans les cuisines avant l'adolescence. Il a graduellement gravi les échelons, de laveur de vaisselle jusqu'à traiteur prospère. Le seul problème, c'est que plus son entreprise avait du succès, moins Joe avait de temps à consacrer à ses autres activités. Il se réjouissait de se savoir le travailleur le plus zélé de sa connaissance. Dans son esprit, l'entreprise n'existait que parce qu'il y était.

Joe fut surpris quand sa femme le quitta pour quelqu'un qui réussissait moins bien.

«Comment a-t-elle pu me faire ça? se lamentait-il à ses amis. J'ai travaillé d'arrache-pied pour lui procurer de belles choses, et c'est ainsi qu'elle me remercie?»

Puis, un jour, tandis qu'il préparait un repas pour des noces, il s'est rendu compte de ce qui s'était passé. Il n'avait pas été présent dans son couple. Il était devenu victime de son propre succès, emprisonné par l'entreprise qu'il avait mise sur pied. Il a pris un jour de congé. Puis une fin de semaine. Puis, il forma un assistant pour l'aider à exploiter son entreprise. Cela lui a coûté des sous au départ, mais ce faisant, il a découvert sa vie. «J'étais si occupé à réussir, dit-il, que je ne me rendais pas compte à quel point j'étais misérable.» Quand il a pris des vacances dans le sud-ouest, ses instincts culinaires ont pris le dessus sur lui et il a passé la moitié de ses vacances à apprendre de nouvelles recettes, mais il s'est amusé. «Pour la première fois depuis des années, je jouais dans la cuisine plutôt que de seulement y travailler», confia Joe.

Aujourd'hui, Joe a découvert les joies de l'équilibre. Il ne croit plus devoir supporter seul le poids de l'univers, et il n'en est que plus fort. Son entreprise croît et il s'est taillé une réputation d'innovateur, en grande partie attribuable aux choses qu'il a apprises à l'extérieur de la cuisine. Lorsque nous avons du succès, il est difficile de prendre du temps pour soi; il semble que la réussite pour laquelle nous avons travaillé si dur nous échappera si nous ne sommes pas là à chaque instant pour nous en occuper. En réalité, nous devenons tellement occupés à gagner notre vie que nous oublions que nous en avons une.

Prenez le temps de voir si vous pourriez passer un peu moins de temps au bureau et un peu plus de temps avec vous-même et vos proches. Vous pourriez être agréablement surpris de l'effet que peut avoir une pause sur votre motivation, et sur la joie que vous tirez de ce que vous faites.

Mon Dieu, enseigne-moi – et aide-moi à apprendre –
à avoir du plaisir dans ma vie, mon travail et mes
relations avec les gens que j'aime.

13 juin   Se détendre et laisser couler

J'ai visité le barrage Hoover au Nevada il y a quelque temps, et j'ai été émerveillée de sa construction et de son utilité. C'est une immense structure qui a été érigée dans un canyon pour exploiter l'énergie de tonnes d'eau en mouvement.

L'eau coule à travers la machinerie, et l'énergie de l'eau qui circule est transformée en électricité qui alimente des milliers de foyers et d'entreprises. Mais un barrage sur un lac ne fonctionnerait pas, car il faut que l'eau circule pour créer de l'électricité.

Le secret du pouvoir est dans le mouvement.

Si souvent nous essayons de réprimer le flot des événements dans notre vie par le contrôle. Nous croyons que si seulement nous obtenions que les choses aillent à notre façon, alors tout serait bien. Nous prenons l'énergie de l'univers et l'embouteillons. Et nous tuons cette énergie.

Lâchez prise sur le contrôle.

Laissez l'énergie de la vie circuler à travers vous et autour de vous. Vous pouvez apprendre à diriger le mouvement, mais il n'est pas nécessaire de le contrôler. Ouvrez-vous à l'énergie qui circule autour de vous et, plutôt que d'essayer de l'embouteiller, laissez-la couler. L'énergie n'est utile que lorsqu'elle coule.

Détendez-vous et suivez le mouvement de l'univers. Vous serez plus en mesure de capter son énergie.

Mon Dieu, aide-moi à lâcher prise sur mon besoin de contrôle. Aide-moi à lâcher prise sur ma peur.

14 juin   **Votre attitude est contagieuse**

«J'aime sauter en parachute avec Todd, dit Pat. Il a tellement une bonne attitude. Quand tu es dans les airs avec lui, peu importe ce qui arrive, tu as le sentiment que tout va bien.»

Être détendu est contagieux. Tout comme quelqu'un qui est misérable, effrayé et négatif peut affecter les gens de son entourage, une personne détendue, claire et humblement confiante peut aussi affecter les gens qu'elle touche. Avez-vous déjà connu quelqu'un comme ça – quelqu'un qui a le sens de l'humour, qui s'est abandonné, rempli de joie et en paix avec lui-même? Non seulement cette personne sait que les choses vont bien aller – mais elle sait qu'elles vont déjà bien.

Aujourd'hui, si vous devez transmettre quoi que ce soit, que ce soit de la joie et de la bonne volonté.

Mon Dieu, aide-moi à me dérider. Rends ma joie contagieuse.

Activité. Aujourd'hui, observez-vous durant votre journée. Si vous étiez un observateur neutre de vous-même, comment vous décririez-vous? Quels termes utiliseriez-vous? Quels mots aimeriez-vous utiliser pour vous décrire? Surveillez vos interactions avec les autres – ceux que vous connaissez et les étrangers, comme des commis de banque ou de magasin. Ne vous jugez pas, ne faites qu'observer. La conscience est la clé. Prenez conscience de qui vous êtes, de la façon dont vous réagissez aux autres et comment ceux-ci réagissent à vous. Décidez de l'attitude que vous aimeriez partager avec les gens dans votre monde.

Quand j'ai commencé à pratiquer l'aïkido – un art martial fondé sur la non-résistance et l'harmonie – j'ai découvert toute la résistance que j'avais encore. Plus j'essayais de me détendre et de pratiquer la non-résistance, plus j'avais de résistance. Je vivais, bougeais, respirais, travaillais et aimais dans un endroit qui ignorait la détente.

Ma réaction immédiate à quelque émotion que j'éprouvais était: «Oh! non, je ne peux pas ressentir ça.»

Ma première réaction à tout problème qui survenait était: «Non, ça ne peut pas arriver.» Si quelqu'un était en désaccord avec moi, je réagissais en attaquant ou en essayant d'imposer ma volonté. Et si j'avais une tâche à accomplir, je m'y préparais en devenant tendue et craintive.

L'un des plus grands défis et l'une des plus grandes récompenses qui nous sont donnés dans notre vie sont de vivre en harmonie avec nous-même et les personnes de notre univers. Nous y arrivons en nous disant: «Détends-toi.»

De cette plage de détente, que certains appellent la capitulation, nous puiserons notre pouvoir véritable. Nous saurons comment vivre avec nos émotions. Nous serons guidés quant à ce qu'il faut faire ensuite.

Mon Dieu, montre-moi les domaines de ma vie où je résiste. Aide-moi à lâcher prise et à apprendre à me détendre consciemment tout en vivant ma vie.

**Composez avec
                                    la manipulation**

Il y a quelques années, j'étais en Jordanie durant une excursion au Moyen-Orient. Je voulais aller au Pakistan, mais quand je suis arrivée à l'ambassade du Pakistan en Jordanie, un fonctionnaire m'a ordonné d'aller à l'ambassade américaine, à des kilomètres de là, me disant: «Vous devez obtenir un document de votre gouvernement qui répond de vous. C'est la seule façon dont le gouvernement pakistanais consentira à examiner votre demande.»

Je me suis rendue à l'ambassade américaine de Jordanie et j'y ai fait la file toute la journée. Finalement, quand ce fut mon tour, j'ai expliqué au monsieur pourquoi j'étais là. «C'est ridicule, dit-il. Il n'existe pas de document international pour les citoyens des États-Unis. C'est le rôle d'un passeport, qui certifie que le gouvernement américain répond de vous, vous déclarant digne et responsable de voyager à l'étranger.»

Son ton s'est radouci. «Il se paie votre tête, ajouta-t-il à propos du fonctionnaire de l'autre ambassade. Parfois, ils aiment se jouer des gens, leur montrer quel pouvoir ils ont réellement.»

Je suis retournée à l'ambassade du Pakistan. À mon arrivée, il y avait un vieux Musulman dans la salle d'attente. Il portait le turban. Il avait la tête inclinée. Il récitait le Coran et frottait son chapelet.

Il m'a aidée à donner le ton et m'a rappelé ce que je devais faire: me calmer, être paisible, cesser de résister et m'harmoniser avec la situation. Que l'homme des visas ait eu tort et que j'aie eu raison n'avait pas d'importance. Il détenait le pouvoir. Je devais aller vers lui. Je me suis assise et j'ai attendu mon tour calmement. Quand je suis allée au comptoir, j'ai délibérément reconnu son point de vue. Puis, je lui ai expliqué gentiment que je n'avais pas obtenu le document qu'il demandait à l'ambassade américaine, parce que ce document n'existait pas. Je lui ai dit que c'était probablement la seule fois de ma vie que je serais dans cette partie du monde. J'ai indiqué l'affiche sur le mur: «Les Himalayas sont tellement spectaculaires là-bas. Si je n'y vais pas maintenant, je ne sais pas si j'irai jamais. Vous avez le pouvoir de dire oui ou non. Et je n'ai pas d'autre choix que de me plier à ce que vous dites. C'est entre vos mains.»

Il m'a demandé d'aller m'asseoir. Ce que je fis. Cinq minutes plus tard, il m'a rappelée. «Voici, dit-il, en me rendant mon passeport. Profitez de votre séjour au Pakistan.»

Nous avons le droit de nous fâcher autant que nous voulons, mais s'harmoniser parfois peut accomplir beaucoup plus que des cris d'indignation ou de revanche. La prochaine fois que vous vous trouverez dans une situation où l'on vous manipule, lâchez prise sur votre résistance et pratiquez plutôt l'harmonie.

Mon Dieu, enseigne-moi le pouvoir de me déplacer en douceur, avec humilité et respect, dans ce monde.

17 juin   Se détendre quand les choses ne tournent pas comme prévu

Alors, le petit ami téléphone, il dit qu'il s'en va en randonnée avec ses copains pour une semaine, il annule votre rendez-vous et il espère que vous ne serez pas fâchée.

Ou la banque téléphone et dit que votre compte est à découvert, et vous ne comprenez pas comment c'est possible. Vous avez essayé de surveiller minutieusement vos dépôts et retraits. Vous avez tout fait pour ne pas vous embrouiller. Ça ne peut pas être vrai!

Que faites-vous quand la vie semble vous forcer à réagir? Vous pouvez paniquer, faire de l'anxiété, hurler et réagir par une contre-attaque. Mais cela ne résoudra probablement pas le problème qui sera susceptible de s'envenimer.

Ou vous pouvez vous calmer. Respirez à fond. Dites-vous de vous détendre. Parlez aussi peu que possible, si vous le pouvez, lorsque vous êtes contrarié et bouleversé. Si un problème ou une perturbation injuste interrompt votre vie, essayez de réagir en ne faisant qu'un «hmmm». Puis, calmez-vous et décidez de ce que vous devez faire.

Il y a un temps pour se fâcher, crier, hurler et vociférer. Mais ce n'est pas le moment quand vous essayez de régler des problèmes. Avant d'agir, recentrez-vous, calmez-vous et gardez votre lucidité.

Vous découvrirez que, lorsque vous êtes centré et calme, vous avez plus de pouvoir que vous ne le croyez.

Mon Dieu, aide-moi à apprendre à naviguer dans la vie avec plus d'aisance en apprenant à me détendre et à laisser aller la vie.

18 juin
Se détendre même sous les attaques

Les attaques peuvent se présenter sous maintes formes. Elles peuvent être émotionnelles, quand quelqu'un nous bombarde de sa colère et de sa rage. Nous pouvons aussi subir des agressions physiques.

L'autodéfense est importante. Mais nous pouvons facilement confondre, lorsque nous sommes attaqués, ce que signifie prendre soin de nous-même et nous protéger. Un patron, un conjoint, un enfant ou un ami peut se tourner contre nous, en colère et enragé. Il se peut que nous fréquentions quelqu'un que nous ne connaissons pas bien qui soudainement se met à déverser son venin et sa rage. Peut-être que nous répliquerons instinctivement par une attaque.

Si quelqu'un en colère crie contre nous, nous dit quelque chose de méchant, ou nous blesse physiquement, nous n'y réfléchissons pas à deux fois habituellement. Nous nous tendons et ripostons. Alors la situation s'aggrave. La peur et la colère de l'autre nous contaminent. Nous devenons effrayés, hargneux et méchants aussi. Nos émotions intenses et instables alimentent la situation. Les choses peuvent facilement déraper.

Au lieu d'amener la situation à une bagarre générale, essayez de l'harmoniser et de la ramener à la paix. Vous pourriez être étonné des résultats qu'apporte le fait d'apprendre à se détendre et harmoniser. Et vous serez plus près de votre pouvoir véritable.

Mon Dieu, remplis-moi de tant de paix que ma présence neutralise et désamorce les attaques, peu importe où je me trouve.

19 juin　　　　Se détendre assez pour faire face à la réalité

Parfois, dans la vie, malgré nos sérieuses intentions de prendre les meilleures décisions pour nous-même, des choses arrivent. Des mariages se terminent, des emplois tournent au vinaigre, des amitiés déclinent. Pour des raisons indépendantes de notre volonté ou de notre compréhension, la situation prend des détours et devient différente de ce que nous avions prévu.

Attendez-vous qu'une situation revienne à ce qu'elle était – ou à ce que vous espériez qu'elle soit quand vous y êtes entré? Vous dites-vous que quelque chose cloche chez vous alors que, en réalité, la situation a tourné différemment que ce que vous pensiez? Les choses ne tournent souvent pas aussi rondement que prévu. Il faut parfois endurer et traverser les moments pénibles. Mais je parle ici des moments terriblement difficiles où la vie se retourne subitement contre nous.

Ce sont des moments où il faut cesser de nous torturer. Lâchez prise sur ce que vous prévoyiez qu'il se passerait. Si la vie s'est tournée contre vous, ne vous tournez pas contre vous-même. N'essayez pas de remettre les choses à leur état original. Changez d'idée. Revenez à maintenant. Laissez-vous accepter la nouvelle situation qui se présente.

La route n'est pas toujours en ligne droite. Parfois, même le chemin du cœur a des virages et des détours inattendus.

Mon Dieu, aide-moi à me détendre et à me faire confiance suffisamment pour composer avec la réalité, et non ce que mon imagination espérait qu'elle serait.

20 juin   Détendez-vous
et faites face à la vérité

Nous devons parfois faire face à des choses que nous préférerions ne pas voir.

Cette personne que nous voyons n'est tout simplement pas quelqu'un pour nous. Notre conjoint n'est pas qu'un buveur social; il ou elle a un sérieux problème d'alcool. Notre enfant n'est plus un adorable bambin racontant des histoires farfelues; c'est un enfant qui ment et nous vole.

Parfois, ces minutes de vérité ont l'effet d'une bombe dans notre vie. D'autres fois, nous fuyons les moindres minutes de vérité – nous avons fait quelque chose qui a blessé quelqu'un, peu importe à quel point nous prétendions être innocents et sur la défensive, et nous devons y faire face. Peut-être que nos enfants ont grandi et quitté la maison, et que nous fuyons cette vérité en prétendant avoir encore besoin de centrer notre vie sur eux. Ou peut-être qu'en vérité nous nous sentons fâchés, abandonnés ou blessés.

Nous avons tous des minutes de vérité dans notre vie.

Je parlais à un ami un jour. Il se plaignait que son purificateur d'air ne fonctionnait pas. Je me rendais à un atelier de réparation, alors je lui ai offert d'apporter son appareil et de le faire réparer.

«Il est branché, dit-il. Je suis parvenu à le faire démarrer, et je ne peux me permettre de m'en passer.»

«Tu as réussi à le faire démarrer, mais il ne fonctionne pas bien? ai-je demandé. Tu t'en passes maintenant.»

Détendez-vous. Laissez aller vos illusions. Tournez-vous et faites face à quoi que ce soit que vous fuyez. Éviter de faire face à la vérité ne la fait pas disparaître, même si nous le désirons ardemment.

Si vous avez fui la vérité dans un domaine de votre vie, commencez doucement à regarder ce que vous avez préféré éviter. Le pouvoir est dans la vérité.

Mon Dieu, aide-moi à lâcher prise sur mes illusions. Aide-moi à comprendre le pouvoir qui advient lorsque je prends le temps de voir clairement et d'avoir mes moments de vérité.

21 juin   Calmez-vous d'abord

Calmez-vous.

De nombreux incidents surviendront dans notre vie. Parfois, les choses arrivent pour attirer notre attention, pour souligner la leçon suivante, pour nous guider sur notre route. Parfois, elles ne font qu'arriver.

Nos réactions émotionnelles au monde sont importantes. Comment vous sentez-vous? Qu'est-ce que vous aimez? Qu'est-ce que vous n'aimez pas? Niez-vous quelque chose qui se déroule devant vos yeux? Ce que nous percevons, ce que nous sentons et, surtout, *ce que nous savons* au creux de nous-même est une partie importante de notre esprit, de notre lien avec le divin.

Il importe de ne pas sous-réagir. Il importe de ne pas réagir à outrance.

Lorsque quelque chose survient, calmez-vous. Ressentez vos émotions. Ne vous réfugiez pas dans le déni. Sentez chaque vague de chaque émotion. Laissez vos pensées vous traverser. Mais la clé n'est pas d'agir sur ces émotions. Laissez-les d'abord vous traverser.

Votre pouvoir provient de ce que vous êtes centré et lucide. C'est de là que vous viendront également vos réponses, vos idées et vos leçons.

La première chose à faire quand survient quelque chose, c'est de sentir ce que vous ressentez.

La deuxième, c'est de vous calmer. De cette attitude de calme, vous serez guidé vers l'étape suivante.

Mon Dieu, enseigne-moi à poser des gestes guidés, et non des actions motivées par des émotions turbulentes.

22 juin   La détente comme guérison

> *S'arrêter, se calmer et se reposer sont des conditions préalables à la guérison. Quand les animaux de la forêt sont blessés, ils trouvent un endroit où se coucher et se reposer complètement pendant des jours et des jours... Ils ne font que se reposer et obtiennent la guérison dont ils ont besoin.*
>
> — THICH NHAT HANH

Nous avons mal. Nous souffrons. Nous faisons du tort à nos êtres chers et ils se sentent lésés par nous. Chercher désespérément une réponse ne nous est d'aucune utilité. Prétendre que nous ne souffrons pas ne nous aide pas non plus. Lorsque nous sommes blessés, la blessure a besoin de repos pour guérir. Il en va de même de notre âme. Si nous tâtons notre mal, piquons la plaie, la frottons dans la saleté des opinions des autres, nous ne lui laissons pas le temps de guérir.

Si vous avez été blessé, acceptez-le. Ressentez la douleur. Soyez-en conscient. Laissez-la guérir. Peut-être serait-il préférable de ne pas parler à cette personne pendant un certain temps. Peut-être devez-vous lâcher prise sur la relation. Ou peut-être qu'il ne vous faut qu'un certain moment de paix. Quelle que soit la réponse, trouvez un endroit sûr et permettez-vous de guérir.

Si vous ressentez une douleur, prenez-en conscience. Ressentez la douleur, puis cessez de tâter la blessure. Faites le mort. Cessez de combattre. Détendez-vous. Donnez à vos blessures suffisamment de temps et de repos pour guérir.

Mon Dieu, aide-moi à me détendre assez pour arrêter,
me calmer et guérir.

23 juin   Se détendre
                    et admirer le paysage

L'une des bonnes choses du parachutisme, c'est qu'il y a au moins un aspect de ce sport qui est impossible à rater. Lorsque vous choisissez d'ouvrir la porte et de sauter de l'avion, une chose est certaine: vous allez tomber. Il y aura le vent dont vous pouvez vous servir pour contrôler vos mouvements dans les airs, et vous reviendrez au sol. Alors détendez-vous. Admirez le paysage.

Dans la vie, certaines choses sont également ainsi. Nous pouvons être aussi tendus ou détendus que nous le voulons et la *chose* ne changera pas – d'autres personnes, le temps, le chauffeur devant vous sur l'autoroute. Souvent, il n'y a rien que nous puissions faire pour influencer une situation, et pourtant, nous nous battons contre l'univers, nous nous tendons et essayons de contrôler les choses plutôt que de simplement nous détendre et apprendre à utiliser au mieux de nos capacités ce *qui est*.

Il n'est pas nécessaire de changer l'univers. Il était là avant, et il y sera longtemps après notre disparition. Vous pouvez choisir de passer votre vie à le combattre, ou vous pouvez vous détendre, lâcher prise sur votre contrôle et apprendre à fonctionner avec l'univers, et en son sein.

Luttez-vous contre la gravité, tentez-vous de retourner dans l'avion? Lâchez prise sur les situations incontrôlables de votre vie. Laissez-les être ce qu'elles sont. Détendez-vous et apprenez à travailler avec elles plutôt que contre elles. Vous aurez ainsi plus de force et de succès. Vous pourriez même vous amuser.

Mon Dieu, montre-moi les domaines de ma vie où j'essaie encore de contrôler l'impossible. Aide-moi à lâcher prise et à admirer le paysage.

24 juin — Trouvez des façons de se détendre

Les alcooliques qui se rétablissent – et nombre de gens qui choisissent de ne consommer ni alcool ni drogues – doivent trouver des façons de se détendre qui ne font pas appel à l'alcool, aux drogues ou aux médicaments.

Nombre d'entre nous se rappellent chaque jour qu'ils choisissent de ne pas boire ou de ne pas se droguer. Mais nous pouvons oublier qu'il importe de trouver des façons de détendre notre corps et notre esprit. Il est peut-être temps de chercher des options pour nous aider à cette fin.

Je peux vous dire les choses qui m'aident : l'eau chaude – qu'il s'agisse de prendre une longue douche, m'asseoir dans une baignoire à remous ou me reposer dans un bain ; la méditation et la visualisation ; être près d'une vaste étendue d'eau ou, si ce n'est pas possible, regarder une belle image de l'océan ou d'une mer magnifique ; boire une tisane chaude ; un massage ; la musique ; des cassettes de méditation ; un bon film ; rire ; des respirations profondes et conscientes ; jouer du piano ; et être dehors au soleil.

Nous avons tous nos propres besoins, nos propres méthodes pour nous calmer. Avez-vous une liste de ce qui fonctionne pour vous ? Sinon, aujourd'hui est tout désigné pour en faire une.

Aujourd'hui et chaque jour, faites délibérément au moins une chose qui vous détend. Commencez à permettre à votre corps de mémoriser comment il se sent quand il est détendu, puis reproduisez consciemment cette sensation dans la journée à tout moment où vous vous sentez devenir tendu.

Mon Dieu, montre-moi des façons de me détendre.

Activité. Commencez une liste des choses qui vous aident à vous détendre. C'est une partie importante de votre liste de prise en charge personnelle. Si elle est longue, tant mieux. Si elle est brève, trouvez d'autres méthodes de détente accessibles, et ajoutez-les à votre liste. Quand vous vous sentez devenir tendu, sortez votre liste et faites une des choses qui s'y trouvent – celle qui vous tente le plus à ce moment-là. Mieux vous connaître consiste notamment à devenir familier avec les choses qui aident votre corps à se détendre.

25 juin   Abandonnez-vous
                              à la volonté de Dieu

C'était une période stressante de ma vie. Je ne savais pas quoi faire. J'avais des décisions d'affaires urgentes à prendre et des questions relationnelles douloureuses auxquelles faire face. Tout semblait désastreux.

J'ai ramassé mes livres favoris, la Bible, un journal et quelques vêtements. Puis je me suis dirigée vers les montagnes, dans un centre de villégiature qui était un de mes endroits favoris pour me cacher et réfléchir.

Je me suis dit: « Je vais rester à l'intérieur. Écrire mon journal. Prier. Et méditer. Je ne sortirai pas tant que je ne saurai pas quoi faire.»

Après 48 heures passées à écrire sur mes problèmes, à prier à propos de mes problèmes, à méditer sur mes problèmes, je me suis souvenue de ce que m'avait dit un ami.

«Qu'est-ce que tu fais?» m'avait-il demandé.

«J'essaie de m'abandonner à la volonté de Dieu.»

«Non, ce n'est pas ce que tu fais, tu essaies de la comprendre.»

En moins de six mois, chacun des problèmes avec lesquels j'étais aux prises s'est réglé de lui-même. Soit que j'aie été guidée vers un geste qui me semblait naturellement le bon à ce moment-là, soit qu'une solution se soit imposée à moi. La solution immédiate de chaque problème était la même: lâcher prise. M'abandonner simplement à la situation qui a cours. Parfois, ce que nous devons faire ensuite, c'est s'abandonner.

Si vous n'aimez pas le mot *abandonner,* appelez cela plutôt *faire la paix.*

Mon Dieu, aide-moi à m'abandonner à Ta volonté, surtout quand je ne sais pas quoi faire ensuite.

26 juin   Prenez une pause

«Billets! Billets!» Et vous remettez le vôtre au type costaud portant la barbe et un «t-shirt» à la barrière, et vous montez sur le carrousel. Il y a tellement de choix! Des chevaux et des montures de toutes les couleurs! Le blanc avec une queue dorée? Le vert qui a du feu dans les yeux? Oui, il a l'air rapide – mais non, quelqu'un l'a déjà pris. Vous vous rabattez sur le cheval noir et rouge à la selle d'argent scintillant. Quelqu'un vous bouscule en passant, laissant de la barbe à papa collante sur votre bras. Puis la musique démarre – une musique d'orgue forte hurlant dans de vieux haut-parleurs crevés. Les lumières clignotent, et le monde tourne autour de vous. Les enfants crient d'enchantement alors que vous tirez sur les rênes, guidez votre monture autour de la piste et tentez de lâcher prise sur le doute insidieux que le cheval vert aurait été plus amusant. Vous vous promettez de refaire la file et d'avoir celui-là la prochaine fois.

Descendez du carrousel.

Prenez une pause pour un instant et regardez les chevaux défiler. Le vert n'est pas mieux que le rouge, seulement différent, et certainement pas plus rapide. Tirer sur les rênes frénétiquement est aussi un effort inutile. Voyez, ils reviennent encore. Ils continuent à tourner, que vous y soyez ou non. Laissez-les aller.

Bien sûr que c'est amusant d'être sur le manège, d'être au beau milieu de l'action, de haut en bas, en rond, les lumières clignotantes et la musique tonitruante. Rappelez-vous seulement que vous avez le choix. Vous pouvez être sur le manège ou vous pouvez en descendre. Soyez là où vous voulez être et, à l'occasion, détendez-vous.

Mon Dieu, aide-moi à me rappeler que j'ai des choix, et que me détendre et lâcher prise sont deux de ceux-là.

27 juin   Se détendre de l'intérieur

La méditation n'a pas à être un dur labeur. Laissez simplement votre esprit et votre corps se reposer comme un animal dans la forêt. Ne luttez pas. Nul besoin d'atteindre quoi que ce soit. J'écris un livre et pourtant je ne me débats pas.

— THICH NHAT HANH

La vie n'a pas besoin d'être une lutte. Oui, il y a des périodes occupées et des temps morts dans tous nos emplois. Des échéances et des calendriers, des budgets et des horaires. Mais lorsque nous luttons, nous brûlons toute l'énergie au combat et nous n'avons plus rien à donner au projet. Comme il est préférable de se détendre, de travailler au projet et de lâcher prise sur l'échéance. Le projet sera terminé quand il le sera, et nous le finirons probablement beaucoup plus rapidement si nous nous concentrons sur lui plutôt que sur l'échéance.

Dépensez-vous de l'énergie précieuse à combattre et à lutter avec vous-même? *Comment vais-je arriver à finir? Et si je me trompe? Et si? Et si?* Détendez-vous. Les réponses viendront d'elles-mêmes. Ne vous concentrez que sur la tâche à accomplir – calmement, aisément, avec le sourire. Les bouddhistes ont une devise: «Si vous avez terminé votre riz, alors lavez votre bol.» La beauté de la vie, c'est de se détendre et de prendre conscience de la tâche à accomplir. Détendez-vous. Profitez du travail que vous faites aujourd'hui.

Mon Dieu, aide-moi à abandonner ma résistance et à apprendre à me détendre.

28 juin   Se détendre dès maintenant

«Plus que deux semaines avant les vacances, disons-nous. Deux autres semaines avant de pouvoir me détendre.» Puis, nous retournons à notre vie de stress à courir ici et là, et à nous précipiter pour faire ceci ou cela.

Pourquoi attendre? Pourquoi ne pas nous détendre aujourd'hui? Vivre pleinement l'instant présent consiste en partie à prendre une pause quand le besoin s'en fait sentir. Si vous êtes fatigué, faites une sieste. Prévoyez un après-midi en-dehors du travail. Allez au parc seul un samedi matin. Prenez un bain de mousse; faites-vous livrer un dîner; emmenez les enfants au zoo.

Nous sentons trop souvent que nous ne faisons que courir, en essayant de garder le rythme avec le reste du monde. C'est une illusion. La plupart du temps, nous courons sur place. Arrêtez. La seule personne qui vous garde sur le tapis roulant, c'est vous. Oui, nous avons tous des responsabilités. Mais prendre le temps de prendre soin de nous-même en est une également.

Mon Dieu, donne-moi la paix et la grâce d'écouter mes propres besoins.

29 juin   Méditez

Un esprit trop actif n'est pas un esprit.
— THEODORE ROETHKE

Il est possible d'apprendre à vous détendre dans les aspects ordinaires de votre vie. Soyez conscient de ces moments normaux; détendez-vous; laissez votre esprit être tranquille. Permettez à votre âme de vous parler dans ces moments-là.

Regardez la famille assise à table au petit-déjeuner, les oiseaux réunis autour de la mangeoire, la rosée dans l'herbe lorsque vous sortez ramasser le journal du matin, les ombres que dessine le clair de lune. Soyez conscient de la beauté de l'ordinaire. Soyez conscient de ces moments apaisants et savourez-les. Lorsque vous apprendrez à prendre conscience et à vous détendre dans l'ordinaire, il sera plus facile de vous détendre dans les moments de stress où il vous faut lucidité et concentration.

La pratique de la méditation est une pratique de l'attention. C'est une pratique de conscientisation de notre corps, de notre esprit et de l'esprit de Dieu. L'un des buts de la méditation est d'atteindre un point où nous portons cette attention en nous toute la journée. Lorsque nous pouvons faire taire le bruit de notre esprit bavard, nous pouvons voir le chemin du cœur que nous devons suivre.

Mon Dieu, aide-moi à faire taire mon esprit bruyant et inquiet dans mon monde ordinaire. Aide-moi à me détendre dans ce qui m'est familier, à en prendre conscience et à l'apprécier.

30 juin   Prenez vos aises

C'était le soir, quelques mois seulement après avoir commencé mon aventure du parachutisme. Il faisait trop froid pour rester sous la tente, j'avais loué une cabine près de la zone de saut où j'étais revenue pour traîner un moment, avant de me retirer pour la nuit.

Un des parachutistes que j'avais rencontrés récemment était assis dans une chaise longue, sous la bâche installée entre les rangées de maisons mobiles qui avaient été transformées en salles d'équipes et de classe pour les élèves. Les lumières du soir étaient allumées. Il était enveloppé dans un sac de couchage et lisait sous le faible éclairage. Il était un des parachutistes à plein temps, attiré tant par le mode de vie bohème de la communauté des parachutistes que par le sport lui-même.

«Qu'est-ce que tu fais?» ai-je demandé.

«Je suis dans mon salon et je lis, dit-il. Aimes-tu la vue de ma cour?» demanda-t-il, indiquant d'un geste les collines qui cascadaient à l'arrière-plan. «C'est ma terrasse, dit-il en pointant un petit endroit au coin. Le soleil du matin arrive là. C'est un endroit chaud où prendre le petit-déjeuner. Il m'arrive de dormir sous cette tente, dit-il en indiquant le côté. Et parfois, je prends mon sac de couchage et je m'endors sous les étoiles, dans la zone d'atterrissage, là-bas.»

Je regardais aux alentours, presque envieuse de sa liberté. Parfois, nous sommes tellement occupés et engagés à nous bâtir un «chez-nous» pour nous-même que nous créons une structure qui est trop sûre, limitée et confinée. Nous oublions notre véritable foyer, la planète Terre. Il est bon de dormir à l'intérieur. Il est agréable de prendre nos aises à la maison. Mais ne laissez pas votre nid douillet devenir une boîte fermée qui vous confine.

Étirez-vous les bras. Soulevez le couvercle de la boîte. Sortez dans le monde. Marchez. Bougez. Voyez les collines, les lacs, les forêts, les cimes des montagnes, les vallées, les rivières. Voyez comme le monde peut être vaste. Voyez comment vous y êtes lié aussi – à tout ce qui existe. Prenez vos aises, où que vous soyez. Faites-vous un chez-vous et soyez chez vous dans le monde.

Mon Dieu, aide-moi à me détendre et à me sentir chez moi dans ton monde riche d'abondance.

Juillet

Apprenez à dire
ce que vous ressentez

1er juillet

Apprendre à dire
comment on se sent

*Il ne rêvait plus d'orages, ni de femmes, ni de
grands événements, ni de poissons fantastiques, ni
de combats, ni d'épreuves de force, ni de sa femme.
Il ne rêvait plus désormais que d'endroits et de lions
sur la plage.*

– ERNEST HEMINGWAY

Bien des professeurs contemporains attribuent
une conscience – l'énergie, et non seulement la
matière – à toutes les créatures qui existent dans le
monde merveilleux de Dieu. De nombreux enseignants des temps anciens épousaient aussi cette philosophie.

Comment vous sentez-vous lorsque vous êtes
assis près d'un chêne tentaculaire? Comment vous
sentez-vous quand vous êtes étendu sur le sable chaud
d'une plage, à écouter les vagues qui soupirent sur le
rivage? Comment vous sentez-vous dans votre cuisine, le matin? Comment vous sentez-vous en compagnie de votre meilleur ami? Ou de votre conjoint?

Comment vous sentez-vous dans un magasin rempli de beaux objets, de commis hautains et de panneaux qui vous sautent à la figure: NE TOUCHEZ
PAS?

Nombre d'entre nous sont des survivants. Nous avons appris tôt l'art de quitter notre corps, peut-être dans l'enfance ou plus tard, pour nous adapter à des situations où nous ne nous sentions pas bien et qui nous semblaient nuisibles. Nous avons appris à nier les impressions émanant d'une situation – et souvent comment nous nous sentions en compagnie de certaines personnes – afin de nous adapter à des situations où nous nous trouvions et face auxquelles nous n'avions ni les outils ni le pouvoir de nous échapper. Nous nous sommes entraînés à ignorer ce que nous ressentions soit parce que nous nous disions que nous n'avions pas le choix, soit parce que nous n'avions pas le droit de donner notre opinion.

Nous ne sommes plus tenus de survivre. C'est du passé. Il est désormais temps de vivre.

Revenez dans votre corps. Étirez vos sens pour qu'ils remplissent tout votre être – votre sens du goûter, de l'odorat, du toucher, de la vue et de l'ouïe, ainsi que vos sens intuitifs. Comment vous sentez-vous sur le plan émotionnel? Si vous ne trouvez pas de mots, décrivez-le de votre mieux. Puis passez au niveau suivant. Captez les sentiments et les humeurs du monde qui vous entoure, mais pas au point de les faire vôtres. Captez-les juste assez pour reconnaître ce que vous fait ressentir l'énergie de chaque situation.

Ne jugez pas vos réactions et sentiments comme étant bons ou mauvais. Et vous n'avez pas à faire quoi que ce soit pour contrôler comment vous vous sentez, ou comment qui que ce soit d'autre se sent. Laissez-vous seulement savoir et reconnaître ce que vous ressentez quand vous êtes vous-même.

Savoir lâcher prise consiste notamment à apprendre à nous émerveiller de tous nos sens et à les savourer, y compris notre connaissance intérieure.

Apprenez à dire avec confiance et assurance, *Voici comment je me sens.*

Mon Dieu, aide-moi à devenir pleinement vivant.

2 juillet   C'est bon pour votre cœur

«Je sais que j'ai certaines émotions à fleur de peau qui mijotent juste sous la surface, a dit Jake, un jour. «Je suis crispé, irritable et certainement pas centré sur moi-même. Mais je ne veux pas regarder. Je ne veux pas aller dans les émotions. Je n'aime pas les sentiments. Chaque fois que je m'y abandonne, je finis par me sentir anéantie pendant des jours.»

Les émotions peuvent exiger beaucoup de nous. Les ressentir, que ce soit la colère, la peur ou la tristesse, peut nous épuiser, nous vider.

Toutefois, ne pas ressentir nos émotions peut nous tenir crispés, irritables et déséquilibrés. Ne pas ressentir nos émotions pour une longue période peut nous amener à passer à l'acte, qu'il s'agisse de trop manger, d'obséder, de rester au lit et se cacher du monde, ou de regarder la télé tous les soirs jusqu'à s'endormir profondément.

Soyez tendre à votre égard. Ne forcez rien. Mais ne fuyez pas non plus vos émotions. Il se peut que vous vous sentiez anéanti pendant un certain temps, mais ce qui est vraiment en train de s'adoucir, c'est votre cœur.

Mon Dieu, aide-moi à faire face à toute émotion et à la ressentir.

3 juillet — **Dites** *quoi de neuf aujourd'hui*

Quoi de neuf?

Il ne s'agit pas ici des événements. Vous êtes probablement très conscient des événements qui se produisent – ou non – dans votre vie. Quoi de neuf sur le plan émotionnel?

Vous sentez-vous anxieux, effrayé, ambivalent, indécis ou férocement déterminé? Vous sentez-vous intelligent, puissant, heureux, curieux ou soulagé?

Il y a bien des teintes et des couleurs, des *nuances* d'émotions. Certaines attirent rapidement notre attention. Elles se présentent clairement et nous les nommons immédiatement, pour ensuite les faire nôtres. Parfois, les sentiments ne sont pas si faciles à identifier. Ce sont habituellement ceux-là auxquels il faut faire le plus attention, car ce sont souvent ceux qui peuvent contrôler notre vie.

Il est important de nous rappeler que les sentiments ne sont que de l'énergie émotionnelle et que nous avons le droit d'éprouver *quoi que ce soit* que nous ressentions. Il n'y a pas de bien ou de mal en matière d'émotions; les noms ne sont que des mots que nous utilisons pour désigner cette éruption d'énergie émotionnelle particulière.

Il existe une autre façon de ressentir, un autre espace que nous avons tous le droit d'occuper. Cet espace est appelé «centré, équilibré et lucide». Lorsque nous identifions, ressentons et libérons quelque émotion qui se *manifeste* chaque jour, nous retournons naturellement et facilement à cet espace tranquille, paisible et centré.

Parfois, quand l'éruption émotionnelle est importante – de taille volcanique – cela peut prendre quelques jours ou une semaine pour revenir à cet espace lucide et centré. D'autres fois, nous n'avons qu'à faire un signe de reconnaissance en direction de l'émotion qui se manifeste.

Ne résistez pas. Cédez. Cédez complètement à ce que vous ressentez et à comment vous le ressentez. Puis laissez simplement flotter ce sentiment. Plus vous cédez à quoi que ce soit que vous puissiez ressentir, moins cela fera mal et plus rapidement cela disparaîtra. Plus vous serez précis à propos de la personne ou de l'événement qui déclenche l'émotion, plus vous vous aiderez à traverser gracieusement l'éruption émotionnelle.

Maîtriser vos émotions signifie assumer la responsabilité de la manière dont vous les ressentez. Les sentiments sont importants, mais rappelez-vous aussi que ce ne sont seulement que des sentiments. Ne les laissez pas définir la réalité, contrôler votre vie ou teinter votre monde. Maîtriser vos émotions signifie libérer vos émotions afin d'être en mesure de vivre, de bouger, d'aimer, de travailler et de jouer à partir de cet endroit paisible et centré.

Prenez un moment aujourd'hui et chaque jour de votre vie.

Demandez-vous, «Quoi de neuf?»

Mon Dieu, aide-moi à devenir à l'aise avec mes émotions. Aide-moi à apprendre à éprouver quoi que ce soit que je ressente, puis à me rétablir de façon régulière dans cet endroit centré et équilibré.

4 juillet   Célébrez votre liberté

Aujourd'hui, aux États-Unis, nous célébrons l'indépendance de notre nation. Pourquoi ne pas prendre un moment pour célébrer aussi votre indépendance? Que vous ayez été libéré d'une dépendance ou de la codépendance, ou que vous ayez découvert la liberté de vivre votre vie aussi pleinement que possible, prenez un instant pour honorer et reconnaître à quel point cette liberté vous est précieuse.

Il est bon d'identifier nos problèmes. En prenant conscience de ce qui ne va pas et de ce qui est brisé, nous savons ce qu'il y a à réparer. Il est également bon de nous concentrer sur la santé et le bien dans notre vie. Devenir conscient de ce qui va bien et de ce qui fonctionne nous amène à découvrir la joie.

Jetez un regard en arrière sur le chemin sinueux de votre vie. Voyez-vous toute la distance parcourue? Cela me semble bon. Comment cela vous semble-t-il?

Hourra! Nous sommes enfin libres!

Mon Dieu, merci de m'avoir libéré.

5 juillet   Équilibre

Dans la médecine occidentale, la pratique consiste depuis longtemps à corriger les problèmes. Nous avons une douleur, le médecin en trouve la source et la traite. L'approche orientale est différente. De nombreuses médecines orientales s'inspirent de l'idée qu'un corps sain est un corps en équilibre. Quand nous sommes malades, c'est à cause d'un déséquilibre dans notre corps. Le praticien cherche alors à identifier le déséquilibre et à rétablir l'équilibre du corps.

Plutôt que de simplement traiter les symptômes d'une pathologie, les médecines orientales cherchent à maintenir l'équilibre comme mode de vie.

C'est une bonne façon d'envisager le soin de notre âme.

Votre cœur a peut-être été blessé par la négligence de l'autre, ou votre esprit peut être troublé par des pensées pénibles, inquiétantes et parfois erronées. Lorsque nous cherchons à rétablir l'équilibre, notre cœur et notre âme guériront.

Soyez conscient du déséquilibre des pensées dans votre esprit et des émotions qui dérangent votre tranquillité. Puis écoutez votre âme. Laissez-la vous dire à sa manière calme et douce ce dont elle a besoin pour reprendre son équilibre. Vous avez peut-être besoin de solitude, de méditation ou de prière, d'une marche tranquille, d'une journée au zoo, ou de sommeil.

Donnez à votre corps et à votre âme ce qu'il vous faut pour rétablir l'équilibre, puis la guérison peut commencer. Apprenez à vous écouter et à prendre soin de vous affectueusement.

Maintenez l'équilibre comme mode de vie.

Mon Dieu, aide-moi à écouter mon âme de sorte que je puisse me rétablir vers l'équilibre chaque jour.

6 juillet   Lâchez prise sur les sentiments

Nous restons parfois bloqués sur un sentiment. Nous ne voulons pas le reconnaître et en tenir compte. Alors nous nous disons que nous sommes trop intelligents ou occupés pour nous sentir de cette manière. Nous sommes peut-être effrayés par ce sentiment, par ce qu'il peut signifier. Nous croyons que si nous nous sentons de cette façon, nous devrons faire quelque chose que nous ne voulons pas faire. Nous craignons que ce sentiment puisse signifier que nous devons changer. Ou nous croyons que le sentiment nous obligera à faire face à la perte d'une chose qui nous est précieuse dans notre vie et que nous ne voulons pas perdre.

Nous nous sentons parfois coupables de nos émotions. Nous croyons que ce n'est pas bien d'avoir tel sentiment, que cela fait de nous une mauvaise personne. Alors nous nous disons que nous ne *devrions pas* nous sentir ainsi.

Nous pouvons si bien nous habituer à un certain type de sentiment – comme la colère, le ressentiment ou la peur – que cela devient une façon confortable et familière de voir notre univers.

Nous pouvons utiliser nos sentiments pour contrôler les gens : *je me sens de telle façon quand tu fais cela, alors ne le fais plus.* Certains appellent cela utiliser ses émotions pour manipuler les autres. Ce n'est pas une bonne chose à faire. Mais certains d'entre nous se persuadent que c'est la seule façon d'obtenir ce qu'ils veulent.

Apprenez à dire comment vous vous sentez. Puis apprenez à lâcher prise sur ce sentiment.

Mon Dieu, aide-moi à me laisser couler dans le flot de mes sentiments.

7 juillet   Ça ira mieux

Les choses doivent parfois nous sembler pires avant qu'elles s'améliorent. Les sentiments sont de ces choses.

Lorsqu'un sentiment fait surface, il se présente avec vigueur. Les sentiments qui émergent sont habituellement ceux que nous qualifions de désagréables – la peur, la douleur, la rage, la culpabilité, la honte ou un profond chagrin et un malheur. Ils seront intenses pendant un certain temps. Certains font surface et disparaissent presque instantanément. D'autres prennent plus de temps.

Ressentir une émotion aussi intensément signifie qu'elle sort enfin de votre système. Même si le contraire semble vrai, elle n'empire pas réellement. Elle guérit, elle prend du mieux. Vous nettoyez cette vieille plaie. À cette fin, vous devez la rouvrir, mais pour quelques instants seulement. Finalement, après l'avoir fait, elle guérira vraiment.

Que devez-vous faire avec vos sentiments? Reconnaissez-les. Ressentez-les. Tenez compte de chacun d'eux. Ils aiment être ainsi honorés. Une fois que vous les aurez identifiés et ressentis, ils s'en iront. Et chaque fois que vous le ferez, la mare deviendra plus propre et plus claire, jusqu'à ce que l'eau soit enfin pure.

Remarquez de quelle façon vous réagissez face à vous-même lorsque se présente un sentiment qui nécessite votre attention et vos soins. Passez-vous autant de temps à résister au sentiment que vous en consacrez à ressentir l'émotion? Dépensez-vous plus d'énergie que nécessaire à vous inquiéter que le sentiment ne parte pas, que vous soyez incapable de le gérer ou qu'il envahisse votre vie? Renoncez consciemment et délibérément à votre résistance à votre univers émotionnel. En mars, nous avons appris à dire *peu importe* pour savoir lâcher prise. Exercez-vous maintenant à dire *peu importe* avec amour à vos sentiments.

Mon Dieu, donne-moi le courage de faire face à ce que je ressens maintenant, et à ce que j'ai ressenti auparavant mais pour lequel je n'avais pas les ressources pour ressentir. Aide-moi à avoir confiance que ce processus m'aidera à me sentir mieux qu'avant.

Parfois, nous n'avons pas de sentiment clair et unique à exprimer. Nous avons un tas de déchets que nous avons ramassés, et nous devons simplement les jeter.

Nous sommes peut-être frustrés, fâchés, effrayés et dégoûtés de quelque chose – tout cela en un amas répugnant. Nous pourrions aussi être enragés, blessés, dépassés et nous sentir plus ou moins contrôleurs et vindicatifs. Notre univers émotionnel a atteint un degré que nous ne maîtrisons plus.

Nous pouvons prendre notre journal et écrire à propos de ce désastre d'émotions, aussi repoussant qu'il puisse sembler, et aussi étrange et ingrat qu'il soit de le formuler avec des mots. Nous pouvons téléphoner à un ami de confiance et simplement déverser le tout au téléphone. Ou nous pouvons sauter dans notre salon, en privé chez nous, et jeter simplement ce tas dans les airs. Nous pouvons faire une balade en voiture, baisser la vitre et tout jeter dans la nature.

L'idée de base, c'est de jeter nos sentiments accumulés.

Vous n'avez pas à être toujours aussi sain ou en contrôle de ce que vous ressentez. Jeter tout le tas est parfois la façon de nettoyer les choses.

Mon Dieu, aide-moi à comprendre que la seule chose qui m'empêche parfois d'avancer dans ma vie est de m'accrocher à tout ce que je dois vraiment jeter.

9 juillet   **Cessez d'être une éponge**

Vous n'avez pas besoin d'être une éponge émotionnelle, absorbant tous les sentiments qui vous entourent. Apprenez à discerner si ce que vous ressentez vous appartient à vous ou à quelqu'un d'autre.

Linda a un fils adulte. Quand ce dernier traverse une période difficile, Linda fait siennes les émotions de son fils, comme si elles lui appartenaient. Elle parle à son fils au téléphone pendant un moment. Il lui révèle intensément et avec force comment il se sent à propos de tout dans sa vie. Après tout, Linda est sa mère. Il peut lui dire comment il se sent en toute sécurité, même s'il ne peut en parler à personne d'autre. Linda se sent bien quand elle entame la conversation avec son fils. Mais à la fin, elle ne se sent plus tellement bien. Il se peut qu'elle se sente fâchée, bouleversée ou inquiète – ou qu'elle se sente comme son fils se sentait avant de lui parler.

Nous absorbons parfois les sentiments d'autrui parce que nous oublions de nous protéger. Souvent, la profondeur des sentiments que nous éprouvons pour l'autre personne en est la cause. Il faut y remédier de la même façon dont nous composons avec nos propres émotions. Nous reconnaissons ce que nous ressentons. Nous en tenons compte. Puis nous lâchons prise. Nous tordons l'éponge.

Il ne faut parfois que le geste de reconnaître que nous avons fait nôtres les émotions d'une autre personne pour éliminer ces émotions. Si nous nous efforçons d'être conscients, nous commencerons à reconnaître à quel moment les émotions que nous ressentons ne sont pas les nôtres.

Les enfants sont souvent ouverts et sans protection. Si nous éprouvons beaucoup de sentiments en leur présence, ils peuvent aussi les absorber. Il importe de partager nos sentiments avec d'autres et de laisser les autres nous parler des leurs aussi. Mais nous devons prêter attention. Si nous avons adopté les émotions d'un autre, nous devons lâcher prise sur elles.

Mon Dieu, aide-moi à savoir qu'être près des gens et les aimer signifie entre autres que je fais parfois miens leurs sentiments. Montre-moi à me protéger pour que je puisse garder mon cœur ouvert aux gens que j'aime sans absorber leurs sentiments.

Activité. Enfants, nous avons peut-être absorbé les émotions de nos parents. Ces émotions peuvent demeurer en nous longtemps après avoir atteint l'âge adulte, façonnant nos convictions et notre attitude en général face à la vie. Ces émotions peuvent être rusées. Nous les croyons nôtres, mais elles ne le sont pas. Elles appartiennent à quelqu'un d'autre. Demandez à votre Puissance supérieure de vous indiquer si vous avez absorbé quelque émotion de vos parents ou d'autres personnes dans votre vie. Restez ensuite ouvert aux réponses à cette prière. Si des émotions ou des souvenirs refont surface, prenez votre journal et écrivez à leur sujet. Élaborez sur la scène ou le souvenir qui vous vient à l'esprit. Puis, relâchez les émotions. Libérez-les et lâchez prise sur elles. Porter les sentiments de quelqu'un d'autre n'aide pas cette personne et ne nous aide pas non plus. Vous méritez d'être libre et lucide.

10 juillet   Lâchez prise sur le drame

Les acteurs de cinéma ou de la télévision doivent souvent exagérer leurs sentiments afin de créer un effet dramatique à l'écran. S'ils sont blessés, ils pleurent avec une intensité particulière. S'ils ont peur, ils hurlent et s'accroupissent dans un coin ou se lovent sur un divan. Ils peuvent agripper une personne qui tente de s'en aller et supplier cette personne de rester.

S'ils éprouvent de la rage, ils tapent du pied en soulevant une tempête saisissante.

Nous pouvons apprendre à séparer ce que nous ressentons de ce que nous faisons. Si nous éprouvons de la peur, du mal, de la colère ou toute autre émotion, il faut ressentir cette émotion jusqu'à ce que nous devenions lucides. Battre un oreiller peut parfois aider à passer la rage. Mais il n'est pas nécessaire de taper du pied et de claquer les portes; ce serait laisser nos émotions nous dominer.

Vous n'avez pas à vous repaître de vos émotions. Et vous pouvez séparer vos comportements – ce que vous faites – de ce que vous ressentez.

Cessez d'être une reine du drame. Ce n'est plus nécessaire, maintenant. Nous sommes désormais plus conscients que cela.

Mon Dieu, aide-moi à lâcher prise sur les drames inutiles dans ma vie.

11 juillet   Cessez d'établir la preuve

Nul besoin de faire de grands drames autour de votre vie. Il se peut que nous devions mettre un terme à une relation ou explorer une nouvelle carrière. Au lieu de simplement dire, *Voici ce que je vais faire,* nous établissons une preuve.

Comme un avocat qui se prépare à un procès, nous élaborons nos arguments. Nous prenons un sentiment et rédigeons un document de cent pages à son sujet, prêts à défendre notre cause.

Vous pouvez établir la preuve si vous voulez. Mais habituellement, il y a un sentiment caché sous toute cette activité qui demande à être mis au jour. Ce pourrait être un brin de culpabilité ou de peur. Ou ce pourrait être la conviction qu'il n'est pas bien de nous exprimer clairement, de dire comment nous ressentons cela et de faire ce que nous devons faire pour prendre soin de nous-même.

Lâchez prise sur le drame. Ne dites que ce qu'il vous faut dire et comment vous le ressentez.

Soyez aussi simple et clair que possible en vous exprimant. Si vous constatez que vous établissez une preuve ou que vous créez une grande scène dramatique, prenez une pause. Pourquoi faites-vous tout ce cinéma?

Mon Dieu, aide-moi à garder les choses simples, surtout quand vient le temps de m'exprimer.

12 juillet   Honorer ses émotions

J'ai une roue à l'intérieur de moi, qui tourne constamment de la tristesse à la joie, de l'exultation à la dépression, du bonheur à la mélancolie. À l'instar des fleurs, l'éclosion de joie totale d'aujourd'hui s'évanouira et se fanera en découragement, et pourtant, je me souviendrai que tout comme les fleurs fanées d'aujourd'hui portent le germe de l'éclosion de demain, la tristesse d'aujourd'hui porte aussi la promesse de la joie de demain.

– OG MANDINO, *LE PLUS GRAND VENDEUR DU MONDE*

Honorez vos émotions car elles constituent une importante partie de vous. Elles constituent le lien avec l'amour, la passion, la joie, la guérison et l'intuition.

Sans émotions, nous ne serions que des robots insensibles. Les émotions contribuent à la gloire d'être humain, et elles sont notre lien à notre cœur.

Respectez et chérissez votre moi émotionnel. Apprenez à apprécier la variété de vos émotions.

Mon Dieu, aide-moi à devenir l'être humain passionné et vibrant que tu as créé à cette fin. Aide-moi à ressentir toutes mes émotions et à célébrer la gloire d'être vivant.

13 juillet   Dire les choses
comme elles sont

Reconnaissez votre souffrance. Ensuite vous pouvez commencer à en identifier la source et, ce faisant, vous entamez la guérison. Lorsque nous nous ouvrons à nos émotions, nous n'obtenons pas que les bonnes, comme le bonheur ou le soulagement. Les sentiments viennent comme un tout. Nous obtenons la gamme entière des émotions.

La douleur et la souffrance font partie de l'expérience d'être vivant. Les choses se gâtent. Des amoureux nous quittent, des parents et parfois des enfants meurent. Nous tombons, nous échouons. Ne vous dérobez pas à votre souffrance. Ne l'ensevelissez pas sous une armure de drogues, d'alcool ou de vaines réalisations. Si vous avez mal, ayez mal.

Reconnaissez ce que vous vivez. Puis apprenez à le dire tel qu'il en est.

Mon Dieu, aide-moi à reconnaître la douleur dans ma vie plutôt que d'essayer de la masquer avec des substances psychotropes ou une agitation sans but. Montre-moi à dire ce qui fait mal. Montre-moi ce que je dois faire pour guérir, et donne-moi la force d'agir.

Prenez soin de vous,
quoi qu'il arrive

Certains jours, nous nous réveillons le matin et lorsque nous retournons au lit le soir, notre vie a changé d'une façon imprévisible et non voulue. Nos pires craintes se sont matérialisées.

La vie ne sera plus jamais la même. Le problème ne consiste pas seulement dans cette tragédie qui est survenue et a bouleversé notre vie, quoiqu'en soi, cela serait suffisant. Pour compliquer les choses, nous savons désormais à quel point nous sommes vulnérables. Et nous nous demandons, dans cette vulnérabilité, si nous pourrons jamais faire confiance à Dieu, à la vie ou à nous-même de nouveau.

Il y a bien des années, les fondateurs des Alcooliques Anonymes, un programme fondé sur la spiritualité et destiné à aider les alcooliques à se rétablir, ont averti les gens de ne pas fonder leur sobriété et leur foi en Dieu sur la fausse notion selon laquelle toute personne est immunisée contre la tragédie. Ils savaient que la vie serait toujours la vie.

Vous n'êtes pas seul, dans votre joie ou dans votre peine. Il se peut que vous vous sentiez seul pendant un certain temps. Mais bientôt, vous verrez que nombre d'autres ont connu un malheur ou une perte semblable, ont capitulé devant et l'ont transcendé. Votre douleur est importante. Mais vous n'êtes pas unique. Ne vous servez pas de ce malheur pour prouver que vous aviez raison – que vous êtes une victime des circonstances, du destin, de Dieu.

«Dieu doit vraiment m'aimer», dit un jeune homme un jour après s'être tiré indemne d'un accident de motocyclette qui aurait pu tourner au tragique.

Dieu nous aime tous, que nous nous en tirions indemnes ou pas.

Continuez à prendre soin de vous-même, quoi qu'il arrive.

Mon Dieu, transforme ma douleur en compassion pour autrui et pour moi-même.

15 juillet   Le deuil est très souffrant

Votre deuil exigera plus d'énergie que vous n'auriez jamais pu l'imaginer.

– THERESE A. RANDO,
HOW TO GO ON LIVING WHEN SOMEONE YOU LOVE DIES

Le deuil est plus qu'un sentiment. Selon la nature de la perte, il peut devenir un mode de vie temporaire. Il peut durer huit semaines ou huit ans.

Lâchez prise sur tout préjugé que vous avez sur le deuil et sur la durée que vous croyez qu'il faudrait pour surmonter cette perte. Pratiquez plutôt la compassion à l'égard des autres et de vous-même.

Ayez des attentes réalistes. Donnez à toute personne en deuil, que ce soit vous ou quelqu'un d'autre, plus de latitude que vous croyez qu'il soit nécessaire.

Mon Dieu, il y a de nombreux cœurs affligés sur cette planète. Aide-les tous à guérir, y compris le mien.

16 juillet   Le puits a un fond

«Je ne suis pas débranchée de mes émotions, dit Jan. Ce que j'ai, c'est que j'ai peur. J'éprouve certains sentiments si profondément que je finis par croire que je vais toujours me sentir comme je me sens maintenant. J'ai peur, surtout en ce qui concerne la tristesse, qu'il n'y ait pas de fin, pas de fond à ce que j'éprouve.»

Certains sentiments sont énormes. Il semble que nous tombions dans un puits émotionnel sans fond.

Mais ce n'est pas le cas. Il y a un fond. Il faut peut-être du temps pour l'atteindre, mais il y en a un. Et il y a des façons de prendre soin de nous quand nous nous sentons ainsi. Certains obtiennent de l'aide professionnelle. D'autres décident de vivre cela en prenant soin d'eux-mêmes de façon particulière. Si vous traversez une période émotionnelle épuisante, vous voudrez sans doute établir votre propre régime de soins. Voici quelques suggestions qui ont aidé des gens à traverser ces périodes.

- Si vous faites partie d'un groupe d'entraide, allez aux réunions, même et surtout si vous n'avez pas envie de sortir.

- Laissez savoir ce que vous traversez à un ami de confiance. Demandez-lui son soutien; soyez clair en demandant ce qu'il vous faut.

- Reposez-vous. Il faut beaucoup d'énergie pour éprouver des sentiments de cette ampleur.

- Forcez-vous à vous lever et aussi à sortir parfois. Le seul fait d'être avec des gens, dans un parc ou dans un centre commercial, nous rappelle que la vie continue même si la nôtre semble s'être arrêtée. Demandez-vous ce qui vous plairait, et écoutez les idées positives qui vous viennent.

- Faites de l'exercice, même contre votre gré. Faites bouger votre corps. Cela contribuera à faire bouger aussi les émotions.

- Fixez-vous des buts quotidiens, une liste de choses à faire chaque jour. Donnez-vous de l'espace pour ressentir vos émotions, mais exercez également votre volonté.

- Ne laissez pas votre environnement refléter ce que vous ressentez, faites-lui refléter comment vous voulez vous sentir. Faites le ménage de votre espace de vie.

- Fixez-vous des délais pour vos émotions. Par exemple, accordez-vous une demi-heure pour céder à fond à une émotion, puis faites quelque chose d'autre. Prenez une marche, regardez la télé, allez au cinéma, lisez un livre. Dites-vous que vous ne fuyez pas l'émotion, mais que vous prenez une pause.

- Écrivez votre journal. Écrivez ce que vous ressentez. Peu de choses peuvent remplacer ou être plus efficaces que d'établir un lien avec nous-même.

- Puis, priez. Établir le lien avec Dieu aide toujours.

Mon Dieu, aide-moi à accepter et à traverser tous mes sentiments, même ceux qui sont énormes.

17 juillet   Le soulagement est imminent

Je devais aller faire des courses en ville. C'était un matin frais à la plage, pas même 21 degrés. J'ai mis ma veste et je suis partie en voiture. J'ai tourné sur la route du canyon et j'ai été frappée par la beauté du brouillard qui se levait, jouant à la cachette avec les parois du canyon. Il faisait soleil et 34 degrés quand je suis arrivée en ville.

J'ai fait mes courses et me suis arrêtée manger un hamburger. De retour dans ma voiture, le thermomètre indiquait 39 degrés. Il faisait chaud. La circulation était lente, la température atteignait 41 degrés sur l'autoroute et même l'air climatisé n'y pouvait pas grand-chose.

Finalement, j'ai tourné de nouveau sur la route du canyon. L'herbe était brunie et je m'inquiétais des incendies de forêt – ils sont dévastateurs par ici. J'ai bientôt remarqué que le mercure était redescendu à 34 degrés, puis à 32 degrés, puis à 31 degrés. Les collines sont redevenues vertes. J'ai tourné un coin et je pouvais voir le Pacifique. Il faisait maintenant 28 degrés et, lorsque je suis arrivée à la maison, il faisait de nouveau 23 degrés.

J'étais surprise de la grande différence que faisaient quelques kilomètres.

Parfois, un petit changement peut influencer – beaucoup – la façon dont nous nous sentons. Vous vous sentez dépassé ou sous pression? Faites quelque chose d'autre pour un moment. Faites-vous plaisir. Parfois, le plus petit changement apporté à votre routine peut accomplir des merveilles pour changer la température dans votre vie.

Mon Dieu, aide-moi à voir tout changement que je peux apporter qui aura un effet positif sur mon énergie et la façon dont je me sens.

18 juillet   C'est notre leçon

Quand vous apprenez vos leçons, la douleur s'en va.
– Elisabeth Kübler-Ross, *The Wheel of Life*

Parfois, nous attendons et attendons qu'une situation pénible prenne fin. *Quand va-t-il arrêter de boire? Quand téléphonera-t-elle? Quand cette situation financière s'améliorera-t-elle? Quand saurai-je quoi faire ensuite?*

La vie a ses propres échéances. Dès que nous comprenons la leçon, la douleur se neutralise, puis disparaît.

Et la leçon est toujours nôtre.

Examinez votre vie. Attendez-vous que quelqu'un ou quelque chose d'extérieur à vous se manifeste pour vous sentir mieux? Attendez-vous que quelqu'un apprenne sa leçon pour que votre douleur disparaisse? Si c'est le cas, essayez de vous tourner vers l'intérieur. Voyez ce qu'est vraiment la leçon.

Mon Dieu, montre-moi ce que je suis censé apprendre dès maintenant.

19 juillet   Attention aux «jamais»

Prenez garde à ce que vous jurez de ne plus *jamais* faire. Vous pourriez être en train d'ériger un mur entre vous et le bien dans votre vie.

Il m'a blessée, alors je ne lui parlerai plus jamais. Elle m'a blessé, alors je ne veux plus jamais me lier avec une femme.

Nos sentiments blessés peuvent parfois être des avertissements sérieux que nous devons prendre une distance et rester loin. Mais habituellement, quand nous disons *jamais,* c'est parce que nous ne voulons pas être vulnérables et ressentir la douleur qui nous afflige.

Dire *jamais* peut être une indication que nous avons fermé notre cœur.

Avez-vous érigé un mur à coups de «jamais»? Regardez. Allez voir en dessous. N'y a-t-il pas plutôt un sentiment de douleur que vous devez ressentir?

Vous vous êtes brûlé en mettant la main sur une cuisinière chaude, alors vous ne vous approcherez plus jamais d'une cuisinière? Vous allez manquer des repas savoureux.

Mon Dieu, aide-moi à être assez vulnérable pour ressentir ma douleur et apprendre ma leçon, au lieu de dire jamais *et d'ériger un mur.*

20 juillet   Détruisez ces murs

Frank était heureux en ménage, ou du moins il le croyait. Puis un jour, sa femme depuis dix ans est rentrée à la maison et lui a dit qu'elle ne souhaitait plus être mariée. «Je t'aime, mais je ne suis pas amoureuse de toi», a-t-elle dit en prenant la porte.

Frank était terrassé. Il se fâcha contre sa femme, son église et Dieu. Il se mit en colère et le resta. Il fulminait et généralisait. Il décida que toutes les femmes devaient être ainsi et que, tôt ou tard, quiconque s'approcherait de trop près lui ferait du mal.

Nous sommes nombreux à connaître des blessures dans la vie. Ça fait partie du jeu.

C'est bien d'avoir mal, d'être en colère, même d'être amer pendant un certain temps. Mais personne n'est intéressé à entendre notre histoire d'amour perdu, dix ans après que ce soit arrivé.

Nous nous lassons même de l'entendre nous-même.

Il est parfois temps de panser nos plaies. Et parfois, il est temps de les surmonter et de revenir au jeu.

Nous tombons tous. La plupart des gens changent d'idée. Nous faisons tous des erreurs.

Il ne faut pas laisser une mauvaise expérience dans notre vie nous empêcher d'avoir des expériences positives dans l'avenir. Les murs ne font pas de discrimination. Même s'ils nous protègent de nouvelles blessures, ils nous empêchent aussi de connaître la joie.

Mon Dieu, aide-moi à lâcher prise sur les attitudes d'autosabotage acquises dans un moment de souffrance. Ouvre-moi à la beauté qui m'attend quand je vois la vie avec un cœur ouvert.

21 juillet Ce n'est peut-être pas censé être bon

Chaque soir pendant des mois, Laurie rentrait du travail, s'installait à l'ordinateur et écrivait sans fin la même chose: *Je déteste mon travail. Je déteste mon travail. Je le déteste, je le déteste, je le déteste.*

Pendant six semaines d'affilée, Jonathan s'est plaint tous les jours à ses amis de son colocataire: *Je ne peux pas le supporter. Il me rend fou. Je ne l'aime pas.*

Durant des années, juste avant de s'endormir, Mindy calculait le nombre d'années qu'elle pouvait escompter jusqu'à ce que son mari meure et qu'elle soit libérée de ses vœux conjugaux: *Plus que quinze années et il sera parti, et je pourrai vivre ma vie.*

Aucune de ces trois personnes ne participait à ce qu'il est convenu d'appeler une relation «amourhaine» avec leur conjoint, colocataire ou emploi. Les trois étaient dans une relation haine-haine. Elles avaient toutes une chose en commun: elles se sentaient coupables de leurs sentiments. Laurie tentait sans relâche de se forcer à aimer son travail; Jonathan faisait des pieds et des mains pour essayer d'être seul à seul avec son colocataire; Mindy tentait sans cesse d'être une meilleure épouse.

Soyez patient avec vous-même si vous avez des moments et des occasions où vous n'aimez pas quelqu'un ou quelque chose, que ce soit votre travail, votre colocataire, votre maison ou votre conjoint. Mais si vous n'aimez pas quelque chose ou quelqu'un constamment et manifestement, peut-être est-il temps de passer à autre chose.

Surveillez les scénarios de vos réactions émotionnelles face à votre vie. Si vous réagissez toujours d'une façon particulière à quelque chose ou à quelqu'un, envisagez la possibilité que cette personne, cet endroit ou cette chose peut ne plus être utile dans votre vie.

Mon Dieu, donne-moi la sagesse de discerner quand mes sentiments insistent pour que je passe à autre chose. Aide-moi à lâcher prise sur ma culpabilité à propos de mes sentiments et à trouver le chemin du cœur.

22 juillet   Cessez de vous priver

Cessez de vous priver de ce qui vous paraît confortable, bien et bon pour vous.

Certains d'entre nous ont grandi dans des milieux de privation affective. Il n'y était pas permis d'être heureux et de jouir de la vie. La privation affective était le thème.

Nous sommes nombreux à avoir appris à perpétuer ce modèle dans notre vie adulte. Nous avons choisi des relations avec des gens avec qui nous ne sommes pas bien. Nous avons choisi des emplois inconfortables.

Nous avons presque tous entendu des histoires de gens dont la dépendance est de se sentir misérables. Il

est facile de voir quand les autres favorisent la privation et la misère dans leur vie; il est plus difficile de le
discerner quand il s'agit de nous.

Nous sommes peut-être tellement habitués à nous
sentir mal que nous ne savons vraiment pas ce qui est
bon pour nous.

Vous ne saurez pas ce qui vous fait du bien jusqu'à ce que vous vous détendiez et appreniez à identifier comment vous vous sentez. Lâchez prise sur votre
attirance à la misère. Allez vers ce qui semble confortable à votre cœur, votre esprit, votre corps et votre
âme.

Déridez-vous. Laissez-vous être à l'aise avec ce
qui vous semble bien pour vous.

Savez-vous ce qui vous fait du bien? Savez-vous
ce que vous aimez? Un jour, un ami se faisait frotter le
dos: «Comme ça fait du bien», dit-il. «C'est justement le but», répondit la personne qui lui frottait le
dos.

Devenez plus conscient de votre vie quotidienne.
Faites la chasse au trésor. Trouvez ce qui vous fait du
bien. Vous pourriez découvrir qu'il y a plus de trésors
et de plaisirs en ce monde que vous ne le croyiez.

*Mon Dieu, aide-moi à cesser de me priver des bonnes
choses de la vie.*

23 juillet   **Remplir sa vie**

*J'ai seulement utilisé l'énergie qu'il faut pour faire
la moue et j'ai écrit du* blues.

– DUKE ELLINGTON

Une des bonnes choses à propos du *blues*, c'est
son pouvoir de me faire sentir mieux. Peu importe à
quel point mon petit monde va mal, je peux être cer-

taine que B. B. King, John Lee Hooker ou Stevie Ray Vaughn ont vu pire. Il est bon parfois d'exprimer ces mauvais sentiments.

La vie amène sa part d'ennuis. Ce ne sont parfois que des petits problèmes et d'autres fois, d'immenses chagrins. Ce qui importe n'est pas ce qui nous arrive, mais bien comment nous y réagissons. Il vous a quittée. C'est un fait. Maintenant, après avoir terminé le litre de crème glacée dans lequel vous noyez votre chagrin, qu'allez-vous y faire? Vous pouvez rester là et vous plaindre à vos amis que la vie est si injuste, ou vous pouvez vous lever, mettre le bol vide au lave-vaisselle et aller remplir votre vie.

Les sentiments sont un des bienfaits de la condition humaine. Tous les sentiments. Nous nous sentons tantôt bien, tantôt mal. Prenez un moment. Utilisez un peu d'énergie et fâchez-vous. Soyez conscient du sentiment d'être fâché. Mais levez-vous ensuite, sortez et servez-vous de votre vie de façon positive.

Mon Dieu, aide-moi à me servir de façon positive de tous les sentiments dans ma vie.

24 juillet   Lâchez prise sur la peur

Nous disons parfois que nous voulons passer à l'échelon suivant dans notre vie – au travail, au jeu ou en amour. Mais il semble que la porte soit fermée. La peur peut se cacher sous maints visages: nous voulons le faire à notre façon; nous ne sommes pas intéressés; ou ce n'est tout simplement pas le temps. Ce à quoi nous nous butons n'est pas une porte fermée, c'est la peur que nous réprimons et que nous retenons à l'intérieur.

Si vous ne comprenez pas bien pourquoi vous n'avancez pas naturellement dans un certain domaine de votre vie, regardez-y de plus près. Voyez si vous avez des peurs cachées qui pourraient vous retenir. Si vous êtes bloqué et que vous essayez d'avancer, souvenez-vous de ressentir et de libérer votre peur d'abord. Puis, vérifiez si ce n'était pas justement la clé qu'il vous fallait pour déverrouiller et ouvrir cette porte.

Mon Dieu, aide-moi à voir, à ressentir et à libérer mes peurs d'aller vers l'avant dans ma vie.

25 juillet   Voir le courage qu'on a

> *Tout le monde est en admiration devant le dompteur qui est dans une cage avec une demi-douzaine de lions – tout le monde, sauf un chauffeur d'autobus scolaire.*

> – ANONYME

Vous n'êtes peut-être pas un grand guerrier. Vous ne dirigez peut-être pas d'expéditions au pôle Nord ou n'escaladez pas l'Everest. Mais il vous faut quand même du courage.

Le courage tient dans les choses simples aussi bien que dans les grandioses. Il est amusant et facile d'imaginer comment nous réagirions dans nos vies fictives – escaladant telle montagne ou menant des chevaliers au combat – mais qu'en est-il maintenant?

Avez-vous le courage de vivre votre vie, de parcourir votre chemin chaque jour, là où vous êtes?

Il faut parfois plus de courage pour accomplir les choses ordinaires de la vie qu'il n'en faut pour aller à la porte de l'avion et sauter.

Il faut du courage pour devenir sobre, rester sobre, se lever chaque matin et aller à votre travail, soutenir votre famille, payer les factures et parcourir le chemin qui vous a été assigné. Il nous faut tous du courage pour faire la chose qui nous effraie et parfois pour accomplir la chose qui ne nous effraie pas, sans cesse à recommencer.

Mon Dieu, accorde-moi le courage de faire ce qu'il faut dans mes relations, au travail et dans ma croissance spirituelle. Donne-moi le courage de vivre ma vie.

26 juillet   Voyez ce qui vous semble bon

«Circulation de French Valley, Cessna 80809 prêt à s'engager sur la piste 18 pour décollage, avec vent de travers gauche. French Valley.»

J'ai tourné sur la piste 18, ai poussé la manette des gaz, puis ai retenu mon souffle alors que le petit avion or et blanc accélérait sur la piste pour ensuite lever de terre. J'ai tiré sur le manche du volant, élevant l'appareil doucement, mais pas trop. Il devait survoler les arbres, les maisons et les tours en face de moi. Mais si j'élevais la partie avant trop rapidement et trop haut, nous perdrions de la vitesse et stagnerions. Il y avait beaucoup à penser, en tentant de bien faire.

Nous entamions notre ascension, à un peu plus de 150 mètres, quand l'avion s'est mis à sautiller dans les airs. Ce n'était que le vent, mais c'étaient les mêmes poches d'air, les hauts et les bas, et les ballottements qui me faisaient croire que nous allions soudainement tomber du ciel.

«Tu es aux commandes», ai-je hurlé à Rob.

«Non, tu es aux commandes», dit-il, déposant résolument ses mains sur ses genoux.

«Rob, j'ai peur. Je ne me sens vraiment pas à l'aise.»

«Alors, respire.»

Je ne pouvais pas respirer, du moins pas comme il l'entendait – consciemment, aspirer, expirer, me calmer. Retenir mon souffle était une habitude que j'avais acquise tôt dans ma vie. C'était une façon de réagir à la peur.

J'ai amené l'avion à 300 mètres, puis à 600 mètres. Je n'étais pas à l'aise, mais j'ai monté jusqu'à 1500 mètres pour pouvoir accomplir les manœuvres que nous avions prévues.

J'ai essayé de me détendre et de respirer, mais je me sentais encore accablée. J'étais incapable de me détendre.

Rob manipulait quelque chose, je ne savais trop quoi. Je surveillais la circulation à l'extérieur de l'avion, puis le tableau de bord à l'intérieur. J'allais abandonner quand soudain Rob s'est mis à coller des bouts de papier sur chacun des cadrans.

«Qu'est-ce que tu fais?» ai-je demandé.

«Je t'apprends à te faire confiance. Dis-moi quand il te semblera que nous allons à 65 nœuds.»

Je devais me détendre. «À peu près maintenant», dis-je.

Il découvrit le cadran. Nous étions à 65 nœuds.

«Maintenant, fais un virage coordonné de 30 degrés – sans vérifier le tableau de bord. Dis-moi quand ça te semblera bon.»

Je me suis détendue plus profondément, guidant doucement l'avion dans un virage lent, coordonné.

«Parfait», me dit-il, indiquant les cadrans.

«Tu vois, ajouta-t-il avec assurance. Tu ne fais que t'effrayer en emmêlant tout dans ta tête, avec tous ces cadrans et tout ce que tu crois avoir à faire pour bien faire. Tout ce qu'il te faut vraiment, c'est de te détendre et de faire confiance à ce qui te semble bien.»

Lâchez prise sur la peur et la confusion. Cessez de vous accabler avec tout ce que vous avez à faire et à essayer de bien faire. Renseignez-vous. Lisez des bouquins. Obtenez de l'aide. Puis, détendez-vous. Vous en savez plus que vous ne le croyez.

Vous saurez quand vous l'aurez maîtrisé.

Fiez-vous à ce qui vous semble bien.

Mon Dieu, aide-moi à apprendre à lâcher prise sur mes peurs et à me fier à ce qui me semble bien.

27 juillet — Dire comment on se sent intuitivement

La première fois où j'ai été assommée par mon intuition est une histoire que j'ai souvent relatée dans mes écrits. J'étais en traitement pour la chimiodépendance à l'époque. Il me fallait un emploi pour sortir de là. J'avais parcouru les annonces classées et avais postulé chaque emploi que je croyais mériter. Aucun n'était trop modeste, mal payé ou humble pour l'écarter du processus de demande d'emploi. Personne ne voulait m'embaucher. J'ai cherché pendant des semaines, des mois, sans succès.

Un jour, j'étais à bout de ressources. J'attendais un autobus qui allait me ramener à l'hôpital où se trouvait le centre de traitement, quand une petite voix dans mon cœur me dit avec insistance, *Regarde derrière toi.* Ce que je fis. J'étais en face d'une banque. Juste à côté, il y avait un escalier menant à un cabinet d'avocat, au deuxième étage.

Monte et demande à parler au chef du cabinet d'avocat. Dis-lui que tu veux un emploi. Ce sont les mots que j'ai entendus ensuite.

C'est dingue, me suis-je dit. *Ça n'a aucun sens.* Mais je l'ai pourtant fait. Cette petite voix tranquille continuait d'insister. Lorsque j'ai parlé à l'avocat, je lui ai dit où je vivais et ce qui se passait dans ma vie. Il m'a dit qu'il comprenait, qu'un de ses proches avait aussi eu des problèmes de chimiodépendance. Puis il m'a regardée et a dit: «C'est curieux que vous soyez venue. Je songeais à créer un nouveau poste de secrétaire juridique pour le bureau, mais je n'ai pas encore eu le temps d'afficher une offre d'emploi.»

Deux semaines plus tard, il m'a téléphoné. J'ai obtenu l'emploi. C'était mieux que tout ce que j'avais postulé, mieux payé et cela mettait à contribution toutes les compétences que je possédais à l'époque.

Nous avons tous une source particulière de sagesse et d'orientation qui nous est accessible, dans les temps difficiles et dans les activités quotidiennes de notre vie.

Devant un dilemme, prenez un moment. Laissez-vous imprégner par la situation. Sortez de votre tête. Prenez au moins une décision intuitive aujourd'hui.

Mon Dieu, aide-moi à faire confiance à mes pouvoirs intuitifs.

28 juillet   Ouvrez le commutateur

Nombre d'entre nous ont fermé leur commutateur d'intuition, leur sens de la connaissance de la vérité. Nous l'avons peut-être fermé dans l'enfance, parce que nos parents nous mentaient. Ou nous avons fermé le commutateur plus tard dans la vie, pour être en relation avec des gens qui se mentaient à eux-mêmes et à nous. Notre voix intérieure, notre sens qui connaît la vérité, a dû être fermée pour nous permettre de demeurer dans la situation.

Il est temps de rouvrir le commutateur de l'intuition. Allez à votre panneau électrique et ouvrez-le. Vous savez et ressentez quand quelqu'un vous ment. Vous ne le savez peut-être pas tout de suite, mais avant longtemps, vous le savez. Vous savez si vous faites confiance à quelqu'un ou si vous vous en méfiez. Et vous savez probablement la vérité dès maintenant à propos de ce que vous ressentez.

Pouvez-vous vous faire confiance? Cessez de douter. Commencez à faire confiance et à écouter ce que vous savez être la vérité et à vous y fier.

Vous savez quand une chose semble bonne pour vous et vous savez quand c'est le contraire. Le problème n'est pas que votre intuition ne fonctionne pas. Le problème est que vous choisissez de l'ignorer.

Mon Dieu, aide-moi à écouter quand tu parles. Aide-moi à me fier au radar que tu as intégré en moi.

Activité. Voici une méditation qui contribuera à activer vos pouvoirs intuitifs. Prenez une position de détente, assis dans un bon fauteuil ou étendu sur un divan. Consacrez quelques minutes à détendre consciemment tout votre corps, en commençant par la tête, le visage puis en descendant jusqu'aux orteils. Imaginez-vous ensuite au bas d'un escalier, en face d'une porte sur laquelle est inscrit votre nom. Ouvrez la porte et entrez dans la pièce. Il s'y trouve de nombreux commutateurs, comme dans une chambre de disjoncteurs. Cherchez le commutateur marqué «Intuition». Imaginez-vous aller vers celui-ci et l'ouvrir. S'il a besoin de réparations, visualisez-vous en train de les faire. Si vous avez peine à l'ouvrir, demandez-vous quel est le problème et ce que vous devez faire pour le régler avant de l'ouvrir. Une fois le commutateur ouvert, quittez la pièce. Verrouillez la porte derrière vous, puis remontez les marches et retournez lentement à l'état de conscience. Quand votre intuition fait défaut, vérifiez le commutateur dans votre chambre de disjoncteurs pour vous assurer qu'il est ouvert.

29 juillet — Laissez votre intuition vous guider

Être très attentif à votre intuition est probablement la règle la plus importante de toutes.

— LYNN HILL

Pendant bien des années, j'ai utilisé l'orientation intuitive ou spirituelle seulement en période de grand besoin, de crise ou de désespoir. C'était un dernier recours. Je ne connaissais pas le mot *intuition*. Ce que je savais à l'époque, c'était de faire des efforts laborieux, comprendre les choses dans ma tête du mieux que je le pouvais, puis passer à l'action. À l'occasion, je me trouvais acculée dans un coin ou dans une impasse. Alors et seulement alors, je recourais à l'intuition.

Et je n'allais pas vers elle. Elle venait à moi.

Au fil des ans, l'intuition est devenue d'une importance essentielle. Je me suis récemment liée d'amitié avec une femme qui est très intuitive. Elle m'encourage à apprendre à suivre le courant et à me détendre.

«Exerce-toi à l'épicerie, dit-elle. Exerce ton intuition dans les moindres détails de ta vie, dans ces moments où tu ne crois pas qu'elle compte. Si tu exerces ton intuition dans les petits détails de ta vie, tu seras capable de t'y fier pour les affaires importantes également.»

«Je ne peux pas», dis-je.

«Oui, tu le peux, dit-elle. Exerce-toi.»

Avec le temps, je me suis lentement rapprochée de l'intuition, et éloignée de la pensée uniquement rationnelle. Ce fut un étrange voyage. J'ai été propulsée sur ce chemin après la mort de Shane. J'ai été longtemps profondément plongée dans mes émotions. J'en suis venue à me fier à mon intuition de plus en plus.

Aujourd'hui, l'orientation intuitive fait régulièrement partie de ma vie quotidienne.

Mais pour ceux qui se sentent aussi bizarres et coincés que moi jadis pour accéder à l'intuition, voici quelques trucs qui m'ont aidée.

- Détendez-vous consciemment. Quand il faut régler un problème ou prendre une décision, quelle qu'en soit l'importance, détendez-vous d'abord. Ne paniquez pas et ne devenez pas tendu. Réagir par la panique bloquera notre lien avec l'intuition.

- Demandez-vous, *Qu'est-ce qui semble approprié?* Cette réponse émanera d'un endroit paisible, non émotionnel, et non d'un lieu d'urgence ou de crainte. Si plus d'un choix ou d'une solution se présente à votre esprit, ressentez chaque solution. Est-ce qu'une d'elles vous semble terne et sans vie? Est-ce qu'une d'elles vous semble lourde et sombre? Est-ce qu'une d'elles vous semble plus légère et adéquate?

- Si vous ne savez pas quoi faire, lâchez prise. Allez faire autre chose, occupez votre esprit rationnel besogneux. Souvent, une pensée intuitive surgira dans notre esprit plus tard, quand nous cesserons de forcer la réponse.

Comme dans la plupart des autres domaines de notre vie, nous exercer à nous détendre et apprendre à nous faire confiance est la clé. Souvent, la réponse intuitive semble la chose naturelle à faire. Notre intuition nous dit parfois de faire quelque chose qui semble absurde de prime abord.

Honorez ce lien que nous avons tous avec l'information provenant d'au-delà de la pensée rationnelle. Vous ferez des erreurs idiotes de temps à autre. Nous en faisons tous. Et ne sous-estimez pas le pouvoir de la pensée rationnelle et du simple bon sens. Mais en cas d'indécision, laissez l'intuition être une ressource régulière et non un dernier recours auquel vous fier.

Mon Dieu, aide-moi à me détendre et à écouter cette petite voix calme. Aide-moi à me rappeler que, lorsque j'écoute mon intuition, j'écoute l'une des façons que tu as de me parler.

30 juillet   Fiez-vous à ce sentiment

«Tournons ici», dit-il en indiquant une petite route. Nous cherchions un nouveau restaurant à essayer et, dernièrement, ceux que nous avions visités nous avaient tous déçus. La pancarte au début de la route était usée, et je me rappelais avoir mangé à l'endroit annoncé des années auparavant. Je ne l'avais pas beaucoup aimé.

Le restaurant avait un peu changé à l'intérieur. Nous nous sommes installés à une table près d'une fenêtre donnant sur le Pacifique. Notre serveur était gracieux et compétent. Nous avons commandé des beignets de crabe pour déjeuner. C'étaient les meilleurs beignets de crabe que j'avais jamais mangés, et nous y sommes retournés pour dîner le soir même.

Le restaurant est devenu un endroit où nous allons régulièrement parce que nous avons ignoré ce que nous croyions savoir et avons plutôt suivi notre intuition.

Après tous les beignets de crabe, les omelettes et les gaufres que nous y avons mangés depuis lors, je suis contente que mon copain se soit fié à son intuition et à sa fantaisie intuitive. Les hommes et les femmes ont reçu le don de l'intuition. Ce n'est pas propre au sexe, bien que parfois nous encouragions les hommes à s'axer davantage sur la logique que sur l'intuition.

Ouvrez-vous. Fiez-vous à votre cœur quand il vous murmure doucement quelque chose. Commencez modestement. Partez en balade, et sur un coup de tête, empruntez une route où vous n'avez jamais roulé. Progressivement, à mesure que vous serez plus à l'écoute de vos sentiments intuitifs, ceux-ci vous guideront sur votre chemin. Votre intuition vous aidera parfois à trouver un bon endroit où manger; d'autres fois, elle vous guidera vers une carrière réussie ou vers un meilleur ami.

Écoutez votre cœur. Il faut parfois ignorer ce que vous croyez savoir et suivre votre intuition.

Mon Dieu, enseigne-moi à écouter mon cœur.

31 juillet   **Restez dans le jeu**

Et cela vint à passer...

Nous ne pouvons pas être toujours certains que les choses vont bien se dérouler, mais nous aurons toujours la force de les traverser. Nous pouvons avoir confiance qu'en fin de compte le bon comme le mauvais viendront à passer.

Le bon m'a été arraché et j'ai eu de la peine à m'en noyer. Mais cela a passé.

Tout ce que je dis, c'est que parfois les mauvais gagnent et les bons perdent. Et d'autres fois, c'est l'inverse. Il y a des moments où rien de ce que nous faisons ne semble influencer la décision d'une quelconque manière, mais nous pouvons toujours y revenir le lendemain. Il y a toujours une autre chance de jouer le jeu, de danser, de suer et de pleurer. Et peut-être est-ce l'expérience plutôt que le résultat qui est le vrai trophée.

Si vous ressentez une perte de force ou de confiance, lâchez prise sur le besoin désespéré d'un résultat positif dans votre vie. Rendez-vous compte que cela aussi passera. Puisons notre force en sachant que lors d'un événement, qu'il soit bon ou mauvais, nous sommes enrichis par nos expériences. Nous seuls pouvons choisir d'en tirer des leçons ou permettre au ressentiment et aux attentes futiles d'en détruire la valeur.

Dépoussiérez-vous. Ramassez-vous. Approchez-vous du but et revenez au jeu.

Mon Dieu, donne-moi l'espoir, la foi et le courage de vivre ma vie aujourd'hui.

Août

Apprenez à dire merci

1er août   **Apprendre à dire *merci***

Voici mon histoire préférée de lâcher prise. Bien que certains d'entre vous la connaissent peut-être déjà (je l'ai relatée dans *Vaincre la codépendance*), je vais la raconter de nouveau.

Il y a bien des années, quand j'étais mariée avec le père de mes enfants, nous avons acheté notre première maison. Nous avions vu de nombreuses maisons dotées de beaux jardins, de salles familiales et de cuisines agréables. La maison que nous avons achetée n'avait rien de tout cela. C'était une maison délabrée de trois étages qui avait été construite au tournant du siècle et qui avait été louée durant les vingt dernières années.

Le jardin était un carré de sable là où il aurait dû y avoir du gazon. Il y avait d'énormes trous dans la maison par lesquels on apercevait l'extérieur. La plomberie était inadéquate. La cuisine était grotesque. Le vieux tapis à longs poils orange brûlé était sale, taché et usé. La cave était un cauchemar de ciment, de moisi et d'araignées. Ce n'était pas une maison de rêve, mais plutôt une maison d'horreur.

Environ une semaine après avoir emménagé, un ami nous a rendu visite. Il a regardé les alentours. «Vous êtes vraiment chanceux d'avoir votre propre maison», dit-il. Je ne me trouvais pas chanceuse.

C'était l'endroit le plus déprimant où j'avais jamais vécu.

Nous n'avions pas d'argent pour acheter des meubles. Nous n'avions ni l'argent ni le talent pour rénover la maison. Pour le moment, cette vieille baraque allait demeurer dans cet état. Ma fille, Nichole, avait presque deux ans et nous avions un autre bébé en route.

Un jour, juste avant l'Action de grâce, j'ai fait le vœu de prendre des mesures pour réparer cette maison. Je me suis procuré une échelle et de la peinture blanche, et j'ai essayé de peindre les murs de la salle à manger. La peinture ne se fixait pas au mur. Il y avait tellement de couches de vieux papier qui se décollait que la peinture ne faisait que des bulles, et le papier – au moins les trois dernières couches – se détachait du mur.

J'ai abandonné, et j'ai remisé échelle et peinture.

J'avais déjà entendu parler de pratiquer la gratitude. Mais je ne me sentais aucunement reconnaissante. Ainsi, je ne savais pas comment la gratitude pouvait s'appliquer à moi en pareille situation. J'essayais d'avoir une bonne attitude, mais j'étais misérable. Chaque soir, après avoir couché ma fille, je descendais au salon où je m'assoyais par terre et regardais autour de moi. Tout ce que j'étais capable de faire, c'était de me désoler de tout ce que je voyais. Je ne voyais pas une seule chose pour laquelle j'aurais pu éprouver de la gratitude.

Puis, je suis tombée sur un petit livre de poche qui embrassait les pouvoirs de la louange. Je l'ai lu et j'ai eu une idée. Je mettrais cette notion de gratitude délibérément à l'épreuve. Je prendrais toute l'énergie que j'avais mise à me plaindre, à voir le négatif et à me désoler, et je la transformerais. À la place, je voudrais, je m'obligerais et, s'il le fallait, je ferais semblant d'éprouver de la gratitude.

Chaque fois que je me sentais mal, je remerciais Dieu de me sentir ainsi. Chaque fois que je remarquais à quel point la maison était affreuse, je remerciais Dieu pour la maison telle qu'elle était. Je remerciais Dieu de l'état actuel de mes finances. Je remerciais Dieu de mon manque de compétences pour réparer et rénover la maison. Je m'obligeais délibérément à la gratitude pour chaque détail de ma vie – les domaines qui me dérangeaient vraiment, les choses auxquelles je ne pouvais rien. Chaque soir, après avoir mis ma fille au lit, je descendais et m'assoyais au même endroit du salon. Mais au lieu de me plaindre et de pleurer, je disais et psalmodiais *Merci, mon Dieu, pour chaque chose de ma vie, telle qu'elle est.*

Quelque chose a commencé à se produire si subtilement que je n'ai pas remarqué le changement au début. D'abord, je me suis mise à garder la maison plus propre et en ordre, même si c'était véritablement une cambuse. Puis, les gens, les matériaux et les compétences sont venus à moi. Premièrement, ma mère a offert de m'enseigner à rénover une maison. Elle disait qu'on pouvait le faire pour une bouchée de pain. Et elle était prête à m'aider.

J'ai appris à arracher le papier peint d'un mur, à réparer les trous dans les murs, à peindre, à texturer, à plâtrer, à clouer et à réparer. J'ai enlevé les tapis. Les planchers étaient en bois franc dessous. J'ai trouvé du bon papier peint à seulement un dollar le rouleau. Tout ce dont j'avais besoin commença à se manifester à moi, qu'il s'agisse de compétences, d'argent ou de matériaux.

Puis, j'ai commencé à regarder autour de moi. J'ai trouvé des meubles que d'autres avaient jetés. Je ne pouvais plus m'arrêter maintenant. J'ai appris à peindre des meubles, à les restaurer ou à les recouvrir de jolis napperons ou d'une couverture. En six mois, la maison où j'habitais est devenue la plus belle de la rue. Mon fils, Shane, est né pendant que j'y vivais. Quand j'y songe aujourd'hui, c'était une des périodes les plus heureuses de ma vie. Ma mère et moi avions du plaisir ensemble, et j'ai appris à réparer une maison.

Ce que j'ai vraiment appris de cette situation, c'est le pouvoir de la gratitude.

Lorsque les gens nous suggèrent la gratitude, il est facile de croire qu'il s'agit d'apprécier nos bienfaits et de dire merci seulement pour les bonnes choses. Cependant, quand nous apprenons à lâcher prise, nous apprenons à dire merci pour toute chose dans notre vie, que nous en ressentions ou non de la gratitude.

C'est ainsi que nous transformons les choses.

Faites une liste de toutes les choses de votre vie pour lesquelles vous n'éprouvez pas de gratitude. Vous n'aurez peut-être pas à faire de liste, vous avez probablement en tête les choses qui vous dérangent. Puis, pratiquez délibérément la gratitude pour chaque élément de la liste.

Le pouvoir de la gratitude ne vous laissera pas tomber.

Être reconnaissant pour quoi que ce soit que nous avons ajoute toujours à notre avoir.

Mon Dieu, montre-moi le pouvoir de la gratitude. Aide-moi à en faire régulièrement un outil de travail efficace dans ma vie.

La gratitude,
plus grande que nature

Un jour, un ami m'a téléphoné. Il traversait des moments difficiles, et se demandait si et quand les choses s'amélioreraient. Je savais qu'il était très souffrant, mais je ne savais pas alors qu'il envisageait de se suicider.

«Si tu pouvais donner à quelqu'un une seule chose pour l'aider, qu'est-ce que ce serait?» a-t-il demandé.

J'ai réfléchi sérieusement à la question, puis j'ai répondu: «Ce n'est pas une chose, c'est deux choses: la gratitude et le lâcher prise.» La gratitude pour tout, et pas seulement pour ce que nous estimons bon ou bienfaisant. Et le lâcher prise sur tout ce que nous ne pouvons pas changer.

Quelques années ont passé depuis cet appel de mon ami. Sa vie s'est transformée. Ses problèmes financiers se sont réglés d'eux-mêmes. Sa carrière a changé. Les deux problèmes importants qui l'accablaient à l'époque se sont aussi réglés d'eux-mêmes. Le processus même de faire face à ces problèmes et de les résoudre est devenu une partie importante du redressement du cours de sa vie.

On a déjà demandé à l'artiste peintre Georgia O'Keeffe pourquoi, dans ses tableaux, elle agrandissait la taille des petits objets – comme les pétales d'une fleur – les faisant paraître plus grands que nature, et pourquoi elle réduisait la taille des grands objets – comme les montagnes – les faisant paraître plus petits que nature.

«Tout le monde voit les grandes choses, dit-elle. Mais les petites choses sont tellement belles, et les gens ne les remarqueraient peut-être pas si je ne les exagérais pas.»

Il en est ainsi de la gratitude et du lâcher prise. Il est facile de voir les problèmes dans notre vie. Ils sont comme des montagnes. Mais parfois nous négligeons les petites choses, nous ne remarquons pas leur beauté.

Identifiez les problèmes. Éprouvez les sentiments. Mais si vous devez agrandir quelque chose plus grand que nature, faites que ce soit le pouvoir et la simplicité de ces deux outils : la gratitude et le lâcher prise.

Mon Dieu, montre-moi à utiliser la gratitude et le lâcher prise pour réduire la taille de mes problèmes.

3 août   Allez contre le vent

Un jour, dans la zone de saut, j'ai commencé à travailler avec un nouveau moniteur de saut, John. Nous étions au sol, pratiquant les mouvements que nous allions faire durant la chute libre. Il savait que j'avais de la difficulté à maîtriser mon corps durant la chute libre.

John a remarqué quelque chose à mon sujet, puis a suggéré un exercice.

Nous nous sommes levés.

Il m'a poussée, sur l'épaule.

Au lieu de le repousser, j'ai laissé mon corps aller là où il l'avait poussé. Je pratiquais la non-résistance, une compétence que j'avais acquise dans les arts martiaux. Il m'a poussée de nouveau. J'ai encore démontré de la non-résistance. J'ai laissé mon corps aller naturellement dans la direction où il était poussé. Ce geste de non-résistance m'avait été très utile, tant sur les matelas qu'ailleurs. Ne pas résister aux gens quand ils voulaient une dispute – apprendre à dire «Hmmm» plutôt que de s'engager dans la bataille – assurait le calme de ma vie et de mon environnement. Ne pas résister quand les problèmes ou les expériences survenaient dans ma vie me permettait de suivre le courant et d'être suffisamment calme et centrée pour m'attaquer à ces problèmes beaucoup plus efficacement que si je leur résistais.

J'ai expliqué cela à John.

«La non-résistance est souvent une bonne chose à pratiquer dans ta vie, dit-il. Mais parfois, il faut riposter. Il faut que tu repousses avec assurance ce qui te pousse si tu veux te rendre où tu veux aller. Pousser contre le vent – diriger ton corps avec confiance – est ce qu'il faut faire si tu veux apprendre à voler.»

La pratique de la non-résistance est bienfaisante dans notre vie. Capituler est un outil précieux. Ces deux activités nous amènent immédiatement dans le courant de la vie. Lorsque nous sommes détendus, nous nous branchons à Dieu et à notre moi intérieur. Une fois que nous avons capitulé, nous savons automatiquement quoi faire ensuite et quand le faire.

Mais parfois, nous devons aussi nous affirmer. Capituler et pratiquer la non-résistance ne signifient pas que nous devenions des bouts de papier à la merci de tous les vents. Il faut parfois repousser la résistance qui nous est servie.

C'est ainsi que nous nous imposons, que nous orientons et dirigeons notre trajectoire. C'est ainsi que notre Puissance supérieure nous oriente et nous dirige également.

Nous avons appris à capituler. Il est maintenant temps d'apprendre à nous imposer. Avez-vous capitulé au point d'avoir cessé de vous affirmer ou de vous exprimer? Imposez-vous. Posez les gestes que votre cœur vous indique. Sachez où vous voulez aller et ce que vous voulez dire.

Une fois que vous avez admis votre impuissance, apprenez à vous brancher à votre pouvoir. Apprenez quand il est temps de pratiquer la non-résistance et quand il est temps d'aller contre le vent.

Mon Dieu, aide-moi à m'aligner sur ton pouvoir dans ma vie. Montre-moi à exprimer et à affirmer ce pouvoir au cours de ma journée.

4 août   Remerciez le vent

«Ce serait plus facile de sauter en parachute s'il n'y avait pas tout ce vent qui me ballotte partout», ai-je dit à mon moniteur de saut.

«Non, ce n'est pas vrai. Sans le vent, tu ne serais pas capable de bouger du tout. Si tu n'avais pas de résistance, tu ne serais pas capable de faire voler ton corps. C'est pour cette raison que le vent est là – pour pousser contre toi.»

Il est facile de croire que nous serions beaucoup plus heureux sans tel problème, telle situation, telles personnes troublant notre tranquillité. *Quel fardeau,* pensons-nous. *Pourquoi ma vie ne peut-elle pas être seulement calme et sereine, paisible, sans interruptions et événements encombrants?*

La résistance est parfois nécessaire. Bien qu'il importe de vivre dans un milieu calme et enrichissant, la résistance peut être essentielle à notre croissance. Prenez un moment. Songez à la façon dont vos problèmes vous ont façonné en ce que vous êtes devenu.

Lorsque les problèmes et les défis surviennent, ils nous obligent à examiner nos idéaux, à devenir alertes et souvent à apprendre quelque chose de nouveau à notre sujet ou sur les autres. Même nos ennemis, nos rivaux et nos concurrents nous donnent quelque chose contre quoi pousser. Ils nous aident à définir qui nous sommes et nous défient de nous améliorer.

Au lieu de vous plaindre et de ronchonner à propos de tel problème ou telle circonstance, remerciez-le d'être là. En ce moment, la résistance de votre vie vous donne quelque chose contre quoi pousser.

Soyez reconnaissant pour le vent. Vous en avez besoin pour apprendre à voler.

Mon Dieu, aide-moi à être reconnaissant pour tous les problèmes et circonstances de ma vie. Aide-moi à me rappeler que tu m'enseignes à voler.

5 août   Cessez de combattre

Je vais au réfrigérateur et j'ouvre la porte. La nourriture a l'intérieur sent mauvais, l'air semble tiède. Je décide qu'il a dû y avoir une panne d'électricité pendant un certain temps et je ferme la porte. Mon ami vient me voir plus tard dans la journée et ouvre le réfrigérateur pour prendre une boisson gazeuse.

«Aïe, dit-il, quelque chose ne fonctionne pas dans ton frigo.»

«Non, l'électricité a manqué un bout de temps», dis-je.

Je ne *veux* pas que le réfrigérateur ait un problème de fonctionnement. Je suis trop occupée ailleurs. Je ne veux pas prendre le temps de téléphoner à un centre de réparation, être interrompue quand ils arrivent à la maison, et être dérangée à maintes reprises lorsqu'ils reviennent le réparer.

Plus tard ce soir-là, j'ouvre de nouveau le réfrigérateur. Je regarde pendant un moment, puis je claque la porte. *Zut, il est brisé.* Je réfléchis. Je prends toute la frustration de ce contretemps et j'utilise l'énergie à capituler devant le problème, puis à le régler.

Il y a une différence entre combattre un problème et repousser la résistance qu'il offre dans notre vie. Lorsque nous nous battons avec l'alcoolique pour qu'il devienne sobre, nous combattons le problème. Lorsque nous sommes assez blessés et en colère pour repousser le problème, nous utilisons cette frustration pour nous motiver à capituler, puis nous allons à une réunion Al-Anon ou voir un thérapeute, et commençons à apprendre à nous détacher et à prendre soin de nous-même. La vie s'améliore. Au lieu de combattre le problème, nous le repoussons et utilisons la résistance pour poursuivre notre route.

Combattez-vous un problème dans votre vie présentement au lieu d'utiliser la résistance qu'il offre comme un défi pour grandir? Au lieu de gaspiller votre énergie à combattre ce problème, capitulez. Utilisez ensuite la frustration et le chagrin comme une motivation pour vous affirmer et poser des gestes constructeurs.

Mon Dieu, je te remercie de la résistance dans ma vie. Aide-moi à cesser de la combattre et à utiliser cette énergie pour vraiment résoudre le problème.

6 août — La leçon peut être une épreuve

Les problèmes et les défis surviennent parfois pour nous faire avancer dans la vie. D'autres fois, ils servent à nous défier et à renforcer ce que nous savons et croyons déjà.

Peut-être que ce problème est survenu dans votre vie pour vous enseigner quelque chose de nouveau.

Peut-être est-ce une occasion de vous rappeler et de pratiquer ce que vous savez déjà être vrai.

Repoussez ce problème. Repoussez ce qui se passe à l'aide de vos idéaux et de vos convictions. Examinez ce que vous pensez, croyez et ressentez. Restez ouvert au changement. Mais rappelez-vous que, parfois, il ne s'agit pas de changer ce en quoi vous croyez. C'est une occasion pour vous de valider votre personne et vos convictions.

Nous n'apprenons pas toujours du nouveau. La leçon est parfois de nous rappeler ce que nous savons déjà et d'y avoir confiance.

Mon Dieu, aide-moi à être ouvert au changement; aide-moi aussi à défendre mes convictions quand elles sont justes.

7 août — Cessez de vous remettre en doute

Souvent dans la vie, quand un incident survient, nous savons ce que nous voulons et devons faire. C'est évident. Nous avons déjà assimilé cette leçon. Notre cœur et notre guide intérieur nous parlent clairement de ce que nous voulons ou ne voulons pas faire.

Mais je devrais m'ouvrir au changement et aux nouvelles idées, pensons-nous. *Peut-être que ce que je veux n'est pas bon. Ce que je veux peut-il vraiment être bon? Probablement pas. Je ne sais peut-être pas de quoi je parle.*

Comme dit Winnie l'Ourson: «Quel embêtement! Quelle angoisse!»

Nous créons nous-même cet ennui et cette angoisse.

Soyez ouvert aux nouvelles idées. Nous n'avons pas toujours raison de croire ce que nous croyons. Demeurez ouvert à examiner et à changer vos convictions et vos idéaux. Mais ne passez pas tout votre temps à vous mettre et à vous remettre en doute. Votre vie filera sous vos yeux. Vous n'accomplirez rien. Et il y a de fortes chances que ces doutes répétés vous ramènent à la case départ.

Mon Dieu, aide-moi à cesser de gaspiller mon temps et mon énergie à me remettre en doute. Aide-moi à apprendre à te faire confiance et à me faire confiance.

8 août   Vous êtes protégé

Il est facile d'être reconnaissant pour des prières exaucées, facile d'être joyeusement reconnaissant quand l'univers nous donne exactement ce que nous voulons. Ce qui l'est moins, c'est de nous souvenir d'être reconnaissant quand nous n'obtenons pas ce que nous voulons.

John voulait devenir cadre dans l'entreprise qui l'employait. Il travaillait dur pour obtenir cette promotion. Il priait chaque jour en ce sens, tout en donnant cent pour cent de son énergie et de son dévouement au poste qu'il occupait. Mais le moment venu, on lui refusa son poste de rêve. Il quitta l'entreprise peu après. Aujourd'hui, il dirige sa propre entreprise avec plus de responsabilités, de succès et de joie qu'il n'aurait jamais pu espérer dans son ancienne compagnie.

Susan, une toxicomane en rétablissement, voulait plus que tout sortir avec Sam. Au hasard de rencontres au travail, ils s'étaient très bien entendus. Il était charmant, élégant et sobre, pensait-elle. Pendant des mois, elle a essayé d'arranger un rendez-vous avec lui, priant que Dieu l'amène dans sa vie. Mais cela ne semblait jamais fonctionner. Elle ne savait pas pourquoi. Il semblait tellement intéressé à elle. Elle croyait dur comme fer que la relation était d'inspiration divine. Elle fut stupéfaite d'apprendre, en arrivant au travail un beau matin, que Sam était décédé la veille d'une surdose de drogue. Il consommait des drogues et avait menti à ce propos tout ce temps.

Nous obtenons parfois ce que nous demandons. Et parfois pas. Dieu dit, «Non.» Soyez reconnaissant – obligez-vous à la gratitude, feignez-la s'il le faut – lorsque Dieu répond à vos prières secrètes en disant *non*.

Prenez les refus avec le sourire. Laissez les «non» de Dieu vous faire avancer avec bonheur sur votre route. Peut-être n'êtes-vous pas puni, après tout. Peut-être Dieu vous protège-t-il de vous-même.

Mon Dieu, merci de ne pas toujours me donner ce que je crois être mieux.

9 août   Soyez reconnaissant d'obtenir autre chose

Cher Dieu,

Merci pour mon bébé frère, mais c'est un bébé chien que j'avais demandé.

– LETTRES D'ENFANTS À DIEU

Parfois, nous regardons autour de nous, évaluons la situation et décidons de ce que nous croyons avoir besoin. Alors nous allons vers Dieu et commençons à prier.

Tout à coup, nos prières sont exaucées. Mais la réponse n'est pas ce que nous avons demandé. Nous étions tellement précis pourtant, pensons-nous. Et maintenant, ceci – cette *chose* – nous arrive. Nous n'avons pas obtenu ce que nous avions demandé. Nos prières ont été exaucées, mais nous avons reçu quelque chose d'autre.

Ne soyez pas amer ou si profondément déçu de ne pas obtenir ce que vous avez demandé au point de rater ce que vous avez bel et bien reçu. Les désirs et les besoins sont étroitement liés. Et tous nos besoins, même ceux dont nous ne sommes pas encore pleinement conscients, seront comblés. Soyons reconnaissants que Dieu en sache plus que nous sur ce dont nous avons besoin.

Parfois, nous obtenons ce que nous voulons quand nous prions. D'autres fois, nous obtenons ce qu'il nous faut. Acceptez les deux réponses – les oui et les quelque chose d'autre – avec une gratitude sincère. Puis, regardez autour de vous et voyez ce que sont votre leçon et votre cadeau.

Mon Dieu, aide-moi à me souvenir d'être reconnaissant même si le cadeau n'est pas tout à fait ce que j'attendais.

10 août   Tout est cadeau

Les hommes ne sont pas mécontents du simple malheur, mais du malheur perçu comme un préjudice. Et la notion de préjudice repose sur le sentiment qu'une demande légitime a été refusée.

– C. S. LEWIS, *TACTIQUE DU DIABLE*

Oh! la grogne que nous nous payons, surtout quand nous nous sentons privés d'une chose ou d'une autre – une récompense ou une réalisation, ou un poste que nous estimions nous revenir.

Comme nous pouvons être enragés quand un souhait, un espoir, un rêve ou un désir nous est ouvertement refusé.

Comme il est facile d'être jaloux du succès ou du bonheur de l'autre, de nous convaincre même que l'autre personne a réclamé quelque chose qui nous revenait de droit.

La leçon est simple, ici.

Souvenez-vous d'être reconnaissant. Dieu ne nous *doit* rien. Tout est un cadeau.

Mon Dieu, merci pour tout, tel quel.

11 août   Priez pour ceux envers qui vous éprouvez du ressentiment

J'ai raconté mon histoire préférée sur la prière à l'intention de ceux pour qui j'éprouve du ressentiment dans le livre *Agir avec son cœur.* La voici de nouveau :

Il y a des années, quand j'ai découvert le *Stillwater Gazette,* le plus vieux quotidien détenu par des intérêts familiaux, je savais que je voulais y travailler. Je pouvais le sentir – dans mes os et dans mon cœur. Quand je me suis rendue à leurs bureaux pour postuler un emploi, le propriétaire ne ressentait pas le même sentiment cependant. Il avait un poste ouvert pour un journaliste, mais il voulait embaucher quelqu'un d'autre. Abigail, disait-il, était toute désignée pour le poste.

J'ai prié pour Abigail tous les jours. Je demandais à Dieu de prendre soin d'elle, de la guider et de la bénir abondamment. Je priais pour elle parce que c'était ce qu'on m'avait enseigné – prie pour ceux envers qui tu éprouves du ressentiment. Je priais pour elle parfois trois ou quatre fois par jour. Autant je priais pour elle, autant j'avais du ressentiment envers elle.

Mon Dieu, je haïssais Abigail.

Dans les mois qui ont suivi, presque six, j'ai frappé à la porte de la *Gazette* une fois par semaine, suppliant d'être embauchée. Finalement, j'ai obtenu un emploi. Mais ce n'était pas celui que je voulais. Abigail, Dieu la bénisse, avait le mien.

Elle avait les meilleurs reportages à couvrir. Elle travaillait très vite et avec une grande aisance journalistique.

Alors je continuais de prier, «Mon Dieu, bénis Abigail», parce que c'était tout ce que je savais faire.

Au fil des mois, alors que j'obtenais mes affectations moins importantes du rédacteur en chef – c'est-à-dire, moins importantes que celles d'Abigail – je me suis mise à l'observer au travail. Elle écrivait rapidement et efficacement. Allait droit au but. Elle était aussi une bonne intervieweuse. J'ai commencé à me forcer à mieux écrire, et aussi plus rapidement. *Si Abigail peut le faire, moi aussi,* me disais-je. Mon ennemie commençait à m'inspirer. Dans les semaines et les mois qui ont suivi, j'ai passé de plus en plus de temps près d'Abigail. Je l'écoutais parler. J'écoutais ses histoires. Lentement, mon ennemie est devenue mon amie.

Un jour, Abigail et moi prenions un café. Je l'ai regardée droit dans les yeux. Et soudain, je me suis rendu compte que je ne la détestais plus. Elle faisait son travail. Je faisais le mien.

Peu après, j'ai eu une offre d'un éditeur pour écrire un livre. J'étais contente de ne pas avoir le poste d'Abigail, car je n'aurais pas eu le temps d'écrire ce livre. Puis, un jour de juin 1987, ce livre s'est classé sur la liste des best-sellers du *New York Times*.

Des années plus tard, j'ai écrit l'histoire d'Abigail dans *Agir avec son cœur.* Le livre a été publié. Je suis retournée au Minnesota pour une séance de signature. J'étais dans les toilettes de la librairie, en train de me laver les mains, quand une femme s'est approchée.

«Bonjour, Melody», dit-elle. Je l'ai regardée, incertaine. «C'est Abigail», dit-elle. Abigail n'était pas son vrai nom, c'était le nom que je lui avais donné dans mon histoire. Mais par ces mots, je me suis rendu compte qu'elle avait lu l'histoire. Elle savait qu'elle était Abigail, et elle savait aussi ce que j'avais éprouvé à son endroit.

Nous en avons ri pendant quelques minutes. Je lui ai demandé comment allait sa vie. Elle m'a dit qu'elle avait abandonné l'écriture pour devenir épouse et mère. Je lui ai dit que j'écrivais encore, et que mes années d'épouse et de mère étaient en grande partie derrière moi.

Les ressentiments sont tellement idiots. L'envie aussi est idiote. Mais ces petites choses idiotes peuvent vous ronger le cœur. Les gens sont parfois dans notre vie pour nous montrer de quoi nous sommes capables. Il arrive que les gens que nous percevons comme nos ennemis sont vraiment nos amis. Y a-t-il quelqu'un dans votre vie envers qui vous dépensez de l'énergie à éprouver de l'envie ou du ressentiment? Cette personne pourrait-elle être là pour vous enseigner quelque chose à votre sujet que vous ne connaissez pas ou vous inspirer sur votre chemin? Vous ne connaîtrez pas la réponse à cette question jusqu'à ce que vous fassiez sortir l'envie et le ressentiment de votre cœur.

Mon Dieu, je te remercie pour les personnes envers qui j'éprouve de l'envie et du ressentiment. Bénis-les de tous tes bienfaits. Ouvre-leur des portes, couvre-les d'abondance. Aide-moi à savoir que mon succès ne repose pas sur leur échec, mais qu'il équivaut à la mesure selon laquelle je te demande de les bénir.

12 août — Être reconnaissant de son passé

Plus tôt dans ce livre, je vous ai suggéré d'écrire vos mémoires. Même si vous ne vous installez pas pour le faire, je vais vous suggérer de passer votre vie en revue.

Lire les mémoires de ma mère a été une expérience profonde, qui a touché mon cœur et lui a apporté de la compassion d'une façon que je n'avais pas été en mesure d'atteindre dans tout mon travail sur ma famille d'origine. Enfant, je me fermais quand ma mère parlait de ses expériences. J'éteignais mes écouteurs. Son récit me semblait de la grogne et des plaintes. Je ne voulais rien entendre de sa souffrance.

Mais quand j'ai lu sa vie sous la forme d'une histoire, j'ai eu une autre réaction. J'étais capable de la lire objectivement, et non comme sa fille ou comme une personne qui se sent coupable parce que j'aurais souhaité qu'elle n'ait pas vécu toute cette souffrance. J'ai vu à quel point ses expériences avaient créé et façonné directement la personne qu'elle était. J'ai vu les désirs de son cœur. J'ai vu ses tragédies, ses rêves brisés. J'ai également vu son héroïsme.

Mes petites réactions impertinentes – le lot mère-fille irritant – disparurent sous ce nouvel éclairage. Elle n'était plus une mère qui avait des problèmes. Elle était un être humain qui vivait noblement sa vie. Comme nous tous, elle avait ses fragilités, ses zones vulnérables et ses points forts.

Il ne s'agit pas ici pour vous de lire à propos de ma mère. Il s'agit que vous adoptiez une nouvelle perspective sur votre vie et toutes les expériences que vous avez vécues, endurées, auxquelles vous avez survécu et, finalement, que vous avez transcendées. Quand j'ai écrit l'histoire de ma vie, j'ai résisté en premier lieu. Je n'avais pas tellement aimé la vivre. Je ne voulais pas revivre toutes ces expériences.

Mais quelque chose s'est passé en écrivant. C'était semblable à ce qui est arrivé quand j'ai lu le compte rendu de ma mère sur sa vie. Je me suis mise à me voir – moi-même et ce que j'avais vécu – différemment, sous un angle nouveau, plus compatissant.

Chaque expérience, chaque décennie, chaque chapitre du livre m'a appris quelque chose de précieux. De chaque expérience vécue, j'ai tiré ou découvert une nouvelle perspective et un nouveau pouvoir. Sans doute qu'une grande partie de ce que j'avais préféré oublier ou à quoi j'avais tourné le dos n'était pas la vie gâchée que je croyais.

Quelle belle histoire chacun d'entre nous possède. Que vos expériences se retrouvent ou non dans un livre, c'est quand même votre livre de vie. Êtes-vous reconnaissant de chaque chapitre que vous avez vécu? Êtes-vous reconnaissant de chaque expérience que vous avez eue? Êtes-vous reconnaissant de l'histoire que vous vivez en ce moment?

La bonne nouvelle, c'est que l'histoire de notre vie n'est pas encore terminée. Il y a encore des chapitres à venir.

Vivez l'expérience de la condition humaine dans toutes ses peines et ses joies.

Soyez reconnaissant de l'histoire que vous vivez en ce moment.

Mon Dieu, aide-moi à rire, à pleurer, à aimer, à être conscient et reconnaissant de tout cœur de chaque moment et de chaque expérience qui m'ont été donnés. Merci pour ma vie.

13 août   Merci pour les leçons

Les gens disent que tout arrive pour une raison et que Dieu a des desseins sur tout. Je crois en effet que les choses arrivent pour une raison. Et je crois au plan divin. Mais si nous ne tirons pas la leçon d'une circonstance et que nous ne la laissons pas nous guérir complètement – qu'il s'agisse du passé ou du présent – les choses qui arrivent pour une raison continueront d'arriver encore et encore.

– MELODY BEATTIE, *AGIR AVEC SON CŒUR*

«J'ai appris quelque chose aujourd'hui, m'a dit une femme. Avant que je puisse lâcher prise complètement sur quelque chose ou quelqu'un, je dois remercier la personne et l'expérience pour ce qu'elles m'ont enseigné.»

Parfois, la dernière ficelle qui nous rattache à cette personne ou cette expérience, cette partie de notre vie dont nous tentons si vaillamment de nous libérer, peut être efficacement coupée avec les cisailles de la gratitude.

Vous accrochez-vous à un ressentiment pour cet «ex» ou pour un ami d'il y a longtemps? Nourrissez-vous encore de l'amertume pour un emploi ou un contrat qui a mal tourné? Retenez-vous une partie douloureuse de votre vie avec l'amertume et le ressentiment? Vous agrippez-vous à une période ou à un cycle particulièrement bon que vous avez vécu avec quelqu'un dans la crainte que, si les choses changent et que vous lâchez prise sur le passé pour vivre le présent, les choses ne seront plus aussi bonnes?

Vous avez peut-être eu besoin de cette relation pour en apprendre sur une partie de vous. Vous avez peut-être appris la compassion ou en avez su davantage sur ce que vous attendez de la vie. Cet ami, même s'il ou elle ne fait plus partie de votre vie, vous a peut-être aidé à ouvrir une partie de vous qui était fermée, et qui devait être activée et libérée. Qu'en est-il de ces expériences pénibles? Elles vous ont aussi appris quelque chose, probablement beaucoup. Et cette expérience qui était si satisfaisante? Il faut aussi lâcher prise sur elle si nous devons ouvrir notre cœur à la nouveauté.

Appliquez une dose de gratitude. Remerciez l'expérience d'être dans votre vie. Remerciez cet «ex», ou cet ami, ou cette entreprise, ou ce patron. Remerciez-les encore et encore en pensée. Asseyez-vous délibérément et comprenez ce qu'ont été les leçons et les cadeaux. Si vous ne les voyez pas, demandez qu'ils vous soient montrés.

Faites un pas vers le lâcher prise et la liberté en étant reconnaissant de la façon dont cette personne ou cette expérience a enrichi votre vie.

Mon Dieu, merci pour le passé. Aide-moi à lâcher prise avec gratitude, de sorte que je puisse vivre plus pleinement et joyeusement maintenant.

14 août — Être reconnaissant d'être là où on est maintenant

«Il faut de la foi pour croire que tout arrive pour une raison, mais il en faut encore plus pour croire que je suis ce que je suis et où je suis maintenant, aujourd'hui, pour une raison – même si je ne connais pas cette raison et que je n'aime pas particulièrement qui je suis et où je suis aujourd'hui, m'a dit un ami. Quand je peux saisir cela, mon insatisfaction et ma négativité disparaissent, et je peux poursuivre ma vie calmement et avec gratitude. Pour moi, c'est la base de toute la spiritualité.»

La foi et l'espoir ne concernent pas que l'avenir. Essayez de vous en servir aujourd'hui.

Serait-il possible que vous soyez qui vous êtes et où vous êtes maintenant pour une raison? Remerciez Dieu de votre vie, exactement comme elle est, en ce moment même.

Mon Dieu, donne-moi assez de foi pour croire à aujourd'hui.

15 août — Fabriquez une boîte de gratitude

Un jour, des années après que j'ai découvert le pouvoir de la gratitude, je me sentais bloquée, coincée et ingrate. Encore une fois. Après quelques minutes, j'ai su quoi faire. Je savais très bien comment remédier à la situation.

Je suis allée dans une boutique en ville et j'ai choisi la plus jolie petite boîte que j'ai pu trouver. Elle était en argent et était gravée. Environ dix centimètres de haut et quinze centimètres de large. Puis je suis rentrée chez moi et j'ai pris une tablette à écrire. J'ai déchiré les feuilles en petites bandes étroites. Sur chaque bande, j'ai inscrit une chose qui me dérangeait ou me troublait – finances, travail, amour.

Quand j'ai eu fini d'écrire ma liste de problèmes, j'en ai commencé une autre. Ensuite, sur chaque bande de papier, j'ai écrit le nom des personnes pour qui je voulais prier, des personnes que j'aimais, des personnes que je voulais demander à Dieu de bénir.

Quand j'ai terminé, j'ai mis chaque bande de papier dans la boîte.

Puis, j'ai pris la boîte dans mes mains et j'ai remercié Dieu de tout ce qui s'y trouvait.

J'ai encore ma boîte de gratitude. Elle est toujours bien en vue. Les gens croient que ce n'est qu'un joli bibelot, mais elle importe bien plus pour moi. De temps à autre, quand j'ai les bleus, j'ouvre la boîte. Je prends une bande de papier et je pratique la gratitude, quelle que soit la bande que j'ai pigée. Je tire parfois le nom d'une personne que je veux que Dieu bénisse. Ce jour-là, ma mission consiste à entourer cette personne de mes prières.

La plupart des ennuis que j'ai déposés dans cette boîte sont réglés depuis longtemps. Mais la boîte est encore là pour me rappeler le pouvoir de la gratitude.

Avez-vous des problèmes dans votre vie aujourd'hui, des domaines que vous semblez incapable de résoudre ? Si vous n'avez pas déjà une boîte de gratitude, songez à vous en faire une. Rappelez-vous, il y a une différence entre connaître le pouvoir de la gratitude et effectivement appliquer la gratitude dans notre vie.

Mon Dieu, aide-moi à faire les choses dont je sais qu'elles vont m'aider à me sentir mieux.

Activité. Prenez le temps de fabriquer une boîte de gratitude. Mettez-y une bande de papier pour chaque problème ou ennui que vous connaissez présentement, une bande de papier pour chaque chose et chaque personne dont vous vous inquiétez, et une bande de papier pour les personnes que vous voulez que Dieu bénisse. Les bénédictions sont destinées à vos proches et à ceux envers qui vous éprouvez du ressentiment. Puis, passez de deux à cinq minutes par jour soit à remercier Dieu de tout ce que contient la boîte, soit à prendre une bande de papier à la fois et à en remercier Dieu. Laissez la boîte bien en vue comme un rappel quotidien que pratiquer le pouvoir de la gratitude changera votre vie.

16 août   Merci pour mon cœur

«Jeudi dernier, j'ai réussi à trouver le courage de mettre fin à une relation qui me tourmentait. Je savais que cette relation n'allait nulle part, et je percevais des traits de caractère inquiétants chez cette personne. Maintenant, je suis aux prises avec une grande tristesse. Cela m'indique que la soif d'attachement que nous, êtres humains, éprouvons de nous lier les uns aux autres de même que le désir de compagnie doivent être incroyablement forts. Je suis encore plus reconnaissante que triste.»

Ce n'était qu'un bref message sur le babillard en ligne que je tenais au site Web hazelden.org. La femme n'avait pas besoin d'en dire plus. Pour moi, la leçon était claire et complète: soyons reconnaissants d'avoir un cœur.

Mon Dieu, merci de la capacité et du désir d'aimer. L'amour est un cadeau précieux qui nous vient de toi.

17 août   Quittez le nid

La maman aigle apprend à ses petits à voler en rendant leur nid si inconfortable qu'ils sont obligés de le quitter et de s'engager dans le monde inconnu des airs. Et c'est ainsi que Dieu agit envers nous.

– HANNAH WHITALL SMITH

La pression émane parfois de notre intérieur, et d'autres fois, elle est extérieure à nous. Tel emploi prend fin. La relation ne fonctionne plus. L'alcool et les drogues ne font plus effet. *Qu'est-ce que je vais faire?*

Oh! je vois. Dieu m'apprend à voler, une fois de plus.

Merci, mon Dieu, de me pousser hors du nid.

18 août   Dites merci pour l'aide

Il y a tellement de discours sur l'autonomie et l'entraide.

Guérir est un cadeau.

Oui, nous participons à nos cadeaux. Si nous nous rétablissons de la chimiodépendance, nous allons à nos réunions et pratiquons les Étapes. La même chose s'applique si nous nous rétablissons de la codépendance ou d'autres problèmes.

Devant chaque porte, nous protestons: «Je ne veux pas cela. Je ne veux pas de ce problème. Je ne veux pas guérir. Je veux ravoir ma vie comme elle était – ou comme j'imaginais qu'elle serait.» Et nous résistons et luttons, mais les changements surviennent de toute façon.

Nous faisons notre part, comme nous l'entendons, chaque jour. Petit à petit, l'étape suivante devient évidente. Une guérison s'installe.

Nous recevons nos jetons pour le nombre de jours où nous sommes restés sobres ou que nous allons à Al-Anon. Ou nous traversons une fête importante sans flancher et pleurer, parce que nous nous concentrons sur ceux qui y sont plutôt que sur les absents.

Nous pouvons être satisfaits de ce que nous avons fait, du rôle que nous avons joué à prendre soin de notre vie. Mais rappelez-vous, guérir est un cadeau. L'amour aussi. Le succès aussi. Soyez content de faire votre part et de vous aider. Mais un doux merci est peut-être aussi de mise.

Mon Dieu, merci.

19 août — Profitez des cadeaux et partagez-les

Mon ami était au téléphone avec sa sœur, un jour. Ils avaient une petite rivalité fraternelle, mais d'un type favorable, motivant.

«Je m'en vais en Asie», dit-il.

«Eh bien, je suis allée en Afrique et j'ai contribué à y construire un hôpital», dit-elle.

Ils se sont taquinés l'un l'autre à propos des endroits où ils étaient allés et où ils espéraient se rendre ensuite. Puis ils ont décidé qu'ils n'obtiendraient des points que si le voyage avait été super – et pour ce qu'ils avaient appris et pour ce qu'ils avaient fait de l'expérience après l'avoir vécue.

«Tu as aidé à construire un hôpital pour les enfants. Tu marques beaucoup de points pour ça, dit-il. Mais je ne t'accorde aucun point pour le Danemark. Tout ce que tu as fait, c'est changer d'avion. Tu n'y as même pas jeté un coup d'œil et profité du paysage. Il faut que nous reparlions, dans quelques années, et que nous sachions combien de points nous avons chacun obtenu.»

On l'a déjà dit, mais ça vaut la peine de le répéter: ce n'est pas seulement où vous allez, c'est ce que vous en faites qui compte. Avez-vous des expériences formidables, mais que vous gardez pour vous? Prenez-vous la peine de vous extirper de votre fauteuil et de voir ce que votre monde vous offre, ou regardez-vous la télé? Parcourez-vous votre route sans jamais glaner aucune idée en chemin? Faites-vous quelque chose de valable avec ce que vous avez appris, même si c'est partager votre expérience, votre force et votre espoir avec un ami intime?

Combien de points méritez-vous pour des voyages vraiment super?

Dire *merci* consiste, d'une part, à partager notre vie avec le monde et, d'autre part, à apprendre à profiter nous-même de notre vie. Vivez, aimez, apprenez et voyez des choses, puis transmettez-les.

Ne dites pas seulement *merci*. Démontrez votre gratitude envers la vie en vivant aussi pleinement que possible.

Mon Dieu, aide-moi à m'engager à faire quelque chose de valable et de serviable avec le cadeau de ma vie, même si cela ne signifie que de profiter simplement de ce que je vis en ce moment.

Célébrez l'abondance qui se présente dans votre vie. Si souvent, nous passons tellement de temps dans la phase «faire sans» que nous ne savons pas quoi faire quand arrive l'occasion de «faire avec». Nous pouvons si bien nous habituer à la souffrance – nous en venons même à nous y attendre – que nous nous sentons coupables lorsque nous recevons les bonnes choses de la vie et que nous en avons finalement suffisamment.

Nous sommes peut-être conditionnés à croire que, pour avoir le succès et l'abondance, nous avons dû faire quelque chose de mal. Nous ne sommes pas vraiment certains de mériter ce nouveau bonheur.

Que faisons-nous maintenant que nous n'avons plus à lutter à chaque pas et à supplier Dieu pour l'argent de chaque repas?

Célébrez. Profitez-en. L'abondance est un cadeau de l'univers. Il importe d'apprendre à être quelqu'un qui donne sainement et avec joie. Il est également important de recevoir avec joie.

Si vous avez beaucoup reçu, soyez reconnaissant. Utilisez votre abondance avec sagesse. Profitez-en. Partagez-la avec autrui. Soyez reconnaissant des cadeaux de votre vie.

Mon Dieu, merci pour les cadeaux.

Activité. Faites un inventaire de vos cadeaux. Ceci est distinct de la liste de gratitude des choses pour lesquelles nous tentons d'avoir de la gratitude. Quels sont exactement les cadeaux que vous avez reçus? Nous sommes parfois tellement occupés à obtenir davantage que nous oublions d'être reconnaissants pour ce que nous avons.

21 août — Posez un geste de gratitude

Aucun de nos succès ne s'accomplit sans l'aide des autres. À maintes et maintes reprises, il semble qu'il y ait quelqu'un à la croisée des chemins qui nous attend, nous indiquant la direction du chemin du cœur.

Ce sont peut-être des amis, des membres de la famille, des prêtres ou des mentors, voire des policiers ou des juges. Je crois que ce sont peut-être des anges qui nous sont envoyés pour nous aider à traverser les moments difficiles et nous ramener sur le chemin du cœur.

Ils sont au bon endroit au bon moment avec les paroles justes et l'aide qu'il nous faut.

Les avez-vous déjà remerciés?

Posez un geste de gratitude. Trouvez l'une de vos personnes phares, ou l'un de vos anges gardiens, et dites-lui ce qu'elle a signifié pour vous dans votre vie. Vos guides ne sont peut-être même pas au courant de l'influence qu'ils ont eue sur vous. Et qui sait si vos bons mots ne sont pas précisément la lumière dont ils ont besoin aujourd'hui pour les ramener doucement sur leur chemin du cœur.

Puis, allez un peu plus loin. Prenez le geste bon et aimant qu'ils ont eu à votre égard, et refaites-le pour quelqu'un d'autre.

Mon Dieu, rappelle-moi de remercier quand je dois le faire.

22 août — Soyez reconnaissant de vos familles

Je suis allée à la cuisine du Blue Sky Lodge, un après-midi. J'ai regardé mon groupe d'amis. «Je me sens vraiment bénie, ai-je dit. Vous savez que nous sommes davantage une famille que des amis.»

Ils ont acquiescé.

Ma maison est pleine d'amitié, et au risque de paraître fleur bleue, elle est pleine d'amour. Il y a presque toujours quelqu'un à la maison pour s'occuper des lieux, bien qu'il nous arrive d'oublier de sortir les ordures de temps à autre.

J'ai appris et rigolé avec mes colocataires, et j'espère qu'ils ont aussi appris de moi. Êtes-vous reconnaissant des personnes avec qui vous vivez? Ou si vous vivez seul, êtes-vous reconnaissant de vos amis? Quelqu'un m'a déjà dit que le grand bonheur d'être indépendant, c'est qu'on peut choisir nos familles. Soyez reconnaissant de votre famille aujourd'hui, que ce soit celle dans laquelle vous êtes né ou celle que vous avez choisie.

Nos familles sont un cadeau.

Mon Dieu, merci pour mes familles.

23 août   Célébrer le cadeau de l'amitié

Célébrez le cadeau de l'amitié.

Prenez une feuille et un stylo. Écrivez-y:

1. Le nom d'un bon ami.

2. Une leçon qu'il vous a apprise.

3. Quelque chose à son sujet qui vous fait sourire.

4. Le mets préféré de votre ami. (Il faudra peut-être un peu de recherche.)

5. Une activité qu'il aime.

Ensuite, prenez le téléphone. Appelez votre ami et invitez-le à une célébration avec vous. Faites son activité préférée : faites une marche, allez au baseball, restez à la maison et regardez des vidéos, quoi que ce soit que cette personne préfère. Puis, préparez le mets préféré de votre ami ou invitez-le au restaurant qu'il aime le mieux. Dites à votre ami précisément, et avec votre cœur, la leçon qu'il vous a aidé à apprendre.

Puis dites à votre ami ce qu'il fait qui vous fait sourire. Dites-lui les choses que vous appréciez vraiment chez lui – ces choses qui font que cet ami est une personne unique.

L'amitié est un autre cadeau important de Dieu. Ne dites pas seulement à vos amis à quel point ils comptent dans votre vie. Montrez-leur par un geste de gratitude combien ils vous sont précieux.

Mon Dieu, merci de faire de chacun d'entre nous une personne unique. Merci pour mes amis.

24 août   Célébrez qui vous êtes

Aujourd'hui, célébrez qui vous êtes. Oui, vous avez beaucoup en commun avec d'autres gens. Mais vous êtes également uniquement vous.

Prenez une feuille de papier et de quoi écrire. Écrivez :

1.   Une leçon que vous avez apprise de la vie.

2.   Un talent que vous avez, même bizarre.

3.   Votre mets préféré.

4.   Le nom d'un ami qui vous respecte et vous aime pour ce que vous êtes.

5.   Une activité que vous aimez.

Ensuite, prenez le téléphone et appelez votre ami. Invitez-le à célébrer avec vous. Faites l'activité que vous aimez – faites une marche, allez au baseball, restez à la maison et regardez des vidéos, quoi que ce soit que vous aimez faire. Préparez ensuite votre mets préféré ou allez au restaurant vous le faire servir. Montrez votre talent à votre ami – rappelez-vous que cette personne vous aime et vous respecte pour ce que vous êtes. Alors si vous pouvez tenir en équilibre une balle de ping-pong sur le bout de votre nez, allez-y et faites-le. Montrez-lui comme vous êtes doué. Parlez à votre ami des leçons que vous avez apprises, et invitez-le à partager une leçon qu'il a apprise de vous.

Au lieu de vous en faire et de vous inquiéter d'être si différent, soyez reconnaissant d'être unique.

Célébrez qui vous êtes.

Mon Dieu, merci aussi pour moi.

25 août   Montrer sa gratitude

Pourquoi attendre? Montrez votre gratitude aujourd'hui.

Si quelqu'un a été bon, remerciez cette personne aujourd'hui. Oui, nous pouvons attendre et l'inviter à dîner la semaine prochaine. Mais si vous lui envoyiez un courriel dès cet après-midi ou que vous lui laissiez un message sur son répondeur, lui disant à quel point vous appréciez les mots ou les gestes aimables?

Nous ne pouvons montrer de la gratitude sans la partager avec quelqu'un. Lorsque nous montrons notre gratitude, c'est une façon de partager notre joie avec cette personne. Même quand nous faisons une chose aussi simple que de faire brûler un cierge pour montrer notre gratitude envers Dieu, notre joie rayonne ainsi pour tous ceux qui voient la flamme du cierge. Cela renforce leur foi et leur rappelle de montrer eux aussi leur gratitude.

Faites que montrer et partager votre gratitude devienne une partie de votre vie. Si quelqu'un fait quelque chose de bien pour vous, partagez votre bonheur avec cette personne. Envoyez-lui une carte ou téléphonez-lui. Si vous croyez que Dieu a exaucé une de vos prières, partagez avec lui votre gratitude. Dites-le à une personne, ou remerciez Dieu publiquement lors d'un service religieux. Si vous avez remporté une victoire dans votre recouvrance, montrez votre gratitude en la partageant avec d'autres dans votre groupe. Puis, partagez aussi votre gratitude avec eux pour l'aide qu'ils vous ont apportée.

Démontrez de la gratitude dans vos gestes de tous les jours. La gratitude est plus qu'une simple réflexion et plus qu'une activité religieuse du dimanche matin. Démontrez votre gratitude par votre compassion et votre tolérance. La gratitude consolide et soutient notre relation avec Dieu et avec les autres. Engagez-vous à montrer votre gratitude en la partageant avec les autres dès que vous en avez l'occasion.

Nous pouvons montrer notre gratitude envers la vie dans nos moindres gestes. Trouvez une façon de démontrer votre gratitude envers l'univers. Nourrissez les oiseaux! L'action donne vie aux idées. Lorsque nous nous mettrons à chercher des façons de montrer notre gratitude, nous trouverons de plus en plus de choses pour lesquelles éprouver de la gratitude.

La gratitude est une forme d'extériorisation de soi qui doit être partagée. Nous ne pouvons avoir une attitude de gratitude sans avoir d'objet à cette gratitude.

Pourquoi attendre? Montrez votre gratitude aujourd'hui en partageant à quel point vous êtes reconnaissant.

Mon Dieu, aujourd'hui je vais te montrer comme je suis reconnaissant.

26 août   Trouvez la gratitude

Voici un phénomène intéressant à propos de la gratitude : il est difficile de se sentir mal quand on se sent reconnaissant. Votre esprit n'a de place que pour une pensée à la fois. Si vous le remplissez de gratitude, il n'y a plus de place pour la négativité.

Aujourd'hui, soyez reconnaissant de votre vie. Laissez cette gratitude déborder sur vos activités et teinter toutes vos inter-actions. Pensez à une chose pour laquelle vous êtes reconnaissant dans chacune de vos activités, avec chaque personne avec qui vous interagissez, et dans chaque tâche que vous effectuez.

Trouvez la gratitude dans votre vie, et vous trouverez la joie qui se trouve juste à côté d'elle.

Mon Dieu, aide-moi à chercher le bien dans ma vie.

27 août   Cesser de gâcher son plaisir

Arrêtez de comparer et de juger. Ces deux comportements peuvent évacuer toute la joie d'une vie parfaitement bonne.

Nous comparons la présente époque de notre vie à une autre. Puis nous décidons que celle-ci est moins bonne, pas aussi amusante. Ou nous comparons notre vie à celle de quelqu'un d'autre, et nous décidons que l'autre a plus de plaisir et de succès que nous.

La comparaison est un jugement. Nous jugeons que ceci est meilleur que cela, et que ceci est pire que l'autre. En comparant et en jugeant, nous nous privons de la beauté du moment et du merveilleux de la vie qui s'ouvre à nous.

Au lieu de décider si une situation est bonne ou mauvaise, soyez-en seulement reconnaissant – telle qu'elle est. La plupart des choses ne sont ni bonnes ni mauvaises, à moins que nous leur attribuions ces jugements. Les choses sont, simplement, et elles sont ce qu'elles sont, à ce moment-ci dans le temps.

Allez dans l'instant. Laissez-le être ce qu'il est – exempt de jugements et de comparaisons. Pouvez-vous croire comme c'est beau, maintenant, ici même où vous êtes? Pourquoi ne l'avez-vous pas vu avant?

Si comparer et juger évacue toute joie de votre vie, commencez à y remettre du plaisir en appliquant plutôt un peu de gratitude.

Mon Dieu, aide-moi à remettre du plaisir dans ma vie en laissant chaque moment être ce qu'il est, sans le comparer à quoi que ce soit.

28 août   Dites merci pour l'ordinaire

Ne négligez pas le merveilleux de l'ordinaire.

L'extraordinaire, l'étonnant, le phénoménal sont glorifiés tous les jours dans les films, les nouvelles et à la télévision. Nos sens en sont bombardés. Nous devenons dépendants du drame. Les seules choses qui retiennent notre attention sont les grands événements catastrophiques.

Regardez votre vie de plus près, votre univers quotidien ainsi que les gens et les activités qui s'y trouvent. Si tout vous était arraché d'un coup, qu'est-ce qui vous manquerait? Quelles vues, quels sons, quelles odeurs? La vue de la fenêtre de votre cuisine vous manquerait-elle? Si vous ne deviez plus jamais voir cette scène, vous en souviendriez-vous avec nostalgie, souhaiteriez-vous pouvoir la voir une autre fois, vous rappelleriez-vous sa beauté et à quel point cette vue familière vous réconfortait dans votre vie quotidienne?

Et ces jouets éparpillés ou le bébé qui pleure parce qu'il a faim ou qu'il est mouillé? Et les bruits de la ville où vous vivez, quand elle s'éveille chaque matin? Et l'odeur de votre petite fille après son bain? Ou lorsqu'elle rentre et qu'elle a froid après avoir joué dans la neige?

Et la façon de sourire de votre ami, ou cette petite chose qu'il dit tout le temps et qui n'est pas drôle mais qui l'est pour lui, et que vous riez quand même?

Regardez de près l'ordinaire de votre vie. Alors que vous êtes reconnaissant, n'oubliez pas d'exprimer une pure gratitude pour la beauté réelle de l'ordinaire. Nous pouvons aisément négliger l'ordinaire, le tenir pour acquis. Le soleil se lève et se couche, les saisons vont et viennent, et nous oublions à quel point le familier est beau et sensationnel.

Mon Dieu, merci pour chaque détail de mon univers ordinaire de tous les jours.

29 août   Montez en spirale

Je pilotais l'avion un jour, pratiquant mes virages, quand je me suis tournée vers mon instructeur, Rob. «Quelque chose cloche, il me semble, ai-je dit. L'horizon semble un peu déplacé.»

«C'est parce que tu nous a mis dans une spirale mortelle. Si tu continues, nous allons tourner en spirale de plus en plus vite jusqu'à ce que nous perdions le contrôle et que nous nous écrasions au sol.»

«Aaaah! ai-je repris. Tu es aux commandes. Sors-nous de ce pétrin.»

La spirale ne faisait que commencer. Rob a aisément ramené l'appareil à un vol coordonné, d'un simple mouvement du poignet. J'étais grandement soulagée.

Il arrive dans la vie que nous soyons un peu suffisants. Nous commençons à grogner à propos de quelques petites choses. Nous commençons à voir le négatif dans nos emplois, nos familles, nos relations amoureuses, nos amis. Ou nous devenons fatigués et las d'être seuls et incapables de rencontrer quelqu'un que nous aimerions fréquenter. Rien ne va mal dans notre carrière, mais elle ne nous donne plus l'énergie que nous souhaiterions. Alors nous nous mettons à grogner et à nous plaindre de sa médiocrité. Nous voyons d'autres personnes faire plus d'argent que nous, avoir plus de chance et faire des choses qui nous semblent plus amusantes. Ce n'est pas que ça va mal, c'est seulement que rien ne semble assez bon.

Puis, nous trouvons autre chose qui nous irrite chez nos amis, nos collègues et notre patron. Bientôt, tout ce que nous voyons nous semble déprimant et mauvais. Le négatif est accentué dans tout ce que nous voyons.

C'est une bonne indication que nous sommes également dans une spirale mortelle.

Certaines personnes en ce monde ont besoin d'une technique spéciale pour vivre leur vie paisiblement, joyeusement et en harmonie. Je ne dis pas que cela s'applique à tous, mais je sais que ça vaut pour moi. Chaque jour de ma vie, je dois appliquer délibérément et consciemment de fortes doses de gratitude à tout ce que je vois.

Regardez! Si au lieu de voir le bel horizon ou les nuages, tout ce que vous pouvez voir est morne, appliquez la gratitude et l'humilité à chaque aspect de votre vie. Dans quelques instants, vous reviendrez à un vol coordonné.

Mon Dieu, aide-moi à utiliser le remède puissant de la gratitude comme outil à la transformation quotidienne dans ma vie.

30 août   Changer le cours de la journée

Je me suis levée et j'ai regardé le calendrier. Je devais aller porter l'auto au garage pour l'entretien. Je détestais y aller, trouver quelqu'un pour me suivre là-bas, puis attendre en file au garage. De plus, j'étais occupée. Mon ami m'a suivie, et je suis montée dans sa voiture. Dieu! qu'il faisait chaud. Je voulais être à la maison, à l'air climatisé.

«Veux-tu prendre le petit-déjeuner au restaurant?» ai-je demandé.

«Pas vraiment», dit-il.

«Mais les laveurs de vitres vont être à la maison. Aussi bien attendre qu'ils soient partis. Même si nous allons chez moi maintenant, je serai incapable d'écrire.»

«Tu as raison. Où veux-tu manger?»

«As-tu de l'argent sur toi?» ai-je demandé. Il n'en avait pas. «Bon alors, nous ne pouvons pas aller à un de nos restaurants préférés. Ils ne prennent ni chèques ni cartes de crédit.»

Nous avons choisi un restaurant qu'aucun de nous n'aimait. Ses gaufres étaient pâteuses. Je sentais les grumeaux de mes crêpes détrempées parce que la préparation avait été mal mélangée. Le sirop était une imitation à saveur d'érable. Le jus de pamplemousse était dilué. J'ai déplacé la nourriture dans mon assiette, puis j'ai arrêté de manger. J'avais déjà mal à l'estomac.

Nous sommes allés vers le caissier pour régler la note. Nous avons attendu et attendu pendant qu'il s'occupait ailleurs, ignorant le fait que nous étions les seuls à attendre. Finalement, il s'est tourné vers nous et a souri. «Bonne nouvelle, dit-il, vous avez gagné un prix.»

«Qu'est-ce que c'est?» ai-je demandé.

«Une coupe glacée gratuite, pour la prochaine fois où vous viendrez manger ici.»

J'allais lui dire de donner ma surprise au prochain enfant qui entrerait, mais il s'est tourné vers moi d'un air renfrogné. «Madame, il y a un problème, votre carte de crédit a été refusée.»

«C'est impossible. Je paie mon solde en entier chaque mois. Essayez de nouveau.»

Ce qu'il fit, mais la carte ne passait toujours pas.

J'avais vraiment mal à l'estomac quand nous sommes arrivés à la maison. La banque avait fait une erreur. Le paiement automatique destiné à ma compagnie de carte de crédit avait mystérieusement été envoyé ailleurs. Quand ce problème a été réglé, il était temps d'aller chercher ma voiture.

Il y avait une longue file d'attente devant moi au garage. Il faisait 38 degrés dans l'auto. J'étais à la veille de m'évanouir. Et tout le monde avant moi commandait des pneus. Je me suis assise sur un banc pour me détendre. Enfin, ce fut mon tour.

«Voici vos clés, me dit l'homme. Une minute, s'il vous plaît.» Il s'est retourné et a demandé au mécanicien: «As-tu vérifié les freins?»

Il a répondu: «J'ai oublié.»

«Désolé, ajouta l'homme, ça ne prendra qu'une petite demi-heure.»

Une heure plus tard, en route pour la maison, je suis arrêtée à la banque. J'avais vraiment besoin d'argent. La file régulière était longue, allant des guichets à la porte. La file des gens d'affaires était longue également, mais moins que l'autre. J'ai pris place. Quinze minutes plus tard, c'était mon tour. «Cette file est pour les gens qui ont un compte d'affaires», me dit sèchement la dame.

«J'en ai un, chuchotai-je. Regardez le chèque.»

Beaucoup plus tard ce soir-là, quand je me suis finalement mise à écrire et que mon estomac s'est calmé après les crêpes, une vision m'est venue à l'esprit. «Que dirais-tu de deux œufs cuits dans du vrai beurre, avec des champignons, une boulette de bœuf haché et des rôties?»

Quelques minutes plus tard, il était dehors. «Je m'en vais à l'épicerie, cria-t-il, je reviens tout de suite.»

Nous nous sommes assis dans la cuisine à 22 h 30 ce soir-là. Les œufs étaient parfaits. Les champignons étaient farcis au fromage à la crème. Les rôties étaient molles de beurre. Et les boulettes de bœuf haché étaient cuites à la perfection et nappées de sauce A-1.

Une paix s'est installée. Je me sentais reconnaissante et bénie. Je me suis souvenue d'une conversation entendue longtemps auparavant. «Oh! je vois, ça va être une de ces journées», avait dit une femme à son patron. «Pas nécessairement, répondit-il, à moins que tu ne la rendes comme ça.»

Les choses arrivent. Mais peu importe quelle heure il est, il n'est jamais trop tard pour dire *merci* et passer une bonne journée.

Mon Dieu, aide-moi à savoir qu'à nous deux nous avons le pouvoir de changer le cours d'une journée.

31 août   Soyez un bon invité

Les invités vont et viennent au Blue Sky Lodge. Parfois, un parachutiste vient d'une ville voisine à la zone de saut pour une fin de semaine, et il a besoin d'un endroit pour se laver et dormir pour un soir. Souvent, les gens viennent de partout dans le monde pour s'entraîner et sauter au Skydive Elsinore, et il est particulièrement plaisant d'offrir à nos amis internationaux un lit, des douches et les installations du Lodge.

Martin était un de ces invités.

Après avoir passé des années dans l'armée, il a décidé de se payer du bon temps avec ce qu'il avait appris. Il recrute maintenant des stagiaires parachutistes au Royaume-Uni et organise des excursions de formation au lac Elsinore, pour plusieurs semaines à la fois. Il est souvent accompagné de son épouse, mais à l'occasion il vient seul. Lors d'une de ses visites seul, nous l'avons invité au Blue Sky Lodge et étions ravis qu'il accepte.

Nous disons la même chose à tous nos invités du Blue Sky Lodge: faites comme chez vous. La piscine, la baignoire thermale, le mini-golf, le lecteur DVD, la chaîne stéréo, les douches, la nourriture, les boissons, les livres, la salle de prière, la vue spectaculaire sur les montagnes, les instruments de musique et le contenu du réfrigérateur sont là pour que vous en profitiez. Servez-vous!

«Martin était un bon invité, commentait Chip récemment. Il a nagé, s'est servi de la baignoire thermale, a couru, s'est assis dehors pour admirer le paysage.»

J'étais d'accord. Cela nous avait plu de voir Martin se sentir chez lui et profiter des générosités qu'offrait le Lodge. Il était respectueux et reconnaissant – avait un air charmant d'humilité – mais il était aussi confiant, et profitait avec assurance des plaisirs et des cadeaux qui lui étaient offerts.

Quel genre d'invité êtes-vous? Faites-vous comme chez vous sur cette planète, quelles que soient les circonstances qui vous entourent? Vous délectez-vous des cadeaux et des moments qui vous sont accessibles, chaque jour? Ou êtes-vous inconfortablement assis sur le bord de votre chaise droite, vous demandant si vous pouvez vous servir?

Nous avons tous différents cadeaux et plaisirs qui nous sont accessibles à n'importe quel moment de notre vie. Parfois, il nous faut regarder pour voir ce que sont ces cadeaux. Les plaisirs peuvent être aussi simples que la vue d'un vieux chêne de notre fenêtre de cuisine, une grande baignoire remplie d'eau chaude qui nous réconforte le corps et l'âme, ou une marche dans le quartier de notre appartement loué.

Parfois, la meilleure façon de dire *merci* est de simplement profiter avec une humble confiance des cadeaux et des plaisirs qui nous sont offerts aujourd'hui.

Êtes-vous un bon invité? Faites comme chez vous. C'est votre univers à vous aussi.

Mon Dieu, montre-moi comment profiter des plaisirs, des cadeaux et des talents qui s'étalent devant moi. Aide-moi à apprendre à faire comme chez moi, où que je me trouve aujourd'hui.

Septembre

Apprenez à dire je suis

1ᵉʳ septembre   **Apprendre à dire *je suis***

Nous entendons souvent parler de devenir entier, intègre. «Devenir un être humain à part entière.» «Prendre le chemin de l'intégrité.» «Vous ne trouverez pas l'amour à deux tant que vous ne serez pas un être entier.» Franchement, ce type de commentaire m'a souvent confondue. Mais j'ai ensuite décidé que l'intégrité est directement liée au processus du détachement et du lâcher prise.

Il est admirable de poursuivre nos rêves et de savoir ce que nous voulons accomplir. Mais après avoir reconnu ce que nous désirons, nous devons lâcher prise. Il faut que nous sachions dans notre cœur et notre âme que nous sommes adéquats, que nous réalisions ou non nos désirs.

Un ami l'a décrit ainsi: «C'est le vieux truc des bouddhistes zen. Lorsque tu ne fais qu'un avec toi-même, la vie devient magique. Tu peux obtenir tout ce que tu veux.»

Les mots les plus puissants et les plus magiques que nous puissions dire pour savoir lâcher prise sont ceux-ci: *je suis*.

Nous pouvons ensuite franchir un échelon de plus en apprenant à dire, *je suis complet comme je suis*.

Mon Dieu, aide-moi à connaître le pouvoir des mots je suis.

2 septembre   Mécanismes d'adaptation

Nous pouvons faire des choses illogiques pour faire face aux événements tragiques. Ce n'est pas que nous soyons idiots, c'est parce que c'est la seule façon de survivre que nous connaissons.

Une des choses les plus ridicules que nous faisons pour faire face à la vie est de nous dévaloriser quand il nous arrive des épreuves.

Nous avons peut-être eu une enfance très doulou-reuse. Nous avons alors regardé autour de nous et avons pensé : «Ouais, ça doit être ma faute. Il y a quelque chose qui ne va pas chez moi.» Ou «Je sais que, si j'avais gardé ma chambre plus en ordre, mon papa ne serait pas parti.»

La faible estime de soi – et toutes les façons dont elle se manifeste – devient une façon de s'adapter aux événements pénibles. Nous regardons aux alentours et voyons tous les gens qui ne semblent pas avoir des problèmes de cette ampleur, alors nous pouvons conclure : «Quelque chose ne va pas chez moi.» Bien qu'une attitude de faible estime de soi puisse avoir été un moyen de survivre à la douleur, cette époque est passée. Il est temps de remplacer cette faible estime de soi par de nouvelles perspectives.

Cessez de faire face aux événements en vous dévalorisant. Réagissez plutôt à la vie en vous aimant et en prenant soin de vous.

Aimez-vous comme vous êtes.

Mon Dieu, aide-moi à m'aimer pour ce que je suis maintenant.

Activité. Passez en revue votre estime de soi. Revoyez les événements passés de votre enfance, de votre adolescence et de l'âge adulte. Quelles épreuves sont survenues? Avez-vous cédé votre estime de soi à certaines personnes? Il est temps maintenant de la réclamer et de la reprendre. Écrivez les domaines positifs de votre vie. Écrivez ce qu'apprécient vos amis et les membres de votre famille chez vous.

3 septembre — Lâcher prise sur la faible estime de soi

«L'estime de soi est tellement illusoire, dit Amanda. J'y travaille depuis des années, et plus je fais d'efforts, moins je semble en avoir.»

Je crois que nous pouvons lâcher prise sur la faible estime de soi. Nous pouvons convertir le manque de confiance en nous. Nous pouvons consentir à nous pardonner. Nous pouvons cesser de tolérer les traitements qui nous semblent mauvais. Nous pouvons voir les dangers qu'il y a à nous définir par l'argent, le pouvoir ou le prestige, ou par qui nous connaissons et par ce que nous possédons. En fin de compte, nous pouvons consentir à prendre soin de nous-même et à grandir à travers les expériences que la vie peut nous servir, quelles qu'elles soient.

Les programmes Douze Étapes offrent deux Étapes qui peuvent nous aider à développer l'estime de soi, l'acceptation et l'amour de soi. La Sixième Étape dit que nous avons pleinement consenti à ce que Dieu élimine tous nos défauts de caractère, et la Septième, que nous lui avons humblement demandé de faire disparaître nos déficiences. Le travail n'est pas facile, mais il en vaut la peine.

Pour l'instant, il suffit de consentir à lâcher prise sur la faible estime de soi et sur toutes les façons dont celle-ci se manifeste dans notre vie.

Mon Dieu, remplace ma faible estime de moi par l'acceptation de moi-même.

Activité. Il se peut parfois que nous ayons une saine estime de nous-même qui fonctionne dans un domaine de notre vie, mais pas dans un autre. Par exemple, nous avons confiance en nos compétences professionnelles, mais ne sommes pas du tout à l'aise dans nos relations personnelles. Nous avons peut-être une grande confiance dans nos capacités athlétiques, mais nous sommes démunis devant nos finances. Déterminez s'il y a des domaines où vous manifestez une faible estime de soi. Dans quels domaines vous sentez-vous bien? Regardez également les rêves auxquels vous avez renoncé par manque de confiance en vous.

4 septembre — Examinez vos attachements

Un ami m'a téléphoné un jour. Sa voiture tout neuve était encore au garage pour des réparations. «J'aurais dû m'acheter un camion, quelque chose de pratique qui aurait démarré tous les matins et m'aurait emmené au travail, dit-il. Si jamais je me mets à crier que je dois avoir quelque chose sans quoi je ne pourrai pas vivre, crie-moi après jusqu'à ce que j'arrête.»

À quoi votre estime de vous-même est-elle liée?

Certains relient leur valeur à leur voiture. D'autres ne se sentent bien que s'ils sont impliqués dans une relation amoureuse. D'autres encore ont besoin d'une maison dans un certain quartier. Et d'autres lient leur estime de soi aux événements futurs. *Si seulement je pouvais réaliser cela, alors je serais complet.*

Prenez un moment. Examinez votre vie. Votre valeur est-elle rattachée à certaines conditions ?

Nous disons vouloir que les autres nous aiment inconditionnellement, mais le problème est que c'est rarement la façon dont nous nous aimons. Nous disons avoir d'abord besoin d'argent en banque, d'une Mercedes ou d'un sac Gucci.

Y a-t-il un certain niveau de réussite que vous tentez d'atteindre ? Vous dites-vous que vous devez l'avoir pour être complet ? Peut-être que c'est l'approbation de quelqu'un que vous attendez.

Il y a un moyen facile de voir ce à quoi nous sommes trop attachés. Demandons-nous ceci : quelle est la chose sur laquelle je ne peux pas lâcher prise et dont je ne peux me libérer ? Qu'est-ce qui me rend le plus fou ?

Ne soyez pas dur à votre endroit. Nous voulons tous des commodités quotidiennes comme des voitures, des emplois et de l'argent, et nous en avons besoin. Et avoir quelqu'un à aimer est un des délices de la condition humaine.

Mais ce n'est plus la même chose quand nous nous disons que nous ne pouvons pas être heureux sans ces personnes ou ces choses. Servez-vous d'une bonne dose de plénitude et de lâcher prise. Dites-vous que vous êtes complet et que vous pouvez être heureux, tel que vous êtes. Lâchez prise sur votre attachement à quoi que ce soit auquel vous vous accrochez. Il se peut que cela vous revienne, ou peut-être pas. Mais si *cela* revient, vous pourrez en profiter plus librement, sachant que vous n'en avez pas besoin pour être complet.

Mon Dieu, aide-moi à lâcher prise sur mes attachements malsains.

Activité. À quoi vous accrochez-vous, vous disant que sans cela vous ne pouvez pas vivre? Y a-t-il une personne dont vous craignez le départ? Y a-t-il un emploi ou un certain niveau de réussite auquel vous vous êtes attaché? Voulez-vous atteindre un certain niveau financier avant de vous permettre de vous sentir complet? Dressez l'inventaire de votre vie. Trouvez ce dont vous vous êtes convaincu d'avoir besoin pour vous sentir complet. Puis, transcrivez le nom de ces personnes ou ces choses dans une liste de votre journal que vous intitulerez «personnes et choses dont je dois me libérer et dont je dois détacher mon estime de moi». Vous pouvez garder ces choses et ces personnes dans votre vie, mais le but est de clarifier vos motifs de les avoir dans votre vie.

5 septembre S'aimer pour ce qu'on est

«Je suis fatiguée de faire autant d'efforts pour être mince, porter les vêtements dernier cri et me maquiller parfaitement, me dit un jour Gina, une très belle femme. Je veux simplement qu'on m'aime pour moi, pour ce qu'il y a dans mon cœur.»

Il est sain d'avoir une belle apparence, mais certains d'entre nous méprennent l'estime de soi pour les vêtements qu'ils portent, l'argent qu'ils gagnent et les biens qu'ils possèdent.

Un jour, j'ai rencontré une femme aux cheveux longs et aux yeux brillants qui jouait de la belle musique folklorique irlandaise. Elle aimait chanter et danser. Ses yeux s'animaient quand elle parlait de sa musique. Je pouvais voir à quel point elle était passionnée et vivante. Son groupe donnait des spectacles, mais habituellement pour des frais minimes ou gratuitement, m'a-t-elle expliqué.

«Mais nous voulons nous améliorer, dit-elle. Je veux vraiment être quelqu'un un jour.»

«Tu es quelqu'un maintenant», ai-je dit.

Poursuivez vos rêves. Conduisez cette voiture. Portez de beaux vêtements. Faites-vous coiffer à votre goût. Mais n'oubliez pas de vous aimer sans ces choses.

Vous êtes quelqu'un maintenant.

Mon Dieu, aide-moi à voir au-delà de toutes les apparences dont je m'entoure. Aide-moi à voir la véritable beauté en moi et dans les personnes autour de moi.

6 septembre   Résistez à votre peur de l'abandon

«Je vis une relation amoureuse avec quelqu'un qui n'est pas bon pour moi, me dit une femme un jour. Mon copain me manipule et souvent, il ne me dit pas la vérité. Mais chaque fois que je m'apprête à le larguer, ma peur de l'abandon s'installe.»

Nous sommes nombreux à avoir peur de l'abandon. Certains d'entre nous laissent cette peur mener leur vie. Nous ferons n'importe quoi pour éviter que cette personne ne parte et ne nous laisse seul.

J'ai laissé la peur de l'abandon me dominer pendant des années. Après un certain temps, cette conviction s'est usée. Je me suis lassée de me demander si j'étais assez bonne pour telle personne.

Puis, une nouvelle pensée m'a libérée: *Si tu ne veux pas être mon ami ou mon amoureux ou mon employeur, je ne veux pas de toi dans ma vie.*

Fini le chantage émotif. Fini le stress. Fini de spéculer sur ce que l'autre ressent.

Passez-vous votre temps à vous inquiéter que quelqu'un vous laisse? Votre peur d'être abandonné vous fait-elle vous sentir comme un perdant dans vos relations? Lâchez prise. Tenez bon. Et écoutez bien ce que je vais vous dire: si cette personne ne veut pas être dans votre vie, laissez-la partir. Voulez-vous de quelqu'un qui ne veut pas vraiment être là? Bien sûr que non. Lâchez prise sur lui ou elle.

Une fois que vous aurez adopté cette façon de voir, il sera facile de rompre la mauvaise relation, et les bonnes personnes voudront rester.

Mon Dieu, aide-moi à croire que je mérite seulement les meilleures relations.

7 septembre   Appréciez qui vous êtes

Scott avait 69 ans quand il a recommencé à sauter en parachute, pour la deuxième fois de sa vie. Il avait sauté quand il était dans l'armée britannique, durant la Deuxième Guerre mondiale. Quand l'occasion s'est présentée de faire un saut de démonstration dans une des anciennes bases militaires, il est venu en Californie pour apprendre à sauter en parachute.

Son corps était vieux et raide. Mais son cœur était plein de jeunesse et de plaisir. Il franchissait lentement tous les niveaux, répétant de nombreux sauts jusqu'à ce qu'il ait assimilé les compétences, mais chaque saut arrachait quelque chose à son corps. Malgré sa détermination, l'entraînement était plus qu'il ne pouvait supporter, et il a dû arrêter à quelques pas du but. En quittant, il a promis de commencer des exercices d'entraînement de force musculaire et de revenir terminer sa formation. «Je vais me rendre, mais ce sera un peu plus long que je le croyais», dit-il.

En même temps que Scott a commencé sa formation, Tim a débuté aussi. Tim n'avait jamais sauté auparavant, mais il avait fait du ski, du vélo de montagne et de la voile. Il était terrifié. Il avait peur d'échouer, de mal réagir en cas d'urgence, d'oublier comment atterrir, de se jeter en bas d'un avion à quelque trois kilomètres au-dessus du sol.

Scott a parlé à Tim. Il s'est moqué de lui et a ri avec lui. Et Tim remontait à bord et franchissait ses niveaux. Il a obtenu son diplôme. «J'aurais abandonné après le premier saut, dit Tim. Mais si Scott peut le faire, je le peux, moi aussi. Je suis content qu'il ait été là. Il m'a donné la confiance de faire ce que je croyais impossible.»

Nous avons tous à parcourir notre propre chemin, peu importe les peurs et les désirs de ceux qui nous entourent. Comme Scott, vous aussi essayez quelque chose de nouveau, qui est peut-être un peu au-dessus de vos forces. Fantastique! Vous pouvez réussir comme vous pouvez échouer. Seulement, vous pouvez décider de ce que vous ferez des résultats. Scott aurait pu mal prendre ses déboires et entraîner Tim dans le dépit. Il a plutôt encouragé Tim, lui permettant de réaliser quelque chose qu'il n'aurait sans doute pas pu faire seul.

Peut-être êtes-vous comme Tim, désireux de grandir, mais craintif de ce que vous pouvez perdre en essayant. Suivez votre cœur, et si vous pouvez trouver un mentor pour vous aider en route, remerciez cette personne de vous encourager.

Poursuivez votre route.

Certaines routes mènent à la célébrité et à la reconnaissance, d'autres au soutien discret de nos compagnons de voyage. Parcourez votre propre route. Apprenez vos propres leçons.

Mon Dieu, merci pour ma vie.

8 septembre   Soyez un joueur d'équipe

Vous avez sans doute entendu le dicton: «À moins d'être le chien de tête, le paysage ne change jamais.»

Tout le monde n'est pas le chien de tête. Tout le monde n'est pas le PDG ou le chef. Vaut mieux être un acteur qui joue qu'une star au chômage. Au moins, vous jouez.

Chaque individu qui a accompli quoi que ce soit de valable en ce monde et qui est honnête reconnaît qu'il ne l'a pas fait seul. Il fait partie d'une équipe. Même le Christ avait un groupe d'apôtres.

Si vous avez un rôle de soutien, acceptez-le. Tout le monde n'est pas leader tout le temps. En étant membre de la distribution, vous pouvez faire en sorte que toute la production soit meilleure. Vous pouvez faire votre part et contribuer à la réussite. Et vous apprendrez l'humilité et l'esprit d'équipe qui seront si importants si vous obtenez le premier rôle.

Regardez votre vie. Vivez-vous aussi pleinement que vous le pouvez, là où vous êtes maintenant? Ou attendez-vous que quelqu'un reconnaisse votre talent véritable pour donner tout ce que vous avez? Si vous jouez un rôle de soutien plutôt qu'un premier rôle, peut-être est-ce parce que la distribution a besoin de la force et des talents que vous pouvez faire valoir. Peut-être que l'équipe a besoin d'un freineur. La vie, ce n'est pas tant la grandeur du rôle qu'on nous donne que le cœur que nous mettons à le jouer.

C'est formidable de tenter d'occuper le poste du chien de tête, mais donnez-vous la permission d'aimer le niveau où vous êtes maintenant, et d'y donner ce que vous pouvez.

Mon Dieu, aide-moi à accepter le rôle qui m'a été donné, de le jouer avec dignité et au meilleur de mes capacités.

9 septembre   Découvrir
ce qui fonctionne pour soi

«Inscrivez-vous au programme-minceur et vous perdrez quatorze kilos en cinq jours!» «Assistez à ce séminaire gratuit et après avoir dépensé cent dollars pour les livres, vous serez millionnaire!»

Il n'y a pas de solution miracle, de panacée qui fonctionne pour tous. Le succès survient rarement du jour au lendemain ou en cinq jours. Même les Douze Étapes ne sont que des suggestions. Bien qu'elles aient fait leurs preuves, les détails et les décisions concernant la façon d'appliquer ces Étapes dans notre vie sont l'affaire de chacun.

Peu de choses surviennent du jour au lendemain, sauf le début d'une nouvelle journée.

Écoutez vos mentors. Examinez ce qui a fait ses preuves, ce qui a fonctionné et aidé d'innombrables personnes en cheminement. Les Douze Étapes sont une de ces approches. Mais ne vous laissez pas berner par de fausses réclames de succès du jour au lendemain et d'enchantement instantané sur votre chemin.

Le changement véritable exige temps et efforts, surtout lorsque nous changeons et réglons de gros problèmes. Nous pouvons souvent obtenir exactement l'aide dont nous avons besoin d'un thérapeute, d'un livre, d'un séminaire – les meilleures choses de la vie sont vraiment gratuites et accessibles à chacun d'entre nous. Encore une fois, les Douze Étapes se qualifient à cet égard.

Découvrez ce qui fonctionne pour vous.

Ayez confiance que vous serez guidé sur votre chemin et que vous recevrez exactement l'aide et les conseils dont vous avez besoin. Puis, laissez le temps faire son œuvre.

Il n'y a vraiment pas de méthode plus facile, plus douce.

Mon Dieu, donne-moi la persévérance de régler mes problèmes.

10 septembre   Être qui et où l'on est

Un jour, alors que je commençais à me rétablir de la chimiodépendance, j'ai pris conscience de ma situation de vie, de mon emploi, de mes relations. Rien ne semblait bon. Une impression chronique d'être au mauvais endroit au mauvais moment s'insinuait dans tout ce que je faisais. Ma vie semblait une longue suite d'erreurs.

J'avais entendu parler d'un thérapeute brillant, qui était particulièrement efficace pour aller droit au cœur des problèmes. Peu importe ce qui se passait dans mon cœur, je voulais que ça se règle.

Le problème, c'est que ce thérapeute habitait loin à la campagne. Je n'avais pas de voiture. Il faudrait prendre l'autobus. Il ne voyait des gens que la semaine. Je travaillais de neuf à cinq, du lundi au vendredi. Et ses honoraires, quoique mérités, étaient élevés pour mon budget.

J'ai épargné suffisamment pour payer une séance. Puis j'ai pris rendez-vous. J'étais très énervée.

Le grand jour est arrivé. J'ai commencé ma série de trajets d'autobus (je devais transférer trois fois) à 17 h, après le travail. À 19 h 30 ce soir-là, je suis arrivée au domaine où vivait et travaillait ce thérapeute. J'étais épuisée mais ravie quand je me suis finalement assise en face de cet ourson d'homme qui avait aidé tant de gens à progresser.

J'ai commencé à dire avec force détails ce qui se passait dans ma vie. J'ai expliqué que je me rétablissais, que j'essayais de bien faire, que je fréquentais mes groupes de soutien, que je faisais des amendes honorables aux gens que j'avais blessés – mais que rien ne semblait bon. Une impression chronique d'inconfort empoisonnait ma vie, peu importe ce que je faisais.

Il m'a écoutée parler. Puis il s'est renfoncé dans sa chaise.

«Melody», dit-il calmement, avec confiance.

«Oui?»

«Tu es exactement là où tu dois être.»

La séance a pris fin.

J'ai pris mes affaires, j'ai marché jusqu'à l'arrêt d'autobus, deux rues plus loin, et j'ai pris les autobus qui m'ont ramenée à mon minuscule appartement au sud de Minneapolis. La leçon m'est restée pour la vie. Quand rien dans notre vie ne semble bon, parfois la réponse ne consiste pas à en faire davantage ou à chercher frénétiquement le miracle nécessaire. Le miracle survient quand nous acceptons et croyons que la personne que nous sommes maintenant est celle que nous avons besoin d'être.

Épargnez-vous le temps, l'argent et le voyage. Soyez votre propre gourou.

Mon Dieu, merci pour là où je suis aujourd'hui. Aide-moi à croire que, lorsqu'il faudra que je sois ailleurs, tu m'y emmèneras naturellement.

11 septembre   Écoutez-vous

Dans la Bible, Dieu nous dit: «Calme-toi et sache que je suis Dieu.» Apprenez à faire taire le bavardage de votre ego, que ce soit par la prière, la méditation ou une longue marche dans le parc. Trouvez l'endroit où vous pouvez vous détacher des pressions du monde. Trouvez l'endroit où votre esprit et votre corps collaborent en harmonie.

Être conscient de votre vrai moi est la meilleure façon de vous libérer des comportements contrôleurs et manipulateurs des autres. Vous n'avez pas besoin de la bonne voiture, des bonnes chaussures, de la bonne petite amie pour être complet. Tout ce dont vous avez vraiment besoin, c'est d'être vous-même.

Votre esprit est ce que vous êtes réellement. Laissez-le vous guider.

Calmez-vous. Écoutez votre esprit dire *je suis, et je suis assez.*

Dans le silence, vous entendrez Dieu.

Mon Dieu, aide-moi à être calme pour que je puisse t'entendre.

12 septembre   Regardez les rôles que vous jouez

Dans son livre *Sagesse ancienne, monde moderne,* le Dalaï Lama expose la notion selon laquelle la plupart d'entre nous ne sont pas une personnalité statique. Nous n'avons pas qu'un seul aspect; nous jouons de nombreux rôles dans la vie.

Je suis une alcoolique et une codépendante en rétablissement. Je suis une mère. Je suis une auteure. Je suis la petite amie de quelqu'un. Je suis parachutiste. Je suis une femme d'affaires, une négociatrice, une femme. Dans chacun de ces rôles, ma personnalité s'exprime différemment. J'utilise différents talents et caractéristiques.

Quels sont les différents rôles que vous jouez dans votre vie? Nous sommes presque tous conscients d'être une personne au travail, quelque peu différente à la maison, et parfois très différente au jeu. Certains en ressentent de la culpabilité. «Oh! si seulement ils savaient comment je suis à la maison, ils ne me respecteraient jamais comme patron», m'a dit un homme.

Prenez le temps de connaître toutes vos différentes facettes. Honorez et respectez chacune d'elles. Chacune a un important rôle à jouer dans votre vie. Quand vous essayez de progresser, prenez un moment. Assurez-vous que tous vos «je suis» travaillent ensemble à votre bien.

Vous n'avez pas à vous comporter de la même manière à la maison qu'au travail. Vous êtes aussi une mère et une épouse. Honorez et respectez tous les différents rôles que vous jouez dans la vie, sachant que chacun a sa propre place importante.

Puis, souvenez-vous de mettre en pratique les principes selon lesquels nous tentons de vivre dans tout ce que nous faisons.

Nos rôles peuvent changer, mais pas nos idéaux ni nos valeurs.

Mon Dieu, aide-moi à honorer et à accepter tous mes
«je suis» présents et passés. Aide-moi à faire assez de
place pour créer de nouvelles facettes de moi.

Activité. Prenez le temps d'écrire dans votre journal au sujet des différents rôles que vous jouez présentement dans votre vie. Décrivez chaque rôle aussi
précisément que possible. La prochaine fois que vous
serez coincé, consultez chacune de ces personnalités.
Par exemple, le travailleur en vous peut vouloir prendre une décision en particulier au sujet de son avance-
ment, mais le parent en vous peut avoir des objections.
Comprenez chaque partie de votre personnalité et
apprenez à prendre des décisions qui profitent à
l'ensemble de vos parties.

13 septembre   Qui dites-vous être?

Je me rendais en voiture au centre de parachutisme un jour, ruminant des choses dans ma tête.
Avant longtemps, j'allais être dans l'avion et ce serait
mon tour d'aller à la porte et de sauter. Les peurs ont
commencé à s'installer et à croître. *Je ne sais pas si je*
peux faire ça, ai-je pensé. *Je ne sais même pas si je*
veux devenir parachutiste ou si ce chemin est le bon
pour moi.

«Tu es déjà une parachutiste», me chuchota une
petite voix.

C'est vrai, me suis-je dit.

Quand j'ai commencé à me rétablir de ma chimiodépendance, je préférais m'identifier comme toxicomane. «Je m'appelle Melody et je suis toxicomane»,
répétais-je timidement au groupe. Un membre du
groupe a commencé à me talonner après m'avoir
entendue m'identifier comme toxicomane. «Tu es

également une alcoolique. Et tu devrais te désigner comme telle.»

J'ai résisté à ce qu'il me disait pendant un certain temps, puis j'ai décidé d'essayer. Finalement, à une réunion, j'ai prononcé les mots à haute voix. «Je m'appelle Melody et je suis une alcoolique.»

Je comprends maintenant pourquoi il était si important – pas pour lui mais pour moi – de m'étiqueter alcoolique. Premièrement, c'était important parce que c'était la vérité. Afin de me concentrer sur ma recouvrance, je devais m'abstenir tant de l'alcool que des drogues. Deuxièmement, que cet ami l'ait su ou non, il connaissait le pouvoir du *Grand Je Suis*.

Il ne me demandait pas de me dégrader ou de me limiter. Tout ce qu'il me demandait, c'était de m'identifier comme j'étais et suis réellement. En le disant et en le reconnaissant, j'ai contribué à créer un nouveau rôle, une nouvelle personnalité. Je suis maintenant, au moment d'écrire ces lignes, par la grâce de Dieu, une alcoolique et une toxicomane en rétablissement.

Pour la plupart, nous ne sommes pas qu'une seule chose. Nous sommes un parent, un étudiant, peut-être une personne en rétablissement et un enfant-adulte. Nous développons bien des nouveaux «je suis» au cours d'une vie.

Surveillez toutes les fois où vous dites les mots *je suis* dans une conversation ou en pensée. Portez aussi attention aux fois où vous dites *je ne suis pas*. Puis, réfléchissez un moment non seulement à qui vous êtes, mais à qui vous voulez devenir.

Découvrez le pouvoir de dire *je suis*.

Qui dites-vous être et ne pas être?

Donnez-vous une chance de devenir quelqu'un de nouveau.

Mon Dieu, aide-moi à comprendre et à utiliser correctement, au profit de ma croissance, le pouvoir du Grand Je Suis.

14 septembre   S'affirmer

Quand j'ai commencé à piloter et à faire du parachutisme, je me suis retrouvée à manier maladroitement mes nouveaux rôles ou nouvelles parties de moi-même. Quand je me suis mise à écrire, je me suis retrouvée à tâtonner avec cette partie de moi. *Je veux être une auteure,* me disais-je, *mais je ne le suis pas, du moins pas encore. Il faut d'abord que j'aie tant de livres publiés et tant de bonnes critiques.*

Il faut parfois des années et de nombreux succès dans tout nouveau domaine de notre vie avant que nous puissions dire avec confiance, à nous-même et aux autres, *je suis.* Je suis parachutiste. Je suis pilote. Je suis auteure. Oh, le pouvoir de ces mots, *je suis.*

Vous n'avez sans doute pas beaucoup d'expérience comme parent si votre premier enfant est né la semaine dernière, mais vous êtes mère. Je n'avais pas encore mon jeton de dix ans mais, dès mon premier jour de recouvrance, je pouvais honnêtement dire : « Je suis une alcoolique et une toxicomane en rétablissement. »

Qui ou que voulez-vous devenir ? Un bon parent ? Une personne sobre ? Une bonne petite amie, un bon petit ami ou conjoint ? Voulez-vous devenir heureux, en paix et tolérant ? N'attendez pas d'avoir réussi pour vous le dire. Commencez maintenant en disant que vous êtes ce que vous voulez devenir au lieu de renforcer les mots *je ne suis pas.* Oui, vous avez beaucoup à apprendre. Oui, il y a une façon de faire sur ce chemin. Et vous n'y êtes peut-être pas encore compétent ou excellent. Mais ce n'est pas nécessaire de l'être pour dire ces deux petits mots, *je suis*.

Contribuez à créer la nouvelle partie de votre personnalité en utilisant et en affirmant ces mots puissants, *je suis*. Puis regardez émerger une nouvelle partie de vous.

Mon Dieu, aide-moi à utiliser mes pouvoirs créateurs pour me faire une vie plus satisfaisante. Aide-moi à utiliser les mots je suis *pour créer la personne que toi et moi voulons que je sois.*

Activité. Créez vos propres affirmations. Nous avons tous notre propre chemin à suivre ; nous avons tous différents besoins à divers moments. Choisissez un domaine de votre vie sur lequel vous travaillez. Puis donnez-vous une affirmation qui vous aidera à créer la nouvelle réalité que vous vous efforcez de créer. Les deux premiers mots de l'affirmation doivent être *je suis*. Dites cette affirmation à voix haute sept fois en vous regardant dans un miroir, trois fois par jour, le matin, le midi et le soir avant de vous coucher. Faites-le pendant 21 jours d'affilée sans sauter une journée – ou jusqu'à ce que vous n'ayez plus besoin de le dire à voix haute parce que vous y croyez.

15 septembre   Vous êtes une œuvre d'art

Tous les arts que nous pratiquons relèvent de l'apprentissage. Le grand art, c'est notre vie.

– M. C. RICHARDS

Ce que vous *faites* n'est pas ce que vous *êtes*.

Vous êtes plus, beaucoup plus que ça.

Il est facile de tellement nous absorber dans ce que nous faisons que nous ne nous reconnaissons que par nos tâches quotidiennes. Je suis mécanicien. Je suis responsable d'un terrain de stationnement. Je suis médecin. Je suis plongeur. Quand nous nous identifions trop étroitement à notre emploi, nous nous refusons la chance d'être autre chose. Nous nous limitons en croyant que c'est tout ce que nous sommes et tout ce que nous serons jamais.

Notre notion de qui nous sommes est l'une des idées les plus difficiles, mais des plus profitables, que nous pouvons changer. Si vous avez été éduqué en croyant que vous étiez maladroit, vos actions démontreront probablement cette conviction – jusqu'à ce que vous découvriez cette idée, que vous lâchiez prise sur elle et que vous vous laissiez être quelque chose d'autre.

Ne vous limitez pas en disant que vous n'êtes que ce que vous faites. Cessez de vous voir comme une entité statique. Si je ne suis «seulement» qu'un responsable d'un terrain de stationnement, alors comment puis-je espérer influencer quelqu'un par mes paroles, mon art, ma musique, ma vie? Mais si je suis une âme énergique, vivante et en croissance qui se trouve à stationner les voitures des gens, alors tout ce que je fais peut devenir une symphonie. Je peux avoir une influence positive sur la vie de tous ceux que je rejoins. Je peux apprendre d'eux, et eux, de moi. Je peux apprendre les leçons que je suis censé apprendre à ce moment de ma vie, et je peux passer à d'autres leçons.

Dieu nous a donné le pouvoir de changer. Vous êtes plus que ce que vous faites. Vous êtes une âme énergique et vibrante qui est venue ici-bas pour expé-

rimenter, croître et changer. Faites de votre vie une
œuvre d'art.

*Mon Dieu, aide-moi à réaliser la gloire de mon âme.
Merci de ma mortalité et de la capacité d'apprendre et
de grandir.*

16 septembre   Laisser jaillir
                              votre moi créateur

*Pour vivre une vie créatrice, il faut perdre la peur de
se tromper.*

– JOSEPH CHILTON PEARCE

La créativité n'est pas seulement quelque chose
que nous faisons.

Être créateur ne se manifeste pas uniquement en
faisant des dessins, en écrivant des livres ou en sculp-
tant des statues dans l'argile. Il n'y a pas de bassin de
créativité restreint réservé seulement aux artistes.

La créativité est une force vitale de l'univers
accessible à nous tous, pour nous aider à vivre notre
vie. Tout ce qu'il faut faire pour nous aligner avec
cette force, c'est de lâcher prise sur nos peurs.

Vous avez besoin d'une nouvelle idée pour réparer telle pièce, telle thèse, telle relation ? Besoin d'une
idée pour corriger votre vie ? Laissez-vous être créateur. Incitez vos idées à jaillir. Écoutez votre intuition,
votre esprit.

Écoutez cette petite idée que vous avez, celle qui
vous passionne tant. Lâchez prise sur votre pensée
rationnelle pour un instant. Laissez la créativité vous
aider à vivre. Demandez l'aide du Créateur.

*Mon Dieu, montre-moi dans quelle mesure je suis
créateur et à quel point je peux l'être. Donne-moi le*

courage d'être prêt à faire des erreurs en construisant mon chemin du cœur.

17 septembre   Se rafraîchir

Il y a un bouton «rafraîchir» sur lequel vous pouvez cliquer sur l'ordinateur quand vous naviguez en ligne. Il redonne de l'efficacité à l'ordinateur.

Nous sommes aussi parfois un peu au ralenti. Nous en avons trop fait. Ruminant les mêmes pensées encore et encore. Refaisant sans cesse les mêmes choses. Il faut parfois changer de paysage, rafraîchir nos pensées par la prière, la méditation, quelques mots d'un ami ou passer du temps avec un bon livre.

C'est peut-être notre corps qui a besoin de se rafraîchir. Il nous faut une boisson froide, une marche rapide, une sieste ou une douche chaude.

Peut-être avons-nous besoin d'un rafraîchissement encore plus important: une fin de semaine dans un centre de santé, des vacances. Même si notre budget est limité, nous pouvons monter une tente dans un parc et admirer la beauté rafraîchissante du monde autour de nous.

Regardez autour de vous. Le monde regorge de rafraîchissements. La prochaine fois que vous serez fatigué, arrêtez d'en faire autant. Faites ce qu'il faut pour devenir efficace et fonctionner aisément.

Rafraîchissez-vous.

Mon Dieu, aide-moi à comprendre le pouvoir de prendre du temps pour me rafraîchir. Puis aide-moi à cesser d'y penser et à le faire vraiment.

18 septembre   Être à la hauteur
de la situation

«Tu aurais dû me voir quand j'étais jeune. J'étais extraordinaire alors.»

«Attends que je sois plus vieux et plus gros. Je vais te montrer ce que je peux faire.»

Si nous ne faisons que nous souvenir de la force de notre passé, nous nous privons alors de la sagesse et des aptitudes que nous portons dans le présent. Et nous nions les leçons que l'âge nous enseigne, soit ralentir, se calmer et laisser les choses être comme elles sont. Si nous attendons l'avenir pour être heureux, nous nous privons de la vitalité et de la joie qui sont dans notre vie présentement.

Cessez les réminiscences du passé et l'anticipation des joies à venir – lorsque vous deviendrez plus puissant, plus gros et meilleur que vous ne l'êtes maintenant.

Vous êtes aussi bon que vous devez l'être aujourd'hui. Laissez-vous être qui vous êtes, et appréciez d'être exactement ce que vous êtes.

Soyez à la hauteur de la situation d'aujourd'hui.

Mon Dieu, aide-moi à être la meilleure personne que je puisse être.

19 septembre   À quoi s'attendre?

La clé de la vie et du pouvoir est simple. C'est savoir qui nous sommes, ce que nous pensons, ce que nous ressentons, ce que nous croyons, ce que nous savons et même ce que nous pressentons. C'est comprendre d'où nous venons, où nous sommes et où nous voulons aller. Cela diffère souvent de qui nous croyons devoir être, de ce que les autres veulent que nous soyons, nous disent d'être, et parfois même disent que nous sommes.

– MELODY BEATTIE, *STOP BEING MEAN TO YOURSELF*

Il est facile de nous accrocher aux attentes des gens à notre égard. Il est même plus facile parfois de nous accrocher à ce que nous pensons qu'ils attendent de nous.

L'un des plus grands pièges consiste à nous enfermer dans une idée préconçue de nous-même. Nous pouvons être tellement occupés à être à la hauteur d'une image de nous-même que nous en oublions qui nous sommes vraiment. Il est déjà assez difficile de nous libérer des attentes, exprimées et tacites, qu'ont les autres à notre égard. C'est encore plus insidieux quand nous commençons à nous dire d'être ce que nous croyons que les autres attendent de nous – que ce soit exact ou non.

Regardez-vous dans le miroir. Si vous voyez une personne qui se confine à une image limitée qui ne correspond plus ou ne va plus, libérez-vous.

Mon Dieu, aide-moi à lâcher prise sur mon ego. Aide-moi à cesser de vivre selon des caricatures auto-imposées de qui j'imagine devoir être.

Activité. Cette semaine, faites deux choses que vous voulez faire mais auxquelles, selon vous, les autres ne s'attendraient pas de vous normalement. Ne faites rien qui puisse vous blesser ou malicieusement causer du tort à autrui. Vous pourriez être surpris de la facilité et du plaisir qu'il y a à être vous-même.

20 septembre   **Faire l'expérience
                                        de sa vie**

*Dès que vous dites «je veux changer» – faire un pro-
gramme – une contre-force se crée qui vous empêche de changer. Les changements ont lieu d'eux-
mêmes. Si vous approfondissez qui vous êtes, si vous
acceptez ce qui s'y trouve, alors un changement se
produit automatiquement, de lui-même. C'est le
paradoxe du changement.*

– FREDERICK S. PERLS

Le Dr Frederick S. Perls, fondateur de la Gestalt-
thérapie, a profondément influencé ma vie. Quand je
travaillais avec des groupes de thérapie, «gestalter»
un sentiment signifiait s'y laisser aller complètement,
devenir un avec ce sentiment, accepter totalement le
sentiment et l'expérience comme moyen de le transcender, de le guérir ou de composer avec lui.

Comment changeons-nous? Ne vous forcez pas.
Laissez-vous changer. Laissez-vous être. Pénétrez
aussi pleinement que possible dans l'expérience de
votre vie, de vos sentiments.

Quand vous en sortirez, vous serez différent.

Acceptez également qui vous êtes alors. N'intel-
lectualisez pas votre vie. Vivez-la.

*Mon Dieu, aide-moi à accepter qui je suis et où je
suis, et comment je me sens aujourd'hui. Et demain,
aide-moi à faire de même.*

21 septembre   **Respectez vos liens**

*Les choses tirent leur existence et leur nature d'une
dépendance mutuelle et ne sont rien par elles-
mêmes.*

– NAGARJUNA

Nous sommes dépendants de bien des choses autour de nous, non seulement pour notre survie, mais pour notre joie. Nous avons besoin de nourriture, d'eau et de nos compagnons de voyage sur ce merveilleux chemin.

Nous pouvons avoir une attitude d'autosuffisance pour prendre soin de nous-même, mais pourtant nous avons besoin du monde autour de nous pour vivre et être pleinement vivants.

Nous sommes une partie d'un tout. Une partie complète, mais néanmoins une partie. Nous avons besoin des autres parties. Les autres parties ont besoin de nous.

Tout comme nous sommes influencés et affectés par ceux qui nous touchent, nous les influençons et les affectons par nos pensées, nos paroles et nos comportements. Nous ne pouvons pas contrôler autrui. Voyons la différence dans nos relations quand nous parlons doucement et avec amour, et quand nous crions.

Bien qu'il soit magnifique de jouir de la bénédiction de l'existence, le monde devient plus intéressant et plus vivant quand nous reconnaissons chaque personne et chaque chose qui y vit aussi. Ce corps ne peut être sans le soutien de la nourriture, et l'expérience de notre âme ici-bas serait grandement réduite si ce n'était de la compagnie des autres esprits que nous avons rencontrés.

Même si nous n'avons pas à répondre aux attentes de qui que ce soit nous concernant, nous devons nous rappeler que nos actions auront un effet sur ceux qui nous entourent. Oui, nous avons la liberté de penser, de sentir et de nous comporter comme bon nous semble. Mais ce que nous faisons aura un effet sur la vie d'autrui.

Nous ne sommes pas responsables des autres. Mais nous avons des responsabilités envers eux.

Jouissez de votre liberté. Mais respectez et honorez vos liens au monde autour de vous. Assumez la responsabilité de la façon dont vous vous liez avec toute chose et toute personne dans votre vie aujourd'hui.

Vivez avec révérence, compassion et respect envers vous-même et envers tout ce qui est autre dans le monde.

Mon Dieu, donne-moi la révérence et le respect pour toute vie.

22 septembre   Être uniquement soi

Nous découvrirons la nature de notre génie particulier lorsque nous cesserons de tenter de nous conformer à notre propre modèle ou à celui des autres gens, que nous apprendrons à être nous-même et que nous permettrons à nos voies naturelles de s'exprimer.

– SHAKTI GAWAIN

Nous avons beaucoup en commun les uns avec les autres. La recouvrance, la croissance et le changement sont renforcés si nous honorons ces similitudes. Mais chacun d'entre nous est unique. Nous avons chacun nos propres forces, faiblesses, dons, vulnérabilités – notre propre personnalité.

Le but de la croissance spirituelle n'est pas d'éliminer la personnalité, mais bien de la raffiner et de l'améliorer, et de permettre à chacun d'entre nous de s'exprimer avec créativité.

Nous ne sommes pas faits pour être comme tout le monde. La comparaison nous rend mal à l'aise, que ce soit du côté de l'orgueil ou de l'infériorité.

Vous êtes vous. Le merveilleux de la vie consiste à trouver votre propre rythme dans la danse, votre propre façon de voir le monde, votre propre coup de pinceau, expression ou combinaison spéciale.

Il y a une vieille histoire à propos d'un écrivain qui va voir son professeur et lui dit: «Monsieur le professeur, toutes les histoires ont déjà été racontées. Il est inutile que j'écrive. Tout ce qui doit être dit a déjà été écrit.»

«Il est vrai qu'il n'y a pas de nouvelles histoires, dit le professeur. Les leçons universelles ont cours depuis très, très longtemps. Et les mêmes thèmes ont influencé l'humanité depuis le début des temps. Mais personne ne voit cette histoire avec tes yeux. Et personne d'autre dans le monde ne racontera cette histoire exactement comme tu le feras. Alors retourne à ton bureau, prends ta plume et dis au monde ce que tu vois.»

La beauté du monde réside à la fois dans nos différences et dans nos similitudes. Laissez la beauté qui passe à travers vous se teinter de votre propre perspective particulière sur le monde.

Il y a une différence entre l'ego et la personnalité. Laissez tomber l'ego, et faites briller votre personnalité dans toute sa splendeur et ses faiblesses et ses excentricités. Respectez tout ce que vous avez en commun avec les autres. Puis soyez uniquement vous.

Mon Dieu, merci de m'avoir fait unique.

23 septembre — Vous avez le pouvoir

Si vous voyez Bouddha, tuez-le.

— ZEN KOAN

Pendant les premiers siècles après la mort de Bouddha, il n'y avait pas d'images de lui. Seul son dharma ou ses enseignements ont été transmis de génération en génération. Par la suite, toutefois, les gens ont voulu une image pour se rappeler leur idéal, et c'est alors et ainsi que les statues de Bouddha ont vu le jour.

Le bon côté des statues de Bouddha est qu'elles rappellent aux disciples les idéaux qu'ils tâchent d'atteindre dans leur vie. Le côté moins favorable, c'est que les gens peuvent être tentés d'idolâtrer la statue et oublier de rechercher l'état de conscience que représente le Bouddha.

Il est facile pour nous d'idolâtrer nos mentors et professeurs, les gens qui nous encouragent et nous aident à grandir. Il peut être facile de regarder autour de nous et de penser que les autres ont la clé de l'enchantement, du succès, de la joie. Cessez d'idolâtrer les autres. Regardez dans le miroir.

Vous avez tout ce qu'il vous faut pour apprendre vos leçons, grandir, atteindre la réussite. Vous avez tout le courage dont vous avez besoin pour échouer, et essayer de nouveau. Vous avez tout ce qu'il vous faut, en vous, pour vivre et suivre votre propre chemin avec cœur.

Non seulement êtes-vous exactement où vous devez être, mais vous pouvez aller où vous voulez à partir d'ici. Et vous comme moi avons tout le pouvoir dont nous avons besoin pour apprendre les leçons que nous sommes venus apprendre ici.

Mon Dieu, montre-moi que tout ce dont j'ai besoin est en moi.

24 septembre

Établir un contact conscient

Dieu doit devenir une activité de notre conscience.

– JOEL S. GOLDSMITH

Dieu n'est pas distinct de ce monde magnifique qu'il a créé. Il est la force créatrice derrière tout ce que nous faisons. Il est le lever du soleil, le lever de la lune, les marées et les éclipses. Il nous a créés à partir du néant, et nous sommes spéciaux pour la seule raison que nous existons.

Quand nous lâchons prise sur notre isolement et que nous accueillons le fait d'être une partie de l'univers, une chose étonnante se produit : nous voyons que nous faisons partie de la gloire de l'univers.

Dieu est plus qu'un père immense regardant et jugeant de haut sa création, avec un mélange d'amour et de colère. Nous avons été créés à l'image de Dieu. Nous sommes une partie de Dieu. Une partie de l'esprit de Dieu réside en chacun de nous. Nous sommes une partie de la conscience universelle.

Aujourd'hui, que vous vous sentiez morne et triste, ou joyeux et libre, prenez un moment et entrez en contact avec la partie de Dieu qui réside en vous. Vous faites partie de quelque chose de plus grand que toutes les victoires et tous les échecs de votre vie. Profitez de votre caractère unique ; accueillez aussi votre universalité. Trouvez réconfort et humilité dans tout ce qui existe.

Voyez Dieu dans votre vie et dans le monde. Priez. Méditez. Entrez en contact conscient avec votre Dieu.

Mon Dieu, aide-moi à établir un contact conscient avec Toi aujourd'hui.

25 septembre   Remplir les espaces vides

La magie d'une histoire réside dans les espaces entre les mots.

Quand nous lisons un roman, nous trouvons souvent que l'auteur ne nous donne que les éléments généraux d'une scène, et pourtant notre imagination remplit tous les espaces vides à même nos expériences, nos espoirs, nos désirs. Nous n'avons pas besoin que l'auteur nous donne tous les détails.

Il en va ainsi pour la vie. Nous ne recevons souvent que le plan le plus élémentaire du chemin à suivre et, pourtant, si nous sommes silencieux et si nous écoutons notre cœur, nous pouvons entendre tous les détails de notre chemin qui nous sont expliqués, une étape à la fois. Nul besoin d'avoir tout bien prévu pour nous avant le temps. S'il en était ainsi, il serait inutile de faire le voyage. Nous pourrions simplement lire à ce sujet.

Levez-vous.

Suivez votre chemin avec cœur.

Remplissez vous-même les espaces vides.

Mon Dieu, donne-moi la force de connaître la fin de l'histoire en la vivant jusqu'au bout, plutôt qu'en voulant qu'on me la lise à l'avance.

Qu'a dit le moine bouddhiste au vendeur de hot-dogs? Pouvez-vous m'en préparer un tout garni?

Je bouclais ma ceinture de sécurité dans un petit Cessna, un jour, me préparant à mon cours de pilotage, quand Rob, mon instructeur, s'est tourné vers moi et m'a confié: «Je prends une seconde quand je m'attache et je me dis que je deviens ainsi un avec l'avion. Ça m'a vraiment aidé au début quand j'étais nerveux et que je me sentais tellement distinct de l'avion.»

Quelle riche idée, ai-je pensé. Cette journée a donné lieu à l'une de mes séances de pilotage les plus confortables. Cela m'a rappelé une leçon que j'avais apprise quelque temps auparavant.

Presque toute ma vie, je me suis sentie déconnectée de moi-même, des autres, de la vie. Ce sentiment de séparation me hantait. Cela explique pourquoi j'ai essayé si désespérément de m'attacher de façon codépendante aux gens, aux endroits et aux choses.

Au fil des ans, j'ai commencé à voir que ma séparation était une illusion. La même énergie, la même force vitale qui circule dans tout l'univers circule aussi en vous et en moi.

Nous sommes connectés, que nous le sachions ou non. Personne n'a à vous faire un avec tout. Vous l'êtes déjà. Lâchez prise sur votre illusion de séparation. Connectez-vous.

Mon Dieu, aide-moi à savoir que je fais un avec l'univers. Aide-moi à savoir à quel point je suis vraiment relié, de sorte que je n'aie pas à me connecter de mauvaises façons.

27 septembre   S'approprier sa vie

Êtes-vous disposé à assumer la responsabilité de ce tapis, à vous l'approprier? Cela ne veut pas dire qu'il n'est pas aussi le tapis de tous les autres. Si vous êtes assez fort pour faire vôtre le tapis, vous êtes assez fort pour le laisser être le leur également.

– George Leonard

Dans son livre *The Way of Aikido*, George Leonard parle du concept de *s'approprier le tapis*. Il parlait de l'aïkido. Il faisait référence à une apparence de propriété, une certaine présence qu'il a apprise à démontrer tant sur les tapis en pratiquant les arts martiaux que dans sa vie.

Bien des attitudes subtiles et le conditionnement passé peuvent affecter notre sentiment d'appropriation de notre vie et du monde dans lequel nous vivons – la culpabilité, un sentiment envahissant de victimisation, la paresse, la vie avec des personnes répressives, coléreuses ou abusives peuvent avoir dominé notre sentiment d'appropriation de notre vie.

Un jour, j'étais chez ma fille. Elle avait récemment fait l'acquisition d'un chien, Stanley. Stanley s'enroulait timidement dans un coin au lieu d'accourir vers moi pour m'accueillir, comme le faisait son autre chien.

«Nous avons pris Stanley à la fourrière, expliqua Nichole. Ses anciens propriétaires l'ont battu violemment. Il a peur de trop bouger. Il a peur de se faire frapper. Alors, il reste assis bien tranquille, espérant ne pas froisser personne.»

Je me suis dit: *Ce chien me fait penser à moi.*

Lâchez prise sur le conditionnement négatif. Peu importe ce qui s'est passé, aujourd'hui est un jour nouveau. Et c'est votre jour de chance. Vous venez d'hériter. Vous possédez désormais votre univers – votre vie, vos émotions, vos finances, vos relations, vos décisions. Avancez-vous sur le tapis de votre vie avec un air confiant. Accueillez les autres gracieusement, car c'est aussi leur monde. Que vous preniez place à votre poste de travail ou que vous poussiez un chariot dans une allée à l'épicerie, tenez-vous droit, bougez à partir de votre centre et marchez avec un cœur accueillant. Bienvenue dans votre monde.

Mon Dieu, enseigne-moi ce que signifie vivre et laisser vivre.

Activité. Passez en revue chacun des domaines suivants de votre vie : le travail, les relations, les finances, les loisirs, les émotions, votre corps et votre croissance spirituelle. Avez-vous cédé ou abandonné la propriété d'un de ces domaines ? Le cas échéant, aujourd'hui est une bonne journée pour vous le réapproprier.

28 septembre
Vous êtes responsable de vous

Nous pouvons déléguer des tâches, mais nous ne pouvons en déléguer la responsabilité, si celle-ci est vraiment la nôtre.

Parfois, il est normal de déléguer des tâches à d'autres. Nous pouvons embaucher des gens pour faire certaines choses pour nous. Nous pouvons passer des contrats avec un thérapeute ou un guérisseur pour nous aider à assumer un certain point. Mais la responsabilité de suivre tel ou tel conseil et les décisions que nous prenons dans notre vie nous appartiennent en définitive.

Il est facile de se laisser aller à la paresse. Nous pouvons laisser un ami, un employé, ou même un thérapeute compétent commencer à prendre nos décisions pour nous. Nous pouvons écouter ce qu'ils disent et suivre leurs conseils aveuglément. Alors nous n'avons pas à assumer la responsabilité de notre vie. Si la décision ne donne pas les résultats escomptés, nous pouvons dire: «Tu avais tort. Regarde dans quel pétrin tu m'as mis. Je suis encore une victime.»

Oui, vous l'êtes. Mais vous êtes une victime de vous-même.

Nous pouvons écouter les conseils et laisser les autres nous aider, mais s'ils nous aident à faire quelque chose dont nous sommes responsables, ultimement, la responsabilité de cette décision nous appartient quand même.

Obtenez de l'aide quand vous en avez besoin. Déléguez des tâches. Mais ne cédez pas votre pouvoir. Rappelez-vous: vous pouvez penser, ressentir, prendre soin de vous, régler vos problèmes. Ne soyez pas paresseux. Ne cédez pas la responsabilité de votre vie.

Mon Dieu, aide-moi à me rappeler que je suis responsable envers moi-même.

29 septembre　　Ne pas oublier de prendre soin de soi

Jenna a commencé à fréquenter un nouveau copain. Comme bien des femmes, elle était un peu frustrée de tous les perdants qu'elle avait rencontrés auparavant. Elle se dit qu'elle mettrait celui-ci à l'épreuve. Elle voulait voir à quel point il serait bon pour elle.

Alors quand il lui a téléphoné et lui a demandé ce qu'elle voulait faire, elle lui a dit qu'elle aimerait qu'il l'emmène faire un petit voyage.

«Hawaï serait bien, dit-elle. Procure-nous les billets. Et trouve un bel endroit où séjourner là-bas. Je ne veux pas d'un hôtel minable.»

Il avait suffisamment d'argent en banque. Le voyage, se disait-elle, serait exquis et luxueux. Elle s'imaginait le vol en première classe, les limousines, et la villa qu'il aurait louée, avec des domestiques et un chef.

Le jour du voyage venu, ils ont pris un taxi, pas une limousine, pour l'aéroport. Et quand elle est montée à bord de l'avion, il l'a menée en classe économique. Lorsque l'agent de bord a demandé aux gens s'ils voulaient louer un film, son copain a fait non de la tête et s'est replongé dans son livre. Elle a dû débourser les quatre dollars pour payer le film.

Elle est demeurée écrasée dans son siège jusqu'à Hawaï. Quand ils sont arrivés, il l'a emmenée dans un condo à temps partagé. Puis, il l'a conduite au supermarché en voiture de location, et lui a dit de choisir ce qu'elle voulait cuisiner.

Durant toutes les vacances, elle a passé beaucoup de temps à ruminer dans sa tête, mais au retour, elle a décidé de lui donner une autre chance. Alors quand il a téléphoné et lui a demandé ce qu'elle voulait faire vendredi soir, elle a dit qu'elle aimerait bien voir un film. Elle a raccroché, s'est habillée et coiffée. Elle croyait que peut-être il l'emmènerait dans un beau cinéma.

Il est passé la prendre, puis s'est rendu au magasin de location vidéo le plus près. «Vas-y et choisis ce que tu veux louer, dit-il. Veux-tu le regarder chez toi ou chez moi?»

La morale de cette histoire est double et simple. La première leçon est que, si vous savez exactement ce que vous voulez, vous devez l'énoncer précisément. La deuxième est qu'il vaut mieux ne pas s'attendre à ce que les gens prennent soin de nous. Même s'ils acceptent de le faire, il se peut que leur façon de s'exécuter ne nous plaise pas.

Il est agréable d'avoir des gens qui nous aiment et qui font des choses pour nous, mais il vaut mieux prévoir prendre soin de nous-même.

Mon Dieu, aide-moi à me rappeler que c'est mon travail de prendre soin de moi.

30 septembre   S'approprier son pouvoir

J'étais dans un avion durant l'ascension. J'étais nerveuse, comme d'habitude. Brady Michaels, un cascadeur et parachutiste que je connaissais et respectais, était assis en face de moi.

«Comment ça va, Melody?» me demanda-t-il gentiment, comme si ça lui importait vraiment.

«J'ai peur», ai-je dit.

«Crois-tu en Dieu?» m'a-t-il demandé.

«Oui».

«Alors va vers la porte, saute et tire sur ta corde au bon moment, dit-il. Et n'oublie pas non plus de t'amuser.»

Nous approprier notre pouvoir peut être une des questions les plus illusoires que nous rencontrons dans notre recouvrance. Quelle part est la mienne? Quand dois-je la faire? Quelle part est celle de Dieu? De quelles parties de ma vie suis-je responsable, et quelles parties relèvent de ma destinée?

Vous pouvez passer des années en thérapie à parler de vos émotions, mais ce n'est pas la même chose que de vous libérer de vos émotions et de vos peurs, et d'avancer dans votre vie. Vous pouvez aller à l'université et apprendre à faire ce que vous voulez faire dans la vie. Vous pouvez dormir toutes les nuits avec votre liste de souhaits sous votre oreiller. Mais c'est différent de monter au but et de le faire, qu'il s'agisse d'écrire un roman d'amour, de démarrer votre propre entreprise, d'apprendre à confectionner un gâteau, ou d'acheter un chevalet et peindre un tableau. Vous pouvez lire tous les guides de voyage de la bibliothèque – mais c'est différent de prendre l'avion et de faire le voyage vers une destination qui vous a toujours attiré.

Nous pouvons assister à un million de réunions des Douze Étapes, mais c'est différent de faire vraiment chacune des étapes.

Comme me disait mon moniteur de parachutisme préféré, Andy, il y a trois choses dont il faut se souvenir:

- La gravité est toujours à l'œuvre.
- La terre ne s'enlèvera pas de ton chemin.
- Et Dieu ne tirera pas sur ta corde de traction.

Nous avons confié notre vie et notre volonté aux soins de Dieu. Maintenant, il est temps d'apprendre ce que signifie s'aligner sur notre pouvoir et se l'approprier.

Mon Dieu, aide-moi à m'approprier mon pouvoir pour prendre soin de moi. Aide-moi à apprendre à bien faire le travail.

Octobre

Dites je vois

1er octobre   Dire *je vois*

J'étais à la zone de saut un jour, peu après mes débuts en parachutisme, lorsque cette idée m'est venue. *Je sais,* me suis-je dit. *Je vais m'acheter un chalet ici, sur une petite colline, avec une baignoire thermale, un foyer et un revêtement intérieur en bois de cèdre odorant.*

Ne serait-ce pas charmant, me disais-je, *de vivre là-haut sur une colline et d'admirer les lumières scintillantes en bas le soir, surplombant la ville et le lac?*

Je n'y ai pas pensé beaucoup plus, jusqu'à ce que débute la saison froide et pluvieuse. Alors, malgré tous mes efforts pour réprimer mon rêve du chalet, cette idée revenait et surgissait de l'intérieur.

J'ai téléphoné à mon ami Kyle et lui ai demandé s'il était occupé. Il m'a dit que non. Alors, je lui ai demandé s'il avait le temps de venir se balader en voiture avec moi.

«Je veux seulement regarder la région, dis-je. Aller voir si le chalet est là. Allons simplement là où mon intuition me conduira.»

Nous avons emprunté l'autoroute 15 jusqu'à l'approche d'une sortie. Prendre cette sortie semblait la chose à faire. Nous avons tourné et nous sommes dirigés vers l'ouest. J'ai regardé à droite et j'ai soudain ressenti l'envie de monter la colline. Alors nous sommes montés, passant une maison après l'autre.

Enfin, au bout du chemin, il y avait un petit chalet au sommet d'une colline. L'extérieur était recouvert de cèdre brut. Un foyer de briques couvrait le devant de la maison. Il y avait une baignoire à remous dans la cour arrière. Et un écriteau «à vendre» était planté sur le terrain avant.

Il y a d'autres chapitres à cette histoire. Chip a pris part au rêve. À un moment donné, nous avons cessé de l'appeler «le chalet» et l'avons baptisé le Blue Sky Lodge. Pat et Andy sont venus nous aider à réaliser le rêve. Ce serait un endroit confortable pour les gens qui aiment faire des choses en altitude. Il y aurait des lits en surplus. Ce ne serait pas un hôtel, mais l'endroit serait ouvert à tout invité qui voudrait déployer ses ailes et apprendre à voler.

Nous avons campé au Lodge pendant la construction. Tout a été beaucoup plus long que nous le pensions, mais finalement, c'est devenu l'endroit de nos rêves.

Il y a une table de billard, un jeu de dards, une chambre d'invités fantaisiste appelée la chambre des clowns, une chambre d'invités confortable, un salon doté d'un immense foyer en pierre et d'un téléviseur grand écran. Puis, il y a la chambre bleue, la chambre des maîtres dont les murs sont recouverts de tissu bleu à carreaux. Elle loge le lit le plus grand et le plus confortable du monde – le lit nuage – et mon bureau.

Des poutres rouges courent sur le plafond de cèdre. Chip a un bureau dans le hall d'entrée, sur lequel il y a des caméras vidéo, des appareils-photos et des ordinateurs. Et partout dans la maison, il y a des livres, des disques compacts, des sacs de vol, des parachutes, des casques et des cordes d'escalade.

Le Blue Sky Lodge est là pour vous apprendre que vos rêves peuvent se réaliser.

Que vos rêves pour vous-même vous viennent par bribes, sur une période donnée, ou que vous pratiquiez la visualisation pour les voir et vous concentrer sur eux, les rêves ne sont qu'une autre façon que prend Dieu pour communiquer avec nous.

Les rêves disent: «Regarde ce que tu *peux* avoir.»

Une part importante de savoir lâcher prise consiste à apprendre à dire: «Je vois ce que je peux avoir, qui je suis, où je suis et ce que j'ai maintenant.»

Mon Dieu, aide-moi à devenir conscient.

2 octobre   Manifester sa réalité

Dans le monde du parachutisme, dans les zones de saut, il y a habituellement un petit bureau où va le parachutiste. Ce bureau ou cet endroit porte le nom de *manifeste.* Le parachutiste potentiel doit présenter un billet et se faire assigner un vol en particulier. Parfois, des contretemps surviennent. Les vents peuvent se lever et annuler tel vol. Le ciel peut se couvrir. Un empêchement peut se produire et faire en sorte que le parachutiste change d'idée et ne monte pas à bord. Mais à toutes fins, une fois que vous êtes passé au manifeste, vous allez vous retrouver à la porte d'un avion, à 3 750 mètres, avec un groupe de parachutistes qui vous crient de sauter.

Si vous ne voulez pas vous retrouver à cette porte, à essayer de lâcher prise et à vous demander comment vous en êtes arrivé là, n'allez pas au manifeste.

Il est facile de voir comment les événements se manifestent dans le monde du parachutisme. Parfois, il est plus difficile de voir le bureau du manifeste dans notre vie quotidienne.

«Comment suis-je arrivé ici?» nous disons-nous, en regardant la ville où nous vivons, la personne que nous avons épousée ou le poste que nous occupons. Évidemment, le destin et notre Puissance supérieure prennent une large part, là où nous en sommes.

Mais nous aussi.

Les choix que nous faisons nous mènent sur notre chemin. Les grandes décisions que nous prenons façonnent notre destin. Nos pensées, nos intentions et notre imagination font beaucoup plus pour donner forme à notre moment présent que nous ne pouvons l'imaginer.

Le problème, c'est qu'il y a habituellement un écart entre nos intentions ou notre comportement et leur manifestation dans la réalité. Quand un événement a finalement lieu, nous avons oublié que B est arrivé parce que nous avons fait A. C'est difficile de voir l'effet progressif des nombreux choix que nous faisons en une journée.

Je ne dis pas que nous créons tout ce qui nous arrive. Nous n'avons pas tant de pouvoir. Mais Dieu à lui seul n'a pas envoyé tout ce qui nous est donné de vivre. Nous en avons créé une grande partie.

Soyez conscient des mots que vous utilisez, surtout ceux qui se combinent à une volonté ou à des émotions puissantes. Si nous devons manifester quelque chose dans la réalité, que ce soit une bonne chose.

Mon Dieu, montre-moi les pouvoirs créateurs que je possède, surtout mon pouvoir de manifester des événements dans ma vie. Enseigne-moi à utiliser ces pouvoirs pour créer l'harmonie et la beauté en ce monde.

3 octobre

Soyez conscient de vos intentions

Votre moi intérieur est entier et ne comprend pas l'ambiguïté. Alors quand vous lui ordonnez de manifester vos désirs, donnez-lui des instructions très exactes... Votre moi naturel aime beaucoup exécuter les tâches que vous lui assignez. Il aime faire valoir ses talents et performer pour vous et les autres, et peut faire presque tout (dans le domaine du possible et du probable) ce que vous pouvez concevoir.

– ENID HOFFMAN

Soyez clair dans vos intentions.

Les intentions sont plus que de simples souhaits. Une intention est une volonté mêlée d'émotions et de désir. Par exemple, je peux m'asseoir ici et souhaiter que la maison soit plus propre. Quand je mets tout le reste de côté, que je comprends ma frustration à cause du désordre et que je la canalise en énergie dans mon désir d'être à l'ordre, je peux dire : «Je vais passer une heure à faire le ménage.»

Parfois, nous faisons connaître nos intentions aux autres. Par exemple, nous pouvons commencer à fréquenter quelqu'un, et nous avons l'intention de nous marier éventuellement. Les intentions peuvent tourner à la manipulation quand nous ne les exprimons pas clairement. Elles peuvent aussi comporter du contrôle, dans le pire sens du terme, quand elles s'attaquent à changer le libre arbitre de quelqu'un d'autre.

La meilleure façon de commencer est de clarifier nos intentions pour nous-même. Que voulez-vous ? En ce qui concerne votre situation de vie, comme le travail ou les finances, quelles sont vos intentions ?

Nos bonnes intentions peuvent parfois dérailler complètement. Par exemple, nous pouvons avoir l'intention de rendre une personne sobre, mais celle-ci peut n'avoir aucun désir de devenir sobre. Nous pouvons éviter une foule de manipulations pénibles si nos intentions sont claires.

Vous regardez-vous traverser la vie, rencontrant différentes situations. Avez-vous une idée en tête? Savez-vous même ce qu'elle est? Nos intentions sont parfois moins que conscientes, tapies sous la surface. Par exemple, il se peut que nous ayons l'intention de nous marier et de nous faire vivre de sorte que nous n'ayons pas à gagner notre vie. Les intentions de quelqu'un d'autre influencent-elles les vôtres?

Quand vous entamez un nouveau projet, une nouvelle relation ou ne serait-ce qu'une nouvelle journée, prenez un moment et calmez-vous. Soyez clair avec vous-même et avec les autres quant à vos intentions. Puis, abandonnez ces intentions à Dieu.

Mon Dieu, aide-moi à aligner mes intentions et mes désirs sur ta meilleure volonté pour ma vie.

4 octobre   Évaluez vos rêves

J'ai toujours voulu être une écrivaine. Il y a long-temps, j'en ai parlé à Dieu, puis je lui ai demandé de faire concrétiser ce rêve s'il venait de lui. Ou d'elle. En moins de 24 heures, le journal communautaire m'a confié ma première tâche d'écriture. J'ai été payée cinq dollars pour une histoire et, depuis, je n'ai cessé d'écrire.

Nous avons parfois une vision de nous-même en train de faire quelque chose. Ce peut être un aperçu ou même un rêve dans lequel nous nous voyons faire quelque chose dans l'avenir. Nous pressentons peut-être devenir enceinte. Ou nous faisons un rêve où nous nous voyons emménager dans une nouvelle maison. Nous pouvons traverser un quartier en voiture un jour et avoir l'impression particulière que ce serait bien pour nous y installer.

Nous pouvons avoir une intuition concernant un événement réorientant notre carrière.

Certains croient que ces petites intuitions ou ces rêves sont la façon qu'a notre âme de se rappeler ce qu'elle est venue faire ici.

Nous avons un flash : un rêve, une vision ou une impression particulière de ce qui s'en vient. Peut-être que vos rêves au sujet de ce que vous voulez et de ce que vous aimeriez sont plus importants que vous ne le croyez.

Mon Dieu, montre-moi ce que Tu veux que je fasse et expérimente dans ma vie. Puis, donne-moi assez de conscience pour me détendre et voir ce que Tu m'indiques.

Activité. Ayez une page *je vois* dans votre journal. Pendant les jours qui viennent, portez une attention particulière aux rêves qui surgissent dans votre esprit. Les rêves nocturnes sont importants. Il est bon d'écrire à leur sujet aussi. Ils nous donnent souvent des indices. Mais ce dont je parle ici sont nos rêves éveillés et nos impressions – ces choses que nous croyons vouloir ou que nous nous voyons faire. Avez-vous enfoui des rêves d'enfance ou d'âge adulte, des choses que vous vouliez vraiment mais que vous avez oubliées avec les années? Dites-vous qu'il est temps de vous en souvenir. Puis lâchez prise. Portez attention à ce qui vous revient en tête. Écrivez-le, même si ce n'est qu'une phrase ou deux. Puis, lâchez prise de nouveau sur le rêve. N'essayez pas de contrôler l'avenir. Il arrivera de lui-même.

5 octobre   Prendre le temps
de voir d'abord

« Vois ton saut en parachute en pensée d'abord, m'a enseigné mon moniteur de saut, à mes débuts. Assois-toi toute seule et imagine-toi faire chaque geste, à partir du moment où tu montes à bord de l'avion jusqu'à celui où tu touches terre. »

La visualisation a été un outil utile pour moi, tant en parachutisme que dans la plupart des autres domaines de ma vie.

Dans les années 1980, Shakti Gawain a écrit un best-seller, *Techniques de visualisation créatrice.* Elle parlait de l'effet puissant d'utiliser son esprit pour s'imaginer faire une certaine activité avant de l'effectuer réellement.

La visualisation est un outil d'aide personnelle qui existe depuis très longtemps. Nombre de gens de toutes les sphères d'activité, des thérapeutes aux athlètes professionnels, sont unanimes à croire que se voir accomplir quelque chose à l'avance est la meilleure façon de bien le faire.

Nous pouvons utiliser l'outil de la visualisation pour contribuer à créer de la matière à partir de l'énergie spirituelle, simplement en consacrant une période de temps paisible pendant notre méditation à nous concentrer sur ce que nous voulons, en nous voyant l'avoir, le faire, le toucher et le sentir. Une femme m'a dit se servir de la visualisation pour s'aider à se voir lâcher prise sur un partenaire.

«Je me calme et je me vois vivre heureuse sans la personne que je croyais devoir avoir dans ma vie, m'a-t-elle dit. J'entre dans les détails de ce que je ressens aussi. Comme je me sens dégagée. Comme je suis reconnaissante des leçons que m'a enseignées cette personne. Comme je suis libérée du fardeau de mes obsessions au sujet de cette personne. Cela m'aide vraiment à lâcher prise.»

La visualisation est un outil important. C'est un don quand nous pouvons nous voir faire quelque chose, et que cette activité puisse se manifester dans la réalité.

La visualisation ne fonctionne que si vous l'utilisez. Faites-en une pratique régulière dans votre vie.

Visualisez-vous vivant dans un de vos rêves. Visualisez-vous faisant quelque chose qui vous rend nerveux. Prenez quelques instants et parcourez tout le scénario en pensée, jusqu'à ce que vous vous voyiez faire cette chose calmement, nettement et avec succès, tous les obstacles étant écartés de votre chemin.

Mon Dieu, aide-moi à me servir régulièrement de la visualisation dans ma vie. Aide-moi à faire ma part pour créer des situations favorables en prenant le temps de les voir d'abord, de les visualiser.

Activité. Devenez un expert de la visualisation. Allez à la bibliothèque ou à la librairie et prenez deux ou trois ouvrages sur le sujet. Puis, lisez-les et commencez à appliquer l'outil de la visualisation dans votre vie.

«C'est trop, dis-je à mon moniteur. Sauter d'un avion, c'est trop difficile à comprendre pour mon cerveau.»

«Alors garde tout cela simple, dit-il. Décompose le tout en étapes. Tu as l'ascension, où tu t'exerces à la détente, ta sortie, ton temps de chute libre, puis tu déploies ton parachute. Ensuite tu décides si ça fonctionne ou si tu as besoin de recourir au plan de secours. Puis, mets en place ton scénario d'atterrissage. Lorsque tu t'approches du sol, tire sur tes cordes et ta fusée éclairante.»

Je pouvais m'en tirer avec les étapes, mais le saut de l'avion était une image trop énorme à visualiser. Par contre la sortie, la chute stable, le tirage des cordes et de la fusée éclairante étaient des éléments simples qui semblaient faisables. Mon esprit pouvait concevoir ces tâches simples.

Vous ne ferez peut-être jamais de saut en parachute. Ou peut-être le ferez-vous. Mais il y a beaucoup de choses dans la vie qui semblent trop si nous tentons de les voir comme un énorme tout. Je n'ai jamais cru que je pourrais demeurer sobre et sans drogues pendant 27 ans. Mais avec l'aide de Dieu et du programme, j'ai cru que je pouvais m'abstenir de consommer drogues et alcool pendant 24 heures. Et le jour suivant, je me levais et j'y croyais de nouveau.

Il y a eu des moments où je ne croyais pas pouvoir recommencer ma vie. Mais je pouvais me lever le matin et faire les choses que je croyais les meilleures pour cette journée.

Faites-vous face à quelque chose dans votre vie présentement que vous croyez insurmontable? Alors simplifiez-le. Décomposez-le en étapes faisables jusqu'à ce que vous puissiez voir à quel point c'est simple.

Mon Dieu, si je complique une tâche, ou que je la vois trop immense et infaisable en pensée, aide-moi à simplifier ce que je vois.

7 octobre — Dites-vous comme c'est simple

Voici un autre exemple du pouvoir de la simplification.

Pendant des années, j'ai entendu parler de la randonnée pédestre. Tout cela semblait tellement vague, difficile et mystérieux. Je n'en faisais pas, mais je pensais avec regret à la randonnée. Un jour, un ami m'a demandé d'aller faire de la randonnée avec lui. «Bien sûr», ai-je dit. Comme le jour de l'excursion approchait, j'ai commencé à bien y penser. J'étais un peu nerveuse. Et si je n'étais pas assez bonne? Et si je ne savais pas du tout comment m'y prendre?

Ne sois pas ridicule, me grondai-je. *Tu compliques cela beaucoup plus que ça ne l'est. La randonnée, c'est seulement marcher, et tu fais ça depuis que tu as dix mois.*

Le jour suivant, je me suis levée à six heures, et mon ami et moi sommes partis pour notre randonnée. J'ai suivi mon ami alors qu'il commençait à grimper un plan incliné.

Marche simplement, me suis-je dit après les dix premiers pas. *Mets un pied en avant de l'autre. Marche comme tu l'as toujours fait.*

Je ne me suis pas rendue au sommet de la montagne ce jour-là, mais presque à mi-chemin.

Y a-t-il une chose que vous vouliez faire, mais que vous avez repoussée indéfiniment parce qu'elle semblait trop difficile ou compliquée? Dites-vous non à une chose à laquelle vous aimeriez dire oui, mais qui semble insaisissable et hors de portée? Essayez de réduire la tâche ou l'activité à sa plus simple expression.

J'ai un ami qui n'était pas sorti avec une femme depuis des années. Un jour, une amie qui lui plaisait lui a demandé d'aller au cinéma. Il était tendu et nerveux.

«Aller au cinéma, c'est simplement s'asseoir et regarder l'écran, puis se lever et rentrer à la maison quand c'est fini, lui ai-je dit. Je crois que tu peux faire ça.»

«Tu as raison», dit-il. Il y est allé et a passé un bon moment.

Nous pouvons parfois nous effrayer de faire les choses les plus simples. Oui, la randonnée est plus qu'une marche. Et sortir avec quelqu'un fait appel à un peu plus que s'asseoir et fixer un écran. Mais pas beaucoup plus. Simplifiez les choses. Amenez-les à leur niveau le plus pratique. Au lieu de vous persuader de ne pas vivre, apprenez à vous y inviter.

Mon Dieu, donne-moi le courage de vivre pleinement ma vie. Aide-moi à me convaincre délibérément de faire des choses, plutôt que de m'effrayer au point de ne pas les faire.

8 octobre   Aller à son propre rythme

Cette partie du sentier était raide. Et le changement d'altitude était radical. Je cherchais mon souffle et m'efforçais de ne pas grimacer à cause de la douleur dans mes jambes, alors que mon partenaire de randonnée grimpait en avant de moi.

Il s'est arrêté et a regardé derrière lui. Je traînais vraiment la patte. Si ses jambes lui faisaient aussi mal qu'à moi, son pas ne le montrait pas. Je savais ce qu'était se retenir pour s'adapter au rythme de quelqu'un d'autre. Je ne voulais pas lui imposer ça parce que je n'étais pas en forme.

«Continue», ai-je crié.

Il avait l'air hésitant.

«Vas-y. Marche à ton pas. Je vais aller au mien.»

Je l'ai convaincu de me laisser derrière. Ce n'est pas parce que nous étions arrivés ensemble que nous étions tenus de faire la randonnée, ou marcher, comme je préfère l'appeler, à la même cadence. Mon ami s'est éloigné devant moi et a disparu de ma vue. J'ai marché, puis je me suis reposée, puis j'ai marché, puis je me suis reposée. Une fois, je me suis arrêtée, j'ai déposé mon sac à dos et j'ai fait une sieste.

Mon ami et moi nous sommes rejoints vers la fin de la journée. Nous avons descendu la montagne ensemble, côte à côte.

Même si nous les simplifions, la plupart des choses sont plus difficiles que nous le croyons. Il importe de laisser chacun aller à son propre rythme. Qu'il s'agisse de régler un problème ou de vous attaquer à un projet, trouvez le rythme qui vous convient. Laissez les autres en faire autant.

Ne vous comparez pas aux personnes autour de vous. Laissez leur rythme vous remplir d'énergie, mais respectez la cadence qui vous convient.

Mon Dieu, aide-moi à savoir que chacun d'entre nous a son propre rythme pour traverser la vie. Aide-moi à honorer et à apprécier les rythmes qui me conviennent.

9 octobre   Diminuez vos attentes

Lorsque vous entamez votre premier projet de création ou que vous commencez à étudier un art ou un métier, je veux que vous abaissiez vos critères jusqu'à ce qu'ils disparaissent. C'est bien cela. Vous n'êtes pas censé être bon du tout au début. Alors, aussi bien vous faire le cadeau libérateur de vous attendre joyeusement à être mauvais.

– BARBARA SHEER ET ANNIE GOTLIEB, *WISHCRAFT*

Quand j'ai commencé à écrire des articles pour des journaux et des magazines, il me fallait entre un et trois mois pour terminer un court article. Après avoir écrit pendant quelques années, j'ai apporté une minuterie à mon bureau un jour. Je me suis dit que maintenant que je savais comment faire ce que je faisais, j'allais apprendre à le faire plus rapidement. Avant longtemps, j'ai été capable d'écrire en deux heures ce qui m'avait pris des mois à accomplir auparavant. Les mots clés ici sont *avec le temps.*

Quand j'ai commencé à me rétablir de la chimiodépendance, il m'a fallu huit mois de traitement pour comprendre ce que les autres saisissaient en six semaines. Avec le temps, je suis devenue conseillère en chimiodépendance. Avec le temps, j'ai écrit des livres sur le sujet. Les mots clés ici sont *avec le temps.*

Quand j'ai commencé à me rétablir de la codépendance, je ne pouvais pas faire la différence entre un geste de contrôle et l'établissement d'une frontière.

Je ne savais pas à quel moment je prenais soin de moi ni même ce que cela signifiait. Je ne faisais pas la différence entre la manipulation et un effort honnête d'exprimer mes émotions. Avec le temps, j'ai écrit un best-seller sur le sujet. Une fois de plus, les mots clés ici sont *avec le temps.*

Commencez où vous êtes. Commencez mal, mais commencez. Laissez-vous cafouiller, être maladroit et confus. Si vous saviez déjà comment faire, ce ne serait pas une leçon dans votre vie. Et vous n'auriez pas la sensation de victoire grisante quand, dans deux, cinq ou dix ans d'ici, rétrospectivement, vous direz: « Wow ! Je suis devenu bon là-dedans avec le temps. »

Tout est possible à celui ou celle qui croit, dit la Bible. Profitez de ces commencements maladroits. Savourez-les. Ils sont la clé de votre réussite.

Mon Dieu, aide-moi à cesser de me reporter de vivre par crainte de mal faire. Aide-moi à diminuer mes attentes pour faire place à des débuts maladroits.

Activité. Qu'avez-vous reporté ou évité par crainte de mal commencer ? Faites une liste de toutes vos réalisations, que ce soit terminer un cours primaire ou universitaire, apprendre une nouvelle compétence au travail ou être parent. Puis, écrivez dans votre journal comment vous vous sentiez au début. Faites ensuite la liste des choses que vous voulez faire. À côté de votre objectif, écrivez-vous ces mots : *je te donne la permission de faire ceci médiocrement au début.* Notez votre rendement chaque fois que vous atteignez cet objectif. Revenez à cette section de votre journal jusqu'à ce que vous écriviez à quel point vous réussissez bien.

**Comment on se sent
quand on réussit**

En parachutisme, il y a une activité qu'on appelle *l'entraînement au sol*. À la zone de saut, vous verrez des gens couchés sur le ventre, sur des appareils qui ressemblent à des planches à roulettes. Ils font tous au sol les mêmes gestes que s'ils étaient en chute libre dans les airs. Ils entraînent leur corps et eux-mêmes à *bien* le faire. Ils apprennent ce qu'ils ressentent quand ils le font bien.

Y a-t-il quelque chose que vous essayez d'apprendre à faire? Luttez-vous pour lâcher prise sur quelqu'un? Essayez-vous de faire quelque chose pour la première fois – surmonter votre peur de l'avion ou écrire un livre? Avez-vous une rencontre prévue qui vous cause des tensions? Peut-être que vous devez voir votre patron et lui demander une augmentation.

Voyez-vous le faire. Calmez-vous d'abord en détendant délibérément chaque partie de votre corps et de votre esprit. Puis imaginez-vous le faire, peu importe de quoi il s'agit. Voyez ce que vous ressentez quand vous le faites bien. Examinez chaque détail de ces impressions que vous pourriez ressentir si vous le faites *bien*.

Si vous rencontrez un obstacle qui vous empêche d'avancer sans heurt dans votre période de visualisation, demandez à votre Puissance supérieure ou à vous-même d'y remédier ou d'éliminer cet obstacle. Une peur vous bloque-t-elle? Est-ce une vieille ou une nouvelle peur? Elle concerne peut-être une inquiétude au sujet de ce qu'une personne vous a dit il y a longtemps à propos de votre inaptitude. Libérez cette énergie, puis recommencez au début, à voir comment vous vous sentez quand vous le faites bien. Continuez votre visualisation jusqu'à ce que le processus entier se déroule sans heurt, du début à la fin.

Si vous essayez de vous imaginer faisant quelque chose sans y arriver et, à plus forte raison, sans ressentir ce que cela vous procure de *bien* le faire, peut-être que vous essayez de faire une chose qui n'est pas bonne pour vous. Demandez à votre Puissance supérieure de vous guider pour cela aussi.

La visualisation peut nous donner le temps de nous entraîner au sol en toute sécurité et de nous débarrasser des peurs, de l'embarras, et des obstacles et problèmes potentiels. Parfois, passer des moments paisibles à tenter de visualiser ce que nous ressentons quand nous le faisons *bien* peut nous donner le message que c'est, ou ce n'est pas, le bon moment ou la bonne chose pour nous.

Mon Dieu, aide-moi à me servir de mes pouvoirs mentaux pour créer les scènes les plus positives que je puisse imaginer se produire dans ma vie.

11 octobre — Se servir de ses pouvoirs imaginatifs

Il y avait dans un catalogue une petite annonce d'une machine électrique à soie dentaire. «Je n'ai ni le temps ni l'énergie d'utiliser la soie dentaire, déclarait l'homme de l'annonce. C'est pourquoi j'ai besoin de cette machine pour le faire pour moi.»

Trop occupé et trop fatigué?

Certains se plaignent de tout ce qu'il faut faire pour maintenir leur santé spirituelle. La prière. La méditation. Fréquenter des groupes d'entraide. Toutes ces choses exigent temps et énergie, même si nous obtenons un bon rendement du temps que nous investissons. Nous envisageons maintenant d'ajouter un autre élément à notre liste déjà pleine d'activités pour prendre soin de nous-même : consacrer temps et énergie à visualiser pour aider à créer des événements positifs dans notre vie.

Quand quelqu'un m'a suggéré pour la première fois d'utiliser la visualisation comme outil, ma réaction a été semblable à celle de l'homme de l'annonce. *Je n'ai pas le temps. Je suis trop occupée et fatiguée.*

Mais nous pensons toujours à quelque chose et créons des images dans notre esprit. Habituellement, nous imaginons les pires scénarios. Alors pourquoi ne pas prendre le temps, l'effort et l'énergie que nous utilisons déjà à imaginer des choses qui ne fonctionnent pas et visualiser plutôt des choses qui réussissent? Si nous avons suffisamment de temps et d'énergie pour voir les éventualités négatives, nous avons aussi le temps et l'énergie de visualiser les événements positifs.

La visualisation n'est pas une forme de contrôle. Imaginer que les choses vont bien se passer ne garantit pas qu'il en sera ainsi. Mais si nous pouvons l'imaginer, il est plus probable que cela se produise que si nous n'imaginons rien du tout.

Mon Dieu, aide-moi à utiliser les pouvoirs de la pensée et de l'imagination de la façon la plus créatrice.

12 octobre   Voir et lâcher prise

Ceci est un rappel. Pendant que vous utilisez votre imagination, que vous caressez vos rêves et que vous visualisez un rendement positif, n'oubliez pas de lâcher prise.

Ne vous souciez pas de la façon dont les choses se produiront. Votre part consiste à imaginer le mieux pour vous. Retournez ensuite aux tâches de votre vie quotidienne.

Il est bon de lâcher prise et laisser Dieu agir. Le fait que nous possédons les pouvoirs créateurs d'imaginer ne signifie pas que nous devons contrôler le reste. Dites *je vois,* puis lâchez prise.

Laissez Dieu travailler à la manifestation.

Mon Dieu, après que j'ai vu mes rêves et mes visualisations, aide-moi à te les redonner.

13 octobre — Lâchez prise aussi sur ce que vous ne pouvez voir

Laissez la vie se dérouler, même si vous ne pouvez voir venir à vous le bien souhaité. Vous souciez-vous de ce qui va se passer ensuite? Y a-t-il eu un changement dans votre travail ou dans votre relation qui vous préoccupe?

Laissez la vie se dérouler. Ne la limitez pas par le passé ou même par ce que vous pouvez imaginer et visualiser. Ne niez pas que vous vous sentez découragé ou anxieux. Laissez aujourd'hui se dérouler. Et demain, faites de même. Si vous vous inquiétez de quelque chose et que vous ne pouvez pas voir comment cela pourrait fonctionner et qu'il n'y a rien à faire pour le moment, alors détendez-vous et laissez les choses arriver.

Parfois, les choses imprévues qui se manifestent sont meilleures que ce que nous pouvons imaginer ou voir. Même si nous ne pouvons voir le bien venir à nous, Dieu le peut.

Mon Dieu, aide-moi à savoir que ce qui est invisible aujourd'hui me sera révélé au bon moment.

14 octobre   Voyez naturellement

Je parlais un jour à un ami d'utiliser la visualisation comme outil pour aider à créer le présent et l'avenir que nous désirons. La visualisation, ou le recours à l'énergie spirituelle de la pensée comme outil, peut créer une réalité matérielle.

«Je ne fais pas vraiment cela, dit-il. Je ne suis pas fort sur la visualisation.»

Plus tard, nous parlions d'un projet auquel nous collaborions. Il s'est mis à décrire la phase suivante du processus. «Je nous vois y travailler ensemble comme ceci», dit-il. Il a décrit en détail comment il voyait les choses se matérialiser.

J'ai écouté. Quand il a eu terminé, je lui ai dit: «Tu as dit que tu n'utilises pas la visualisation comme outil. Mais tu viens de t'en servir naturellement, sans y penser, pour décrire comment nous allons travailler à la phase suivante de ce projet.»

Il a réfléchi un moment, puis a dit que j'avais probablement raison.

Ne vous persuadez pas de ne pas utiliser la visualisation comme outil. La plupart d'entre nous utilisent notre imagination pour envisager des choses qui ont cours présentement ou dans l'avenir. Soyez conscient de ce que vous dites et voyez, de façon à pouvoir utiliser cet outil puissant qu'est votre imagination, pour aider à créer quoi que ce soit que vous voulez vraiment voir.

Portez attention aux façons dont vous vous servez de votre imagination dans votre vie quotidienne, le nombre de fois où vous dites naturellement de quelle manière vous voyez les choses se passer. Si vous vous surprenez à utiliser vos pouvoirs imaginatifs pour créer des événements néfastes, arrêtez! Effacez cette scène et créez-en une autre.

Mon Dieu, aide-moi à devenir conscient de la façon dont je vois naturellement. Aide-moi à utiliser et à respecter mon imagination pour l'outil créateur puissant qu'elle est.

15 octobre   Regardez où vous allez

«J'ai les commandes», dit Rob, mon instructeur de vol. Il s'empara du manche à volant et éloigna le petit Cessna d'un avion qui s'approchait. «L'as-tu vu ou entendu à la radio?» demanda-t-il.

«Non, fis-je. J'étais trop concentrée sur les instruments du tableau de bord pour surveiller les autres avions à l'extérieur.»

«L'avion veut voler, dit Rob. Apprends à ressentir les sensations d'un vol coordonné de sorte que tu n'auras pas à avoir le nez collé sur les instruments. Il faut que tu surveilles les autres appareils à l'extérieur.»

Nous nous absorbons parfois tellement dans notre univers mental que nous en oublions de regarder à l'extérieur. Nous pouvons devenir tellement préoccupés par les petits détails d'un projet, quelque chose que nous essayons de faire, que nous ne voyons pas venir l'énorme problème jusqu'à ce qu'il ne nous tombe dessus. Nous pouvons être tellement accaparés par nos émotions que nous négligeons le reste de notre vie. Nous sommes tellement plongés dans notre programme – essayer de nous faire aimer de quelqu'un, obtenir tel emploi, acheter telle maison ou contrôler un résultat – que nous ne voyons pas les signes avant-coureurs et ne nous rendons pas compte que cette personne, cette chose ou cet endroit ne nous convient peut-être pas.

Apprenez à ressentir votre vie et à comprendre intuitivement quand vous êtes sur la bonne voie. Soyez conscient. Nous pouvons parfois repérer des problèmes éventuels quand ils sont encore minimes et éloignés. Si vous en êtes capable, alors vous n'aurez qu'à apporter des corrections mineures à votre trajet pour éviter les conflits ultérieurs en cours de route.

Rappelez-vous, l'avion veut voler, mais vous devez vous garder de heurter quoi que ce soit si vous voulez un vol sécuritaire. Détendez-vous et regardez où vous allez. C'est comme ça que vous maintenez votre cap.

Mon Dieu, aide-moi à prendre conscience des signaux de danger avant qu'il soit trop tard.

16 octobre   Vous irez où vous regardez

Il y avait seulement un arbre dans la zone d'atterrissage. Le vent d'hiver en avait chassé presque toutes les feuilles. Je ne voulais pas le heurter, mais c'est exactement ce que j'ai fait.

Mon parachute s'est ouvert au-dessus de la zone d'atterrissage des étudiants, une bénédiction pour quelqu'un d'aussi débutant et incertain que moi. J'ai volé le long du champ, tourné vers le parcours de base, puis j'ai adopté avec précaution mon approche finale, comme on me l'avait enseigné. Et voilà qu'il était là, l'arbre, ses branches dépouillées venant à ma rencontre. C'est tout ce que je pouvais voir à compter de ce moment-là. Je ne pouvais pas détourner mon regard. Pour un instant, j'ai cru pouvoir l'éviter. «PAS

DE VIRAGES EN BAS, PAS DE VIRAGES EN BAS», entendais-je crier dans mon oreille comme je descendais de plus en plus bas, directement sur l'arbre.

Je me suis vue m'écraser droit sur lui.

Des rires et des applaudissements ont fusé de la zone de pliage.

Plus tard, une autre parachutiste m'a prise à part. «Sais-tu pourquoi tu as heurté l'arbre?» a-t-elle demandé.

«Oui, ai-je dit, il était dans mon chemin.»

«Il y a d'autres raisons, dit-elle. Tu avais amplement le temps de t'éloigner de l'arbre, mais tu t'es plutôt regardée atterrir droit dessus. Tu iras toujours là où tu regardes. Regarde une chose assez longtemps pour prendre conscience du danger potentiel, mais ne te fixe pas sur l'objet. Si tu ne veux pas atterrir sur quelque chose, cesse de le regarder si intensément.»

Nous sommes parfois tellement absorbés par ce que nous ne voulons pas et ce que nous craignons que c'est tout ce que nous pouvons voir. Nous obsédons, nous nous inquiétons et ruminons dans notre tête. C'est tout ce dont nous pouvons parler, ce à quoi nous pouvons penser et ce que nous pouvons ressentir. Puis, quand nous nous y écrasons, nous nous demandons où nous avons commis l'erreur. Après tout, c'est précisément ce que nous voulions éviter.

La morale de cette histoire est simple et exquise. Regardez où vous allez, mais rappelez-vous que vous irez où vous regardez.

Sachez ce que vous ne voulez pas. Libérez vos peurs. Soyez conscient des dangers qui rôdent dans votre vision périphérique. Votre esprit est plus puissant que vous ne pouvez le croire. Si vous mettez toute votre concentration et votre énergie sur quelque chose, c'est exactement là où vous irez.

Mon Dieu, aide-moi à demeurer conscient et concentre mon énergie sur l'endroit où Tu veux que j'aille.

17 octobre   La beauté est facile à voir

Il est bon d'avoir une destination vers laquelle voyager, mais c'est le voyage qui compte, en bout de ligne.

– URSULA K. LE GUIN

Mes voyages sur la route m'ont appris que, bien qu'il soit bon d'avoir une destination, il vaut mieux voir ce que le voyage a à nous offrir plutôt que d'attendre qu'il nous apporte ce que nous attendions.

Récemment, un ami et moi avons fait le voyage à Santuario de Chimayo pour visiter l'église et rapporter chez nous de la poudre guérisseuse du lieu sacré. En route, nous prévoyions passer par d'autres endroits magnifiques du sud-ouest, un pèlerinage spirituel, nous disions-nous. Nous avons quitté la maison, prêts à être enchantés. Mais quelque chose s'est produit. Dans l'air brûlant de l'Arizona, nous avons cessé de laisser le voyage se dérouler et nous nous sommes mis à rechercher une expérience particulière. Les ruines indiennes étaient envahies de groupes de touristes, et le merveilleux centre tourbillonnaire de terre rouge avait été réduit à des boutiques et des condos. Notre quête spirituelle n'avait abouti jusqu'à ce jour qu'à des désappointements. Nous étions nerveux, irritables et déçus.

Puis, nous avons vu le panneau *«Cratère du météore – prochaine route à droite»*. Nous avons pris cette route, nous abandonnant au côté ringard du voyage. D'une largeur d'un kilomètre et demi et d'une profondeur de plus de 150 mètres, le cratère gisait depuis plus de 50 000 ans au milieu de ce qui est maintenant le désert de l'Arizona. Un homme a acheté le terrain, et sa famille et lui sont devenus des experts en matière de météores – des experts en marketing aussi, puisqu'ils demandent dix dollars pour voir un gros trou dans le sol. Des gens aimables au demeurant, et nous avons souri pour la première fois du voyage.

J'avais toujours voulu visiter la Petrified Forest (la forêt pétrifiée), mais je craignais une fois de plus que le battage publicitaire ne dépasse la réalité de ce que c'était. Cela n'a pas été le cas. Les bûches géantes transformées en pierre étaient rares mais l'endroit avait un côté intemporel prenant. Le ciel était bleu pastel. Je me suis couchée sur une grande vague de sable tandis que Chip se promenait et prenait des photos qui allaient s'avérer être surexposées.

Plus tard ce soir-là, nous avons franchi la frontière du Nouveau-Mexique, *Chelle's – un bel endroit où manger,* disait le panneau sur un immeuble de Gallup. Et c'était bien, comme le disait le panneau.

Nous pouvons chercher la joie et l'enchantement si frénétiquement que nous ne voyons pas ce qui brille à nos pieds. En quête d'enchantement, il est utile parfois de se souvenir de se dérider. Pour paraphraser Winnie l'ourson, si vous cherchez l'enchantement et ne trouvez que l'ordinaire, alors essayez de regarder l'ordinaire et de le laisser être ce qu'il est. Vous pourriez alors trouver quelque chose que vous ne cherchiez pas, qui pourrait être justement ce que vous cherchiez au départ.

Ne laissez pas vos rêves et vos attentes être à ce point élevés que vous passez à côté de la beauté de ce qui est. Après tout, la joie et l'enchantement ne sont pas difficiles à voir.

Mon Dieu, aide-moi à lâcher prise sur mes attentes et à m'émerveiller de ce qui est.

18 octobre   Regardez de nouveau

C'est étonnant la différence
Que peut faire un bout de ciel.

– SHEL SILVERSTEIN

Au Blue Sky Lodge, le matin, nous buvons du café sur la terrasse arrière et regardons le monde s'éveiller. Un matin, ma tasse à la main, je suis sortie et j'ai trouvé Frank, un ami parachutiste en visite du Royaume-Uni, qui séjournait au Lodge. Il était occupé à prendre des photos des alentours.

«Frank, pourquoi prends-tu des photos de ceci? ai-je demandé. Si tu veux, nous pouvons t'emmener aux endroits les plus spectaculaires de la région.»

«Pas question, dit-il. Personne chez nous ne croira que j'ai séjourné dans un endroit avec une telle vue!»

J'ai regardé autour de moi et essayé d'admirer la vue avec ses yeux. Les collines onduleuses du sud de la Californie baignaient dans le soleil doré du matin, tandis qu'une légère brume de mer s'enroulait sur la cime des montagnes Ortega, à quelque cinq kilomètres à l'ouest. San Jacinto s'élevait à l'est, pâle silhouette dans le soleil levant.

J'ai souri et, pour la première fois depuis long-temps, j'ai admiré la beauté du paysage. Ces derniers temps, je ne voyais que les tas de feuilles et de matériaux de construction éparpillés dans la cour, ou les voitures sur la route dans la vallée en contrebas. J'étais entourée de beauté et pourtant je m'y étais si bien habituée que je ne la remarquais même plus.

Souvent, ce qu'il nous faut, ce n'est pas un changement de paysage, mais une vision renouvelée de ce qui est déjà là. Regardez votre vie de nouveau – où vous habitez, vos amis, votre travail – tous vos cadeaux. Peut-être que le paysage de votre vie est mieux que vous ne le croyez.

Mon Dieu, renouvelle mon esprit. Aide-moi à regarder ma vie avec une vision renouvelée. Si je n'aime pas ce que je vois, aide-moi à regarder de nouveau.

19 octobre   Voyez par vous-même

J'ai un ami qui aime la randonnée pédestre avec un sac à dos. Il prend toujours de magnifiques photos des endroits qu'il visite. Après une excursion, il me parlait d'un camp élevé dans les Sierras de la Californie, tout en me montrant une photo saisissante d'un coucher de soleil. Il m'a raconté le soir où il est revenu au camp après avoir grimpé au sommet de la montagne.

«Quand je suis descendu, j'ai constaté que tout le monde avait emballé ses affaires et quitté le camp. J'étais seul à 3 600 mètres d'altitude. Le silence était si dense que je pouvais presque le toucher. Tu aurais dû voir le coucher de soleil ce soir-là. C'était encore mieux que cette photo.»

«Pourquoi n'as-tu pas pris de photo si le coucher de soleil était si beau?» ai-je demandé.

«Je me suis dit que personne d'autre que moi, ce soir-là, ne voulait voir le monde de cette perspective, alors j'ai gardé le coucher de soleil pour moi seul, a-t-il expliqué. Tant pis pour toi si tu n'y étais pas.»

Cet été, j'ai regardé le soleil se coucher sur un lac du Nouveau-Mexique, puis j'ai passé la nuit à la belle étoile, dans un sac de couchage. Les étoiles étaient si claires, si proches, si brillantes que je croyais pouvoir les toucher. Et non, je n'ai pas pris de photo. Tant pis pour toi si tu n'y étais pas.

Vous pouvez lire un livre de méditation, faire une liste et même parler aux gens qui vivent leur vie pleinement. Mais à moins de faire vous-même le voyage, vous ne verrez pas tout ce que la vie a à offrir.

Avez-vous été trop occupé pour regarder une image récemment? Sortez de l'ordinaire. Voyez quelque chose de nouveau ou voyez l'ordinaire d'une façon nouvelle. Ne faites pas que jeter un coup d'œil. Regardez vraiment. Puis emportez l'image dans votre cœur. Si vous n'y êtes pas, tant pis pour vous. Il y a de ces choses qu'il faut voir par vous-même.

Mon Dieu, aide-moi à vivre ma vie pleinement. Aide-moi à voir et à chérir toute la beauté en ce monde.

20 octobre   Soyez présent maintenant

Prenez du temps, mais pas trop, pour voir où vous voulez aller. Apprenez les leçons de votre passé. Puis lâchez prise sur hier. Laissez demain arriver de lui-même. Même nos meilleures prédictions sur ce que l'avenir peut nous réserver ne sont qu'hypothèses, peu importe avec quelle diligence nous tentons de prévoir. Si vous regardez seulement où vous allez, vous ne verrez pas toutes les merveilles et la beauté le long du chemin. Et une fois rendu – à votre avenir – il se peut que vous ne vous rappeliez même pas où vous êtes allé. La précipitation peut être une telle habitude que vous ne profiterez pas de votre avenir une fois qu'il sera là.

Soyez où vous êtes maintenant. Voyez ce qu'il y a devant vous, et non ce que vous souhaitez qu'il y ait. Prenez le temps de voir, d'aimer et d'apprécier ce qui est présent. Agissez s'il le faut. Ou profitez du paysage. Vous avez travaillé dur pour arriver ici. Profitez-en.

Le passé est important. C'est là où nous avons été. L'avenir est également important. Mais il n'y a aucun moment – et aucun moment aussi réel – comme le présent.

Apprenez à être ici, maintenant.

Mon Dieu, élève ma conscience et mon appréciation de chaque moment de ma vie.

21 octobre   Cultivez la sensibilité

> *Les termes «conscience» et «sensibilité» sont souvent utilisés de manière interchangeable... La conscience est la vibration palpitante qui est l'essence de toute chose. La sensibilité est le «JE SUIS» distinctif en chacun de nous. Où que je sois, ma sensibilité y est aussi. Quand je bouge, elle me suit. Lorsque je concentre ma sensibilité sur quelque chose, je perçois cette chose. Par l'intermédiaire de mes organes sensoriels, je suis sensible aux vues, aux sons, aux goûts, aux odeurs et au toucher. À l'aide d'une perception sensorielle supérieure, je suis sensible à beaucoup plus.*
>
> – ENID HOFFMAN

Utilisez tous vos sens, que vous visualisiez l'avenir ou que vous vous plongiez dans la conscience euphorique de l'endroit où vous êtes maintenant. Ne faites pas que regarder la fleur – touchez-la, sentez-la, ressentez-la.

Ne faites pas que regarder les gens. Entendez-les. Ressentez leur pouvoir et leur présence.

Ralentissez. N'allez pas si vite. Vous allez rater des choses importantes. Cultivez la sensibilité. Amenez vos sens, tous vos sens, au cœur de votre vie.

La sensibilité ne consiste pas à regarder. Il s'agit de voir avec plus que nos yeux. Souvent, quand nous cherchons quelque chose, une maison ou une petite amie, nous ne voyons que nos projections – nos espoirs, nos craintes, notre passé et nos désirs.

Détendez-vous. Cessez de vous projeter sur le monde. Lâchez prise sur les jugements. Laissez les choses être ce qu'elles sont et les gens être qui ils sont.

Cultivez la sensibilité en utilisant tous vos sens.

Apprenez à voir ce qui est.

Mon Dieu, aide-moi à ralentir et à devenir sensible.

22 octobre — Soyez conscient de vos héros

Les héros et les mentors peuvent nous inspirer et nous enseigner à faire de grandes choses avec notre vie. Ils peuvent aider à nous indiquer la bonne direction quand nous sommes incertains. Ils peuvent nous donner le bon message, au bon moment. Nous pouvons habituellement trouver quelqu'un qui nous a précédés sur le chemin et qui peut nous conduire par son exemple. Le problème débute quand cette personne cesse d'être un mentor et devient plutôt une idole. Si nous consacrons trop de temps à vénérer une personne, nous pouvons facilement perdre le message de vue.

Regardez les gens que vous avez choisis comme mentors, héros, parrains ou professeurs. Appréciez toute l'aide qu'ils vous apportent. Mais sachez qu'ils n'ont pas ni ne peuvent avoir toutes les réponses. Ils sont humains eux aussi. Ils ont aussi des points faibles, des préjugés et leurs propres leçons à apprendre. Eh oui, ils feront des erreurs. Mais s'ils ont un cœur sincère, ils reviendront sur le chemin. Et si votre cœur est sincère, peut-être serez-vous une lumière qui les guidera vers ce chemin.

Écoutez vos mentors. Respectez-les pour qui ils sont. Soyez reconnaissant de l'inspiration et des messages qui vous sont transmis par eux. Mais n'adorez pas vos héros.

Apprenez aussi à penser par vous-même.

Mon Dieu, aide-moi à me rappeler que c'est le message, et non le messager, qui compte. Merci pour mes héros, mes professeurs et mes mentors, mais aide-moi à me souvenir de ne pas les élever trop haut.

23 octobre — Trouver et respecter sa propre cadence

Ne cherchez pas à marcher sur les traces des aînés; cherchez ce qu'ils cherchaient.

— BASHO

L'un des dangers de suivre un héros est la tentation de trop l'imiter plutôt que de parcourir notre propre chemin. John a quitté son emploi et démarré sa propre entreprise, à 24 ans. Cinq ans plus tard, il l'a vendue pour des millions de dollars. Nous voulons être comme John, alors nous essayons la même chose et perdons tout. Qu'est-ce qui s'est passé? L'univers s'est-il ligué contre nous? Non. Nous avons confondu apprendre d'un héros et tenter de marcher sur ses traces. Le chemin de John l'a peut-être mené à démarrer une entreprise, et le vôtre peut aussi vous mener là, mais pas au même moment de votre vie.

Nous pouvons tout de même apprendre beaucoup de nos héros et des gens que nous admirons. Soyez seulement conscient que leur chemin et leurs délais peuvent différer des vôtres.

Lorsque le temps viendra pour vous de démarrer cette entreprise, d'apprendre une nouvelle compétence, d'entrer en relation, ou quoi que soit que vous espérez faire, l'expérience sera là. L'expérience sera prête pour vous quand vous serez prêt pour elle. Votre chronologie peut être différente de celle des autres.

Je connais des gens qui se sont mariés deux semaines après s'être rencontrés et qui ont eu une union heureuse pendant plus de trente ans. Je connais des gens qui se fréquentent depuis des années et qui ne peuvent toujours pas se décider à s'engager. J'ai un ami qui a fait la transition de quitter le Midwest pour la Californie en quelques mois, ce qui m'a pris des années.

Nous avons tous notre propre cadence et notre chemin. Et bien que nombre de nos leçons se ressemblent, chacun de nous est unique. Si nous passons notre temps à tenter d'imiter quelqu'un plutôt qu'une idée, au mieux, nous serons une pâle copie de notre professeur et au pire, nous ne découvrirons jamais notre chemin. Leurs enjambées seront trop longues ou trop courtes pour nous, et nous n'apprendrons pas la véritable leçon, qui est de nous fier à notre guide intérieur.

Le Bouddha Gautama a trouvé l'illumination sous un figuier du Bengale; Milarepa l'a trouvée quand il vivait en ermite dans une grotte de l'Himalaya. Trouver l'illumination n'est pas un exercice qui consiste à suivre une personne; c'est un exercice qui consiste à suivre son cœur.

Mon Dieu, aide-moi à lâcher prise sur quelque attente de perfection que je puisse avoir envers moi-même ou les autres. Aide-moi à être conscient des messages que Tu m'envoies, puis aide-moi à discerner ma propre vérité.

24 octobre · Voir n'égale pas toujours avoir

Au centre commercial, j'ai aperçu un petit studio de photo à l'un des kiosques. À l'arrière-plan, la photographe avait disposé un grand écran vert devant lequel elle faisait prendre diverses poses à ses sujets. Après avoir pris la photo, elle utilisait un ordinateur où elle collait la photo à un paysage. Vous aviez alors les traits d'un chasseur d'alligators, d'un planchiste, d'un aventurier maladroit se faisant rouler dessus par sa propre jeep.

Ce que vous voyez n'est pas toujours ce que vous avez. Les gens ne sont pas toujours ce qu'ils semblent être. Il est facile pour les autres de peindre un portrait inexact soit pour impressionner, soit pour nous manipuler et nous faire faire ce qu'ils veulent. Sachez que même si nombre de gens dans votre vie, voire la plupart, seront honnêtes, il y aura ceux qui fausseront le tableau. Ils prétendront avoir l'expérience qui vous manque, connaître le secret sur la manière de vivre votre vie; bref, ils prétendront être quelque chose qu'ils ne sont pas. Ils tenteront d'utiliser la position supérieure qu'ils se sont accordée pour vous contrôler et vous manipuler.

Soyez conscient des gens qui pourraient vous manipuler en se collant sur un faux arrière-plan ou paysage. Ne jugez pas les choses sur leur bonne mine. Prenez votre temps, tout le temps qu'il vous faut pour voir ce qu'est le véritable arrière-plan.

La plupart d'entre nous se font avoir de temps à autre. Parfois, les gens nous arnaquent. D'autres fois, nous nous dupons nous-même. Lâchez prise sur la naïveté.

Mon Dieu, si je commence à me faire duper ou manipuler, montre-le-moi et aide-moi à voir la vérité.

25 octobre   Cessez de vous duper

Même les meilleurs d'entre nous se font avoir de temps à autre. Quelqu'un se présente et nous impressionne par sa magie. Nous découvrons plus tard que ce n'était pas de la magie, seulement des illusions.

Parfois, ce ne sont pas des gens qui ont tenté de nous berner, nous l'avons fait nous-même. Nous avons vu ce que nous voulions voir, peu importe ce qu'était la réalité. Puis, quand la réalité a commencé à s'installer, nous nous sommes dit que si nous retenions notre souffle, ne ressentions pas nos sentiments, et espérions assez fort et assez longtemps, la réalité changerait.

Il n'est pas nécessaire de se fâcher contre nous-même quand nous nous faisons duper, même si nous nous sommes bernés nous-même. Il faut voir et reconnaître la vérité, et prendre conscience de la réalité.

Ne laissez pas l'embarras de vous retrouver dans un pétrin troubler votre vision de vous-même. Tout ce que nous devons faire parfois, c'est reconnaître la vérité, y compris celle sur la façon dont nous nous sentons. Dans quelques jours ou quelques mois, la solution deviendra limpide.

Quand toutes les illusions se dissipent, c'est alors que la vraie magie commence. Vous serez guidé sur votre chemin.

Mon Dieu, aide-moi à me rappeler que, lorsque j'admets et accepte la vérité, je recevrai le pouvoir et les conseils pour changer.

26 octobre   Être conscient
de comment on se sent

Que s'est-il passé aujourd'hui? Comment vous êtes-vous senti?

Tout comme les sentiments refoulés de l'enfance avec lesquels nous ne pouvions composer alors, tous les sentiments que nous réprimons ou nions aujourd'hui ne disparaîtront pas. Ils traînent dans notre champ énergétique jusqu'à ce que nous en tenions compte. Ces sentiments réprimés peuvent parfois nous bloquer la vue de la vérité.

Pour nombre d'entre nous, résister à nos sentiments est une ancienne habitude et un mode de vie courant. Prenez le temps de vous interroger sur votre journée, mais ne dites pas seulement ce que vous avez fait et ce que vous avez aimé. Dites comment vous vous êtes senti à propos de chaque chose qui s'est passée.

Vous pourriez faire une découverte qui étonnera même vous. Vous n'avez pas nécessairement à dire à l'autre comment vous vous sentez, mais vous pourriez le faire. Assurément, vous devez au moins vous le dire à vous-même.

Aujourd'hui n'est qu'un simple rappel de quelque chose que vous savez déjà. Soyez conscient chaque jour de ce qui se passe. Et soyez conscient de la façon dont vous vous sentez.

Mon Dieu, aide-moi à me rappeler qu'il est bien d'être qui je suis et de ressentir ce que je ressens, peu importe ce que sont ces sentiments. Rappelle-moi, quand je crois que mes sentiments me nuisent, qu'ils sont la clé de mon pouvoir.

27 octobre — Être conscient de l'illusion de contrôle

Rappelez-vous comment vous vous sentez quand vous tentez de contrôler quelqu'un d'autre.

«J'étais sur la route un jour derrière une voiture qui, à mon avis, roulait trop lentement, me dit un ami. Je hurlais, je rageais et je pestais contre le conducteur devant moi, tentant mentalement de le retirer de ma route. Je voulais qu'il s'écarte et qu'il me laisse passer.

«Tout en conduisant, je me suis observé. Puis, je me suis mis à rire. Je n'étais pas en colère contre ce conducteur, mais bien parce que j'essayais de contrôler quelque chose que je ne pouvais pas changer.»

Soyez conscient de tous vos sentiments. Mais rappelez-vous aussi d'être conscient que ce n'est pas toujours l'autre qui nous rend fous. Nous le faisons nous-même.

Mon Dieu, aide-moi à prendre conscience du drame que je me crée dans ma vie. Aide-moi à lâcher prise sur mon besoin de contrôler. Donne-moi le courage de mes sentiments. Et aide-moi à être conscient lorsque ma volonté personnelle se déchaîne.

28 octobre — Laissez venir l'illumination

Parfois, plus nous nous efforçons de voir une leçon, plus nous devenons perdus et confus. «Qu'est-ce que ça signifie?» nous demandons-nous, grimaçant devant le problème.

Détendez-vous. Lâchez prise sur vos attentes et vos interprétations. Cessez de tant vous efforcez pour voir.

La leçon nous rappelle parfois simplement de voir le sacré dans l'ordinaire de notre vie ou de démontrer de la compassion envers nous-même et les autres. Et parfois, ce que nous traversons s'inscrit dans une leçon plus globale, qui peut nécessiter des années à compléter et à comprendre. Il est facile de succomber à la fausse croyance qu'il y a une certaine leçon pour laquelle nous devons pousser et nous battre pour l'apprendre. Il n'en est rien.

Nous n'avons qu'à voir ce que nous voyons et à savoir ce que nous savons dès maintenant.

Vivez votre vie.

Il vous en sera révélé davantage en temps voulu.

Exercez-vous à voir sans grimacer.

Mon Dieu, aide-moi à être présent aux situations de ma vie sans essayer de trop les comprendre en profondeur. Aide-moi à faire confiance que mes leçons deviendront plus claires le temps venu.

29 octobre — Demandez à voir ce qui vous est montré

J'étais dans un petit centre commercial où je voulais faire développer des photos. Quand je suis retournée à ma voiture, je me suis rendu compte que j'avais laissé les clés à l'intérieur. L'incrédulité a vite fait place à l'acceptation. J'ai marché jusqu'au poste de police, à quelques rues de là. J'avais aussi laissé mon sac à main dans l'auto. Je n'avais pas de monnaie sur moi pour téléphoner.

Les policiers ont téléphoné au club automobile pour moi. Ils m'ont dit que l'aide était en route. Je suis sortie et me suis assise sur le trottoir. Puis, je me suis mise à regarder un petit magasin d'accessoires de cuisine, de l'autre côté de la rue. Je regardais et regardais. Puis, j'ai décidé d'aller y jeter un coup d'œil, même si je n'avais pas mon sac à main.

Pendant des mois, j'avais cherché dans tous les coins du sud de la Californie une certaine marque de casseroles. J'avais presque abandonné. Même si le magasin était modeste, j'ai décidé d'aller leur demander s'ils avaient cette marque.

«Oh! oui, me dit le commis, bien sûr que nous l'avons.»

Un incident malencontreux n'est parfois que cela – malencontreux. Nous n'avons qu'à ralentir, revenir sur terre et être conscient. Notre Puissance supérieure aimerait parfois que nous voyions quelque chose. Et de temps à autre, ce problème inattendu est en vérité un bien pour un mal.

Ne vous laissez pas troubler par les interruptions et les inconvénients. Au lieu de vous mettre en colère, essayez d'être calmement présent à votre vie. Soyez conscient. Voyez si quelque chose vous est montré.

Mon Dieu, aide-moi à m'ouvrir les yeux pour voir ce que tu veux que je voie.

30 octobre — Dieu est conscient de vous

Cher Dieu,

Es-tu vraiment invisible ou est-ce seulement un truc?

— LETTRES D'ENFANTS À DIEU

Parfois, nous ne pouvons pas voir à plus de quelques mètres sur le chemin. Mais il est toujours là. Tout ce qu'il faut faire, c'est continuer à marcher jusqu'à ce que nous sortions des ténèbres pour entrer dans la Lumière. Ne faites qu'un petit pas à la fois.

Capitulez devant les circonstances de votre vie. Ressentez vos émotions. Soyez conscient de votre douleur et de votre souffrance, si c'est ce que vous traversez. Mais rappelez-vous que, même quand vous ne pouvez voir Dieu, Dieu peut vous voir.

Et Dieu vous aime.

Mon Dieu, aide-moi à ressentir ta présence active et ton amour dans ma vie aujourd'hui.

31 octobre — Pratiquez la conscience de Dieu

Je peux me souvenir du moment où j'ai été prête de nouveau à être véritablement vulnérable à la vie. Je marchais dans une ville de bord de mer et je parlais à une amie. Je parlais de ma petite vie sécuritaire au Minnesota, où je croyais tout avoir sous contrôle. J'avais évité de vivre dans des grandes villes et je croyais que la vie dans une petite ville serait plus sûre. Dans cette petite ville, où je travaillais pour le journal local, j'avais trouvé tout le potentiel qu'offrait la vie. J'avais eu cette chance énorme, moi, une auteure inconnue, de me retrouver sur la liste des best-sellers du *New York Times*. Puis, mon fils est mort. La vie dans une petite ville n'était pas aussi restrictive que je le craignais et pas aussi sûre que je l'avais espéré.

J'ai parlé à mon amie de l'époque, bien des années plus tard, au moment où je m'étais aventurée au Moyen-Orient. Je parlais à ma fille par téléphone cellulaire. Elle aussi était à son téléphone cellulaire, roulant au cœur de Los Angeles.

«Tu n'as pas peur là-bas? m'a-t-elle demandé. Est-ce que ta vie n'est pas en danger?»

À ce moment précis, un homme a klaxonné pour elle. Je l'ai entendu hurler par sa fenêtre ouverte: «Si tu n'enlèves pas cette auto de mon chemin, je vais te tuer.»

«La sécurité totale est une illusion, ai-je dit à mon amie. Peut-être que le seul moment où nous sommes vraiment en sécurité est celui où nous sommes disposés à reconnaître à quel point nous sommes vulnérables, peu importe ce que nous faisons, et à l'accepter.»

«Demande à Dieu d'être avec moi», ai-je dit à une femme plus âgée qui était mon mentor à l'époque.

«Ma pauvre enfant, dit-elle. Tu n'as pas à demander à Dieu d'être avec toi. Il est déjà là, où que tu sois.»

Mon Dieu, aide-moi à me sentir sécurisé, à l'aise et en ta présence où que je sois aujourd'hui.

Novembre

Apprenez à dire **je peux**

1er novembre Apprendre à dire *je peux*

«C'est pour toi», me dit un ami à mon anniversaire.

J'ai ouvert la petite boîte avec ce sentiment qu'ont la plupart des femmes quand elles savent qu'elles vont recevoir un bijou. J'avais raison. J'ai pris le collier dans ma main.

«Lis la brochure qui l'accompagne», a ajouté mon ami.

J'ai pris le tout petit dépliant. Le collier était plus qu'un simple bijou. C'était un symbole ancien qui représentait la confiance en soi – cette *chose* intangible qui peut si facilement améliorer notre capacité de vivre notre vie joyeusement et paisiblement, ou nous en détourner.

C'était exactement le rappel qu'il me fallait.

Le lendemain, je me suis rendue à l'aéroport pour ma leçon de pilotage. Je n'étais pas emballée par l'idée de voler ce jour-là, mais je ne le redoutais pas non plus. Je vivais simplement chaque moment. Il était temps pour moi de prendre le siège du pilote et d'effectuer un vol.

J'ai roulé au sol sur la piste, puis j'ai mis les gaz, portant le médaillon de la confiance en soi autour du cou. L'avion s'est élevé allègrement dans les airs. Je nous ai élevés en douceur à 1 650 mètres. Suivant les instructions de Rob, j'ai viré à gauche, abruptement. Puis j'ai fait un virage serré à droite. J'ai fait un décrochage avec moteur, chose qui m'avait horrifiée par le passé, puis un décrochage sans moteur. L'avion et mon pilotage fonctionnaient!

Ce fut une journée phare dans mon pilotage. Jusque-là, j'avais feint, répétant les gestes me faisant voler. Aujourd'hui, j'avais vraiment aimé piloter dans le ciel.

Le collier n'avait aucun pouvoir. Le pouvoir provenait du fait de me souvenir d'avoir confiance en moi.

Il est facile d'abandonner la confiance en nous. Nous pouvons la donner à des gens du passé qui nous ont incités à ne pas croire en nous. Nous pouvons la céder aux erreurs que nous avons commises, établissant une preuve solide contre nous-même, basée sur certaines leçons qui nous ont été servies, des erreurs de jugement passées et des expériences d'apprentissage. Nous pouvons abandonner notre confiance à un événement traumatisant – comme un divorce, un décès ou une perte.

Ne paniquez pas.

Respirez.

Cessez de dire *je ne peux pas.*

Savoir lâcher prise consiste entre autres à apprendre à dire *je peux.*

Faites-vous le cadeau de la confiance.

Mon Dieu, je crois en Toi. Aide-moi maintenant à apprendre à croire aussi en moi-même.

Nous en sommes venus à croire qu'une Puissance supérieure à nous-même pouvait nous rendre la raison.

– Deuxième Étape

«Oh, non. Je ne pourrais certainement pas faire cela.»

«Bien, je pourrais peut-être essayer.»

«Je crois que je peux le faire, mais pas très bien.»

«Je le fais, mais j'ai très, très peur.»

«Dis donc, je le fais mieux.»

«Zut! J'ai fait une erreur. Je suppose que je ne peux pas le faire, après tout.»

«Tant pis, je vais essayer de nouveau.»

«Tu vois, je ne suis pas meilleur que je l'étais.»

«D'accord, je vais essayer une dernière fois. Peut-être deux.»

«Eh, regarde! Je suis plutôt bon!»

«J'imagine que je suis capable, finalement.»

«Wow! C'est vraiment amusant.»

Il y a une courbe d'apprentissage pour tout ce que nous voulons apprendre à faire. Nous ne savons simplement pas comment faire quelque chose, et bien le faire.

Une bonne raison d'avoir une Puissance supérieure est que Celle-ci croit en nous, même quand nous ne croyons pas en nous-même. Nous n'avons pas seulement à en venir à croire en Dieu. Nous devons en venir à croire en nous-même.

Laissez votre *je ne peux pas* devenir un *je peux*. Prenez tout le temps qu'il vous faut. Apprenez à aimer le processus d'en venir à croire que vous pouvez. Soyez patient. Acceptez là où vous êtes dans votre courbe d'apprentissage aujourd'hui.

Mon Dieu, donne-moi une confiance humble qui me permet de profiter du don de la vie, de moi-même et de toutes les choses que tu m'as données à faire.

3 novembre   Apprendre du nouveau

« Que sommes-nous censés chercher ? » lui demanda Stanley.

« Vous ne cherchez rien. Vous creusez pour vous former le caractère. » ...

Impuissant, [Stanley] regarda sa pelle. Elle n'était pas défectueuse. Il l'était.

— LOUIS SACHAR, *LE PASSAGE*

Parfois, devant un obstacle de la vie – un nouvel emploi, une nouvelle école, un nouveau n'importe quoi – il est facile de nous sentir dépassés et de nous mettre à croire le pire à notre sujet. Nous n'avons peut-être pas ce qu'il faut après tout, croyons-nous. Peut-être devrions-nous seulement rester où nous sommes – que nous aimions l'endroit ou pas.

Parmi toutes les merveilles que comporte le fait d'être humain, il y a notre capacité de nous adapter à de nouvelles situations. Une autre est notre aptitude à changer et à grandir.

Devant quelle nouvelle situation vous trouvez-vous ? Qu'il s'agisse d'entamer un processus de rétablissement, de débuter dans un nouvel emploi, d'entreprendre une scolarité de maîtrise, d'apprendre à être divorcé ou à être un conjoint heureux, vous êtes capable de tout ce que la vie vous demande de faire.

Il importe de débuter au commencement et, souvent, cela signifie se sentir mal préparé à la tâche imminente. C'est bien. Si vous étiez tout à fait à l'aise avec tout ce qui vous entoure, alors il se pourrait que vous ne grandissiez pas et que vous n'appreniez rien de nouveau.

Soyez conscient de la façon dont vous vous parlez, que vous vous disiez *je peux* ou *je ne peux pas*. Puis, laissez les mots se remplir d'une joyeuse confiance. Reconnaissez tout sentiment qui vous empêche de croire en vous. Lâchez ensuite prise sur ces sentiments. Lâchez prise sur la peur et sur l'impression d'être dépassé.

Vous pouvez apprendre la nouvelle tâche. Vous pouvez vous harmoniser avec votre nouveau patron. Vous pouvez apprendre à prendre soin de vous-même. Vous pouvez. Vous pouvez. Et vous le ferez. Vous pouvez et vous assumerez ce rôle.

Vous n'êtes pas défectueux. Votre pelle non plus. Prenez-la et creusez.

Mon Dieu, donne-moi la force et la confiance de grandir, d'apprendre et de voir le merveilleux de ce monde.

4 novembre   Se laisser être mal à l'aise

«On dirait que tout ce que tu fais pour t'amuser te terrifie, me dit un jour mon ami Andy. Qu'est-ce que ça signifie?»

J'ai réfléchi à cette question. C'était vrai. Piloter m'effrayait. Sauter de cet avion la première fois était une perspective terrifiante. Je n'étais pas du tout à l'aise. La première fois, je me suis mise à faire de l'hyperventilation et j'ai cru que je faisais une crise cardiaque.

Le premier jour où j'ai décidé d'être sobre et de ne plus consommer ni drogues ni alcool, j'ai compris que je devrais changer toute ma vie. La perspective de commencer cette nouvelle vie me terrorisait.

Le jour où a été prononcé mon divorce d'avec le père de mes enfants, j'ai été euphorique un moment, puis terrifiée. J'ai eu une crise d'anxiété et composé le 9-1-1.

J'étais paralysée par la peur le premier jour où je me suis assise à mon poste de travail au journal, fixant l'écran vierge alors que l'échéance du reportage à la une auquel j'étais affectée n'était qu'à deux heures de là.

«Ce n'est pas que je sois dépendante de l'adrénaline, ai-je dit à mon ami. Du moins, là n'est pas toute la question. C'est que tout ce que j'ai fait de nouveau et de valable sur mon chemin a exigé que je sois mal à l'aise et parfois carrément effrayée pendant un certain temps. J'ai dû traverser un mur de peurs.»

J'aime créer un endroit douillet où vivre avec des divans de duvet et des lits dans lesquels je me sens dormir comme sur un nuage. Apprendre à nous détendre et à repérer ce qui contribue à notre confort constitue une part importante d'apprendre à bien prendre soin de nous-même.

Mais il faut parfois quitter cet endroit charmant, confortable et chaleureux.

«Je ne peux pas faire ça. Je ne suis pas à l'aise», disais-je de temps à autre à mon instructeur de vol, Rob, quand il insistait pour que je prenne les commandes de l'avion.

«Oui tu le peux, me disait-il, refusant de nourrir ma peur. Respire. Et détends-toi.»

La peur peut être une bonne chose. Elle nous avertit des dangers réels et des menaces imminentes. Elle nous dit «ne fais pas ça» ou «éloigne-toi».

Parfois, nous nous sentons effrayés et mal à l'aise simplement parce que nous apprenons quelque chose de nouveau. Détendez-vous. Respirez à fond. Faites-le – peu importe ce que c'est – de toute façon. Vous êtes censé vous sentir ainsi.

Votre peur se fonde-t-elle sur un sentiment intuitif d'autoprotection ou sur quelque chose de nouveau et d'inconnu? Si votre peur n'est pas fondée sur une menace intuitive légitime, alors sentez-vous à l'aise d'être mal à l'aise.

Traversez votre mur de peurs.

Faites la chose qui vous fait peur. Grandissez. Puis, vérifiez votre peur et faites-la de nouveau.

Mon Dieu, enseigne-moi à surmonter mes peurs. Aide-moi à devenir mature en devenant à l'aise avec la douleur de grandir.

5 novembre   Un miracle a lieu

Un soir, j'étais à table avec mes enfants. Shane parlait de ses projets pour le lendemain. Nichole organisait une fête en pyjama. Je travaillais à un quelconque projet à l'époque. J'y pensais un peu mais j'appréciais quand même écouter le bavardage des enfants.

C'était un dîner détendu, amical. Plus tard. j'ai mis les enfants au lit et suis allée tranquillement dans ma chambre, m'apprêtant à me mettre au lit, en paix.

C'est alors que cela m'a frappée. Comme la foudre proverbiale qui nous frappe à l'improviste.

J'étais tellement effrayée quand j'ai commencé l'aventure monoparentale. Après dix ans de mariage, j'avais peur de petits riens comme être seule au lit la nuit et m'endormir sans la présence d'un homme dans la maison.

Je me couchais parfois avec le téléphone en main, prête à composer le 9-1-1. Absolument tout de cette nouvelle vie de parent célibataire m'avait accablée. Je ne me sentais pas à la hauteur de la tâche. Mais quelque part en route, j'en étais venue à croire que je pouvais. Je ne savais pas quand ça s'était passé. Ce n'était pas une transformation instantanée. C'était arrivé lentement, petit à petit.

«Youpi!» ai-je dit, faisant une danse de la victoire dans la chambre.

«Je ne croyais pas pouvoir le faire. Mais je peux et je le fais.»

Célébrez le miracle de la transformation dans votre vie – quoi que ce soit que vous essayiez de devenir, de faire ou d'apprendre. Laissez-le se produire aussi rapidement, ou aussi lentement, qu'il le faut.

Jour après jour, mois après mois, puis année après année, le sentiment de confiance tranquille remplacera lentement la peur accablante. Cette tâche ou ce travail qui semblait si difficile de prime abord semblera bientôt naturel et bon. Vous deviendrez progressivement tellement à l'aise que vous ne saurez probablement pas quand a eu lieu la miraculeuse transformation.

Profitez de l'endroit où vous êtes aujourd'hui dans votre processus de croissance. Vous ne le voyez ou ne le savez peut-être pas encore, mais un miracle ordinaire a lieu.

Mon Dieu, merci pour là où je suis dans ma courbe d'apprentissage et mon processus de croissance aujourd'hui. Aide-moi à savoir que, peu importe que je le voie ou non, un miracle a lieu.

6 novembre   Devenez disposé

> *Rien ne vous pousse à vous écraser par terre*
> *Mais de giser là – c'est une disgrâce.*
>
> – EDMUND VANCE COOKE

Parfois, le problème n'est pas que nous ne croyons pas pouvoir le faire. Le problème est que nous ne voulons pas le faire, quel que soit le défi ou la tâche en question.

Quand j'ai commencé à écrire et à me rétablir, je voulais faire ces choses. Le défi était revigorant. Je voulais me relever. Je voulais avancer. Je voulais participer.

Quand mon fils Shane est mort, je ne voulais pas me lever.

Je ne voulais pas de ce défi. Il n'était pas revigorant. Je ne voulais pas cette perte, et je ne voulais pas guérir de mon chagrin.

Un jour, dans ces affreuses et douloureuses premières années de deuil, un ami est passé à la maison. Je le connaissais depuis longtemps. Il avait aussi subi une perte permanente – l'usage des muscles de ses jambes à cause d'un type de polio qui l'avait frappé à l'adolescence.

Les gens ne savaient pas quoi faire de moi alors. Ils m'avaient regardée me débattre avec mon deuil. Ils avaient essayé d'être compatissants, et c'était bien.

Mais à ce moment, la compassion n'était pas exactement ce que j'avais besoin d'entendre.

«Il faut que tu te lèves, m'a dit mon ami d'une voix forte. Il faut que tu te remettes sur les pieds. Affronte la vie.»

Les problèmes et les défis de la vie sont parfois revigorants, parfois non. Mais peu importe ce qui nous frappe, nous devons nous relever.

Laissez-vous pleurer. Laissez-vous rager sur vos pertes, s'il le faut. Ensuite, que vous vouliez la perte ou non, relevez-vous. Vous n'avez pas à le vouloir, pas même à croire que vous le pouvez. Parfois, tout ce que nous avons à faire, c'est de nous ouvrir à vouloir, puis croire que nous le pouvons.

Mon Dieu, aide-moi à croire en la vie.

7 novembre   Que peut-on faire?

M. Potter a célébré son centième anniversaire de naissance en sautant en bungee d'une tour de 63 mètres. Quand son médecin le lui a déconseillé, il a simplement changé de médecin.

– STELLA RESNICK, *THE PLEASURE ZONE*

Je détiens presque le record local du nombre de sauts en tandem. Un saut en tandem est un saut en parachute que l'on effectue attaché à son moniteur de saut. Le harnais vous accroche à son devant; tout ce que vous faites, c'est suivre. J'ai acquis une grande partie de ma formation durant les tandems, pour que mon corps mémorise comment sauter en parachute et que je devienne confiante.

Je n'ai pas rencontré la femme qui détient vraiment le record de tandems de la région, mais j'en ai entendu parler. J'en ai fait 28. Elle en a fait beaucoup plus. Elle participe même à des événements avec des équipes de parachutistes qui font des tandems.

Quand elle est au sol, elle est étiquetée paraplégique. Dans les airs, elle peut voler.

Bien sûr, il y a des choses que nous ne pouvons pas faire, ou que nous ne pouvons pas avoir, et des choses que nous voulons vraiment. Cessez de vous en faire pour ces choses, la liste de celles que nous pouvons faire et avoir est encore plus longue.

Qu'est-ce qui vous semble bon?

Peu importe nos limites ou nos incapacités ou ce que nous ne pouvons *pas* avoir dans la vie, nous *pouvons* réaliser nos buts et avoir du plaisir en cours de route.

Si M. Potter et la détentrice du record en tandem le peuvent, vous aussi le pouvez

Mon Dieu, montre-moi ce que je peux faire.

8 novembre   Retirez le couvercle
de la boîte

Le monde rapetisse ou s'agrandit proportionnelle-
ment à notre courage.

– ANAÏS NIN

Vous avez d'abord rampé, puis vous avez appris à marcher et le monde est devenu un peu plus grand. Vous avez appris à aller à bicyclette, et le monde a grandi encore plus. Puis vous avez appris à conduire une voiture et acheté un billet d'avion. Soudain, les horizons étaient illimités. Mais alors, des doutes se sont insinués en vous. *Je ne peux pas aller à Los Angeles, je vais m'y perdre.* Et le monde rapetisse un peu. *Je ne devrais pas faire ce voyage cette année, j'ai*

409

trop de responsabilités. Et il rapetisse encore un peu. Avec suffisamment d'excuses et de justifications, vous vous retrouvez assis dans une petite boîte dont le couvercle est solidement fermé.

Pas d'expériences, pas de leçons, pas de vie.

Les boîtes peuvent être confortables. J'y ai moi-même passé un certain temps. Mais peu importe à quel point vous la rendez chaleureuse, une boîte n'est qu'une boîte. Elles existent dans toutes les dimensions et toutes les formes. Mais chaque fois que nous laissons des peurs irréalistes nous retenir, nous pouvons être certains que nous nous enfermons dans une autre boîte, encore une fois. Tôt ou tard, nous allons en heurter les murs.

Trouvez un petit *je ne peux pas* dans votre vie et retirez le couvercle de la boîte. Regardez autour de vous. C'est un vaste monde. S'il vous semble petit, c'est que vous l'avez fait ainsi. Essayez une impossibilité mineure. Posez votre candidature à ce poste de rêve. Le pire qui arrivera est que vous apprendrez quelque chose de nouveau à votre sujet. Si vous n'obtenez pas le poste, vous pourriez trouver ce qu'il faut pour l'obtenir, et alors le monde grandira quand vous cesserez de souhaiter un miracle et que vous vous mettrez à poursuivre vous-même vos rêves. Allez chercher des brochures pour ce safari-photo que vous avez toujours voulu faire. Apprenez une langue étrangère. Une femme que je connais était claustrophobe. Pour son anniversaire cette année, elle a pris un ascenseur pour la première fois. Puis elle y est retournée et l'a fait de nouveau.

Allez-y. Soulevez le couvercle de votre boîte. Sortez la tête. Regardez autour de vous. Voyez! Le monde est un endroit merveilleux et étonnant.

Trouvez une peur, puis transformez-la en échelle. Sortez de la boîte du doute et de l'insécurité, et sautez dans la liberté du courage et de la foi en vous.

Mon Dieu, donne-moi le courage de sortir de ma boîte.

9 novembre   Déridez-vous davantage

Au dernier jour de ma retraite, j'ai dit à l'hôtelier que je ne croyais pas être en mesure de revenir bientôt parce que je n'avais pas le temps. Il m'a tout de suite répliqué : « Ce n'est pas le TEMPS qui fait problème, c'est la LOURDEUR. » Il s'est tourné et est allé en bas pour revenir avec un petit tapis. « Prenez ceci. C'est un tapis magique. Si vous vous assoyez dessus et que vous lâchez prise sur votre lourdeur, vous pouvez aller où bon vous semble. Ce n'est pas une question de temps. » J'ai fini par constater que c'est vrai. Les gens se moquent de moi quand je le leur dis. Rirez-vous aussi ? Très bien. Alors restez là.

– THEOPHANE LE MOINE,
TALES OF A MAGIC MONASTERY

Souvent, le problème n'est pas le temps, c'est la lourdeur. Nous ne sommes pas trop occupés. En réalité, nous sommes trop préoccupés, obsédés, sceptiques, trop soucieux et effrayés.

Libérez votre esprit et votre cœur de toute cette lourdeur. Laissez-la s'écouler pour pouvoir vous lever sans tout ce poids. Quand toute cette lourdeur tombe, vous pouvez flotter dans et sur votre vie ordinaire. Vous déciderez de la manière dont vous voulez vivre plutôt que de laisser les circonstances du jour vous contrôler.

Trouvez la lourdeur dans votre vie, le souci écrasant qui vous attache, puis lâchez prise sur lui. Craignez-vous d'être congédié? Vous le serez ou ne le serez pas, mais vous en faire ne fait que bloquer votre flot créateur.

Trouvez la lourdeur et laissez-la tomber. Puis, montez sur votre tapis magique et voguez sur votre journée.

Mon Dieu, aide-moi à alléger mon fardeau en lâchant prise sur le souci, le doute et la peur. Aide-moi à apprendre le pouvoir de la confiance tranquille. Enseigne-moi à dire je peux.

10 novembre — Trouvez une façon de dire *je peux*

Lentement, j'ai commencé à voir que nombre des boîtes dans lesquelles je me trouvais étaient de ma propre fabrication. J'avais tendance à les construire, à y ramper, puis à me demander qui je pouvais blâmer de m'y avoir confinée. Qui m'a fait ça? Je me le demandais et parfois, je le demandais tout haut. C'est là que j'ai entendu la réponse: c'est toi, Melody. Tu t'es mise dans cette boîte. À toi maintenant d'en sortir.

– MELODY BEATTIE, *STOP BEING MEAN TO YOURSELF*

Chacun de nous a son propre degré de liberté. Il y a certaines choses que nous pouvons faire et d'autres pas. Cette liberté fluctue parfois à différentes périodes de notre vie. Nous sommes parfois liés par nos responsabilités envers autrui. Parfois, nous avons des limites financières. Et d'autres fois, nous sommes limités par ce que notre corps peut ou ne peut pas faire, à tout moment dans le temps.

Les alcooliques qui savent qu'ils ne peuvent pas boire parce qu'ils perdent le contrôle s'ils le font sont des gens qui sont en contact avec leur pouvoir. Ils ne peuvent pas boire, mais au lieu, ils ont une vie qu'ils peuvent maîtriser.

Les gens sains et heureux savent et reconnaissent ce qu'ils peuvent faire et ce qu'ils ne peuvent vraiment pas faire – du moins pas sans répercussions indésirables. Mais parfois, nous nous imposons trop de limites. Nous regardons autour de nous. Parce que nous sommes tellement habitués à accepter nos limites, nous nous disons automatiquement *je ne peux pas faire ça, alors je ne peux rien faire d'autre.*

J'ai visité la maison et touché la collection de pierres de l'auteure George Sand qui vivait dans le sud de la France il y a très longtemps, quand les femmes avaient peu de droits. Il s'est avéré que George était en réalité une femme qui avait pris un nom d'homme de manière à pouvoir écrire et vendre ses livres. Sa légende et ses livres vivent encore.

Trouvez ce que vous ne pouvez légitimement pas faire ou ce que vous seriez mieux de ne pas faire. Apprenez à vivre avec ces limites. C'est ainsi que vous vous approprierez votre pouvoir.

Mais ne vous arrêtez pas là. Regardez aussi ce que vous pouvez faire. Soyez créateur. Savoir ce que nous ne pouvons vraiment pas faire est souvent un tremplin pour découvrir ce que nous pouvons faire.

Mon Dieu, aide-moi à m'approprier mon pouvoir en capitulant devant ce que je ne peux pas faire. Aide-moi ensuite à m'approprier davantage mon pouvoir en découvrant ce que je peux faire.

11 novembre   Créez un chemin du cœur

«J'ai atteint mes objectifs professionnels et familiaux, m'a dit une femme prospère dans la fin de la trentaine. Il est maintenant temps de commencer à prendre soin de moi. Je vais débuter en décidant de passer une heure par semaine à faire ce que je veux faire.»

Une heure? Quel infime pourcentage du temps à consacrer à ce que nous voulons faire. Pourtant, il est si facile de tomber dans le piège de nier ce que nous voulons accomplir. Nous pouvons appeler ça la volonté de Dieu pour notre vie. Nous pouvons être de plein droit dans une situation où nos responsabilités, y compris nos engagements envers les autres, prennent presque tout notre temps. Et nous devons parfois faire des choses que nous ne voulons pas afin de parvenir à accomplir celles que nous voulons.

Le piège survient quand notre vie entière commence à basculer dans la catégorie «je devrais faire». C'est ce que je devrais faire dans ma carrière; c'est ce que je devrais faire pour ma famille; c'est là que je devrais vivre; et c'est probablement ainsi que je devrais passer mes temps libres. C'est ce que je devrais faire dans ma religion ou ma spiritualité; c'est ce que je devrais faire avec mon argent, mon temps et mon énergie.

Qui l'a dit?

Prenez un moment. Examinez de qui viennent les *je devrais* qui mènent votre vie. Est-ce que les choses que vous vous dites devoir faire sont de véritables expressions de vos buts, de vos responsabilités et de vos engagements légitimes? Ou vous êtes-vous tellement éloigné de vous-même que votre vie n'est plus l'expression authentique de qui vous êtes et de ce que vous voulez, dans votre cœur ?

Combien d'heures par semaine passez-vous à faire ce que vous voulez faire ou ce que vous devez faire pour obtenir ce que vous voulez – que ce soit la sobriété, une famille ou la bonne carrière pour vous ? Combien d'heures par semaine sont consacrées à faire ce que vous croyez que vous *devriez* faire, que ce soit ou non nécessaire ?

Obtenir les choses que nous voulons dans la vie entraîne une responsabilité. Nous devons nous occuper de nos libérations – la carrière que nous voulons, la vie de famille que nous voulons, ainsi que nos passe-temps. Nous occuper des choses que nous avons libérées. Mais n'oubliez pas de vous occuper aussi de votre propre libération. Peut-être que les choses qui vous rebutent font partie de faire ce que vous voulez. Si c'est le cas, cessez de maugréer et remerciez Dieu. Vous avez sans doute oublié que les choses que vous faites sont ce que vous voulez vraiment faire. Mais peut-être que, en évaluant votre vie quotidienne, vous vous rendrez compte que certaines des choses que vous faites ne sont pas nécessaires, ne sont pas ce que vous voulez et ne vous mèneront pas là où vous voulez aller. Vous vous dites que vous devez le faire, mais c'est faux.

Commencez aujourd'hui en consacrant une heure à faire quelque chose que vous voulez faire. Avec le temps, vous voudrez peut-être augmenter à deux heures par jour. Finalement, vous vous rendrez à l'endroit où vos *je devrais* croisent vos désirs. C'est alors que vous aurez créé et parcourrez le chemin du cœur.

*Mon Dieu, aide-moi à trouver le chemin du cœur;
aide-moi à parcourir le chemin où je me trouve avec
cœur.*

12 novembre   Utilisez vos relations

En parcourant les pages d'un magazine pour
auteurs, un matin, je me suis rendu compte à quel
point ce magazine avait compté dans ma vie. Quand
j'ai commencé à écrire, à la fin des années 1970, je
n'avais pas d'amis écrivains. J'étais livrée à moi-
même, avec un rêve plutôt vague. Mais en lisant ce
mensuel destiné aux aspirants auteurs, je savais que je
n'étais pas seule. D'autres gens avaient fait ce que je
voulais faire, ils avaient débuté là où j'étais. Ce magazine m'a beaucoup inspirée à croire que *je peux*.

De temps à autre, nous avons tous besoin de liens
qui nous aident à croire. Si nous entamons la recouvrance de la codépendance ou de la chimiodépendance, nos réunions de groupe nous aident à croire que
je peux. Si nous développons une nouvelle compétence, comme le parachutisme ou le pilotage, parler à
quelqu'un qui sait ce que c'est que d'être incertain,
bizarre et malhabile nous apporte beaucoup plus que
de parler à quelqu'un qui se souvient seulement de sa
maîtrise de cet art.

Un jour à la zone de saut, j'ai parlé à un homme
qui avait sauté d'un avion plus de dix mille fois. «J'ai
tellement peur chaque fois que je saute, dis-je. Est-ce
normal d'avoir si peur?» Ce parachutiste professionnel – qui avait tant d'assurance et était si respecté –
m'a regardée et a souri. «J'étais tellement terrifié à
mes cent premiers sauts que je ne pouvais même pas
respirer!»

Quand vous essayez de croire que vous pouvez, que ce soit croire que vous pouvez rester sobre pour les 24 prochaines heures, apprendre à prendre soin de vous, être parent célibataire, être dans une relation saine, apprendre à écrire, apprendre à dactylographier ou apprendre à sauter d'un avion, établissez des liens solides avec les gens, les endroits et les choses qui vous aident à croire que *je peux*.

Et si vous rencontrez quelqu'un qui a emprunté le même chemin que vous, rappelez-vous et partagez comment vous vous sentiez au début, de sorte qu'il en vienne à croire lui aussi.

Mon Dieu, merci de m'envoyer les relations qu'il me faut. Laisse-moi servir autant que possible en étant honnête et en parlant avec mon cœur pour que je puisse aussi être une relation utile.

Activité. Dressez la liste de vos relations. Quels sont les domaines de votre vie où vous aimeriez croire que vous pouvez réussir? Par exemple, la sobriété, prendre soin de vous-même, être parent célibataire, apprendre à écrire, apprendre à être en couple, traverser un divorce, survivre à la perte d'un être cher, mettre de l'ordre dans vos finances ou apprendre une nouvelle langue. Une fois que vous avez fait votre liste de *je peux,* précisez en détail les relations courantes et éventuelles qui vous aideront à croire. Par exemple, pour le rétablissement de la chimiodépendance, vos relations peuvent inclure vos groupes de Douze Étapes, le Gros Livre, un livre de méditations quotidiennes, un conseiller, des amis du programme et un jeton que vous avez reçu – que ce soit pour une heure ou une journée. Si vous développez une nouvelle compétence, comme l'écriture, vos relations peuvent inclure un professeur, un ami, un livre particulière-

ment utile et encourageant, un magazine et un écrit
que vous avez fait qui a été publié ou a reçu les com-
mentaires favorables de vos amis. Cette liste ne sert
qu'à vous aider à croire que vous pouvez. Une fois
qu'elle est écrite, recourez à vos relations chaque fois
que vous avez besoin d'une bonne dose de *je peux*.

13 novembre — Réglez vous-même les interrupteurs

Un jour, tandis que je m'apprêtais à faire un saut
surveillé en parachute, mon moniteur m'a dit de
m'asseoir. Il m'a donné un exercice à faire.

«Quand je saute en parachute, dit-il, je vais dans
ma salle d'interrupteurs et je règle ceux-ci où je les
veux.» Il m'a expliqué comment il réglait son interrupteur de vigilance et de conscience à environ huit.
S'il le réglait plus haut, jusqu'au bout à dix, il dit qu'il
devenait trop tendu, hyper-vigilant.

Pendant nombre d'années, nous avons laissé bien
des gens enfoncer nos boutons. Pourquoi ne pas
essayer plutôt de régler ces interrupteurs nous-même?

Faites-vous un panneau d'interrupteurs pour
vous-même. Indiquez pour chacun les questions sur
lesquelles vous voulez travailler. Vous pouvez créer
un interrupteur pour la peur. Ne le fermez pas complètement. Il vous faut un peu de peur pour vous guider.
Réglez l'interrupteur de la peur à deux, par exemple,
ou à un niveau avec lequel vous êtes à l'aise. Puis
allez à l'interrupteur lié à la confiance tranquille.
Réglez-le à huit. Allez ensuite à l'interrupteur du plaisir et du jeu. Que pensez-vous de le pousser jusqu'à
dix?

Créez des interrupteurs pour toutes les caractéristiques de votre vie que vous aimeriez soit augmenter,

soit diminuer. Puis, de temps à autre, allez à votre panneau, assurez-vous que vos interrupteurs sont toujours réglés et que votre disjoncteur est activé.

Mon Dieu, aide-moi à m'approprier mon pouvoir.

14 novembre — La liberté dans le lâcher prise

Parfois, nous obtenons la liberté non seulement en lâchant prise nous-même, mais en aidant quelqu'un à lâcher prise sur nous.

Une enfant tourne un coin sur sa petite bicyclette rouge, une roue stabilisatrice sur le trottoir et l'autre, dans les airs. Son père l'appelle et lui dit que aujourd'hui est un jour spécial. Aujourd'hui, elle est enfin assez grande pour se passer des roues stabilisatrices et elle va apprendre à monter à bicyclette comme les grands! Des larmes suivent la bonne nouvelle.

«Mais si je tombe? Ou que je ne peux pas garder mon équilibre? Je ne suis pas prête!» se plaint-elle.

Finalement, après que son père lui eut assuré à maintes reprises qu'il serait à ses côtés, elle laisse papa enlever les roues.

Au début, il tient fermement la bicyclette et elle est assise, pétrifiée, incapable de pédaler, agrippée au guidon.

«Détends-toi, dit-il. Ça va. Je suis ici tout près à côté de toi.»

Elle se détend. Puis se met à pédaler. Papa relâche quelque peu son emprise. Il lâche prise et court à ses côtés. Elle le regarde et rit. «Papa, ne me lâche pas! Je vais tomber!» Et puis, l'inévitable se produit, elle tombe.

Mais elle se relève. Il la tient encore. Et encore. Et encore. Presque jusqu'à l'heure du dîner, papa court à ses côtés, lâche la bicyclette, ralentit et marche, et regarde sa petite fille s'éloigner sur deux roues.

Y a-t-il quelque chose ou quelqu'un sur qui il vous faut lâcher prise pour grandir? Y a-t-il quelqu'un que vous devez aider à lâcher prise sur vous? Il est tentant parfois de maintenir les gens dépendants de nous. Cela nous fait sentir indispensables et puissants. C'est une bonne sensation. Mais cela peut les retenir et nous retenir.

Allez-y. Il est temps. Enlevez les roues stabilisatrices. Aidez les gens à s'éloigner vers le soleil couchant. Libérez-les ainsi que vous-même.

Mon Dieu, aide-moi à résister à la tentation de maintenir les gens dépendants de moi. Donne-moi le courage d'aider les autres à lâcher prise sur moi.

15 novembre   Enseignez aux autres qu'ils peuvent, eux aussi

Une bonne façon de nous aider à croire que nous pouvons consiste à aider les autres à savoir qu'ils peuvent, eux aussi.

Certains appellent cela «être au service».

Dans les programmes Douze Étapes, cela s'appelle «transmettre le message». Peu importe le temps de sobriété que nous avons, nous pouvons partager notre expérience, notre force et notre espoir avec les autres. Nous pouvons leur dire comment nous avons été libérés, comment nous nous sentions au début et comment nous nous sentons maintenant, de sorte qu'ils croiront pouvoir le faire, eux aussi.

Même en parachutisme, j'ai constaté qu'il est utile de partager mon expérience, ma force et mon espoir avec les parachutistes plus novices que moi. Quand je leur dis que c'est bien, qu'ils peuvent le faire, je suis réellement en train de me dire que je peux aussi le faire.

Souvent dans ma vie quotidienne, quand je dis aux autres les choses qu'ils doivent faire ou qu'ils peuvent apprendre, ce sont les choses mêmes que je dois me dire. La répétition entraîne la conviction. Si nous le disons aux autres, nous nous le disons à nous-même. La foi en eux-mêmes se consolide, ainsi que la foi en nous-même.

Certains disent : « Quand l'élève est prêt, le professeur se manifeste. » C'est peut-être vrai. Mais à certains moments, quand l'élève se manifeste, c'est parce que le professeur est lui aussi prêt à apprendre la leçon.

C'est parfois en aidant les autres que nous nous aidons nous-même. Et donner est souvent la façon dont nous recevons nous-même quelque chose.

Mon Dieu, aide-moi à me rendre service. Aide-moi à me rappeler la valeur de servir les autres – que cela les renforce et les inspire, et m'est bénéfique et utile, aussi.

16 novembre   Soyez persévérant

Plus tôt dans ce livre, j'ai parlé des petites gouttes de pluie qui, au fil des ans, peuvent creuser des trous et des indentations dans la pierre. J'en ai fait une analogie pour démontrer comment des influences négatives peuvent éroder notre détermination.

Ce n'est pas à sens unique.

Quand j'ai commencé à me rétablir, un employé du centre de traitement me soulignait une bonne qualité chez moi lorsque je ne pouvais pas voir ou trouver quoi que ce soit de bon à aimer en moi.

«Tu es persévérante», a-t-il dit.

«Oui. C'est vrai, je le suis.»

J'ai aussi pensé que si j'utilisais la moitié de l'énergie que je mettais à faire des choses destructives et que je la canalisais dans des activités constructives, il n'y aurait rien au monde qui me résisterait.

Nous sommes persévérants pour la plupart. Nous ressassons avec obstination. Nous avons essayé avec persistance de changer ce que nous ne pouvions pas, habituellement une circonstance ou le comportement de quelqu'un d'autre. Prenez cette énergie, cette persévérance, cette détermination, cette résolution presque obsessive et persévérez dans les choses que vous pouvez faire.

Ne poussez pas.

Lâchez prise sur le souci des tâches apparemment impossibles dans votre vie. Doucement, régulièrement, comme la pluie, laissez votre gentillesse éliminer naturellement les obstacles de votre route.

La vie est meilleure quand nous y coulons.

Mais il faut parfois un flot persistant pour changer les choses que nous pouvons changer.

Une quantité d'eau suffisante, appliquée constamment, peut être plus puissante que le roc.

Mon Dieu, donne-moi le courage de persévérer et la force de persister.

17 novembre   Défaites vos erreurs

«Nous avons poursuivi notre inventaire personnel et promptement admis nos torts dès que nous nous en sommes aperçus.» C'est la Dixième des Douze Étapes du programme des Alcooliques Anonymes. C'est également_ une étape que bien des gens avisés, qui n'appartiennent à *aucun* programme, pratiquent aussi.

Les erreurs que nous faisons sont parfois négligeables. Nous disons quelque chose qui blesse quelqu'un. Ou nous nous comportons d'une façon que nous savons inadéquate, et nous nous sentons mal. Nos erreurs sont parfois plus importantes. Nous avons pu accepter un emploi ou entrer dans une relation en croyant que c'était une bonne idée pour nous rendre compte ultérieurement qu'il n'en était rien.

Quelles que soient les raisons qui nous motivaient à ce moment-là, nous avons commis une erreur. Nous avons pris un mauvais tournant sur le chemin, et la direction que nous avons prise n'était pas celle qui nous était destinée, pas plus que celle que nous désirions. Ou nous nous sommes retrouvés dans une impasse.

La Dixième Étape fait partie du programme, elle en constitue un douzième parce que quelqu'un savait que nous en aurions besoin, peut-être un douzième du temps. Les mots *je m'excuse* sont dans le langage parce que nous avons également développé un besoin de cette expression.

Ne pas faire amende honorable peut nuire à nos relations. Quand l'orgueil ou la honte nous empêchent de faire amende, nous fermons notre cœur à Dieu, à nous-même et aux gens que nous aimons.

Admettez votre erreur. Prenez les mesures nécessaires pour corriger la situation pour vous-même et les personnes concernées.

Ouvrez simplement votre cœur et dites ces cinq mots : «Je m'excuse. J'ai eu tort.»

Puis lâchez prise et poursuivez votre vie. Ayez le courage de faire ce que vous devez faire pour revenir sur la bonne voie dans votre vie.

Mon Dieu, aide-moi à admettre à moi-même, à Toi et aux autres que j'ai tort et que j'ai commis une erreur – que ce soit une petite ou une grande déviation dans ma vie. Puis, aide-moi à corriger mes actes et à revenir sur la bonne voie.

18 novembre   Improvisez

N'ayez pas peur des erreurs, elles n'existent pas.
— MILES DAVIS

La vie est un air de jazz, parfois bruyant, parfois triste, mais toujours plein de détours inattendus et, ici et là, un nouveau son enchanteur émerge. D'un point de vue strictement classique, nous pourrions être tentés de qualifier d'erreur cette nouvelle note ou harmonie, mais dans le monde fluide du jazz, cela ne devient qu'une autre partie du tout mélodieux.

Donc, vous avez pris le mauvais emploi, choisi une carrière basée sur les attentes d'autrui plutôt que sur ce que vous attendiez de vous-même. Était-ce une erreur? Seulement si vous avez passé tout votre temps à ressasser le fait que vous préféreriez être ailleurs et que vous avez raté la chance d'apprendre sur vous-même.

Admettez vos erreurs. Dites *je m'excuse* quand vous avez tort.

Mais ne vous sentez pas piégé par les erreurs de votre passé ni par la possibilité de futures erreurs. Évidemment, nous nous tromperons encore. Mais il se peut que nous inventions une ou deux nouvelles notes en cours de route.

Mon Dieu, aide-moi à apprendre de mes erreurs et à transformer mes gaffes en succès.

19 novembre   Respectez les pouvoirs en place

J'observais un homme par la fenêtre tandis qu'il poussait son kayak vers le large. Juste au moment où il s'apprêtait à embarquer, une énorme vague écumante s'est enroulée au-dessus de lui. Le kayak a filé dans une direction, puis j'ai vu une rame émerger de l'eau. L'homme est revenu à son embarcation, a réessayé pour se faire bousculer de nouveau, lui et son embarcation, par la vague. Finalement, la dernière vague a pris le kayak et l'a lancé sur la rive. Quand l'homme, dans la trentaine, s'est relevé, il a regardé vers le ciel et levé les bras.

C'était un geste de capitulation, la posture *qu'est-ce que je peux faire d'autre que de me résigner aux forces en place* que certains d'entre nous connaissent si bien.

Oui, nous apprenons à croire en nous. Nous apprenons à dire *je peux.* Mais une part importante de la confiance en soi et de l'estime de soi consiste à apprendre l'humilité et le respect des forces en place. Fixez vos buts. Poursuivez vos rêves. Dites ce que vous voulez et apprenez à dire quand. Tenez-vous la tête haute, mais apprenez aussi à vous sublimer.

Parfois, il ne reste qu'à lever les bras au ciel et à capituler devant les forces en place.

Mon Dieu, aide-moi à lâcher prise sur l'arrogance et à recevoir les bienfaits qu'apporte l'humilité.

20 novembre   Soyez préparé

Avez-vous déjà eu un professeur à l'école qui vous avertissait au début de l'année qu'il donnerait des examens sans préavis, donc de vous préparer? Nous n'aimions peut-être pas ça, mais nous avons apprécié d'en être avertis. Nous savions que, dans ce cours, il fallait faire nos devoirs assidûment si nous voulions de bonnes notes. Nous étions vigilants. Nous savions que nous ne pouvions pas nous en tirer autrement.

Quand arrivait cet examen, nous y étions préparés ou du moins avertis. Nous avions été prévenus. Nous savions que l'examen viendrait.

Quand j'ai décidé de cesser de consommer de l'alcool et des drogues, et de vivre une vie d'abstinence et de recouvrance, j'ai été maintes fois mise à l'épreuve. Les gens ont mis de l'alcool et des drogues entre mes mains. Une fois, dans les premiers mois, peu après ma décision, j'ai échoué à l'examen et me suis sentie affreusement mal. Puis j'ai appris cette leçon importante: la vie défierait ma décision de temps à autre. Je devais être préparée non seulement à faire le choix d'être sobre, mais à soutenir cette décision chaque jour.

Quand j'ai décidé de devenir une auteure, les choses se sont bien passées les premières années, puis j'ai heurté des murs. J'ai eu une période de page blanche. Les mots ne venaient pas. Les résultats n'étaient pas ceux que j'avais escomptés. Il était temps de décider si j'allais soutenir ma décision ou abandonner.

Nous aurons des examens, sans préavis, pour presque chaque décision que nous prenons et chaque frontière que nous fixons. Chaque fois que nous disons *je peux*, nous serons mis à l'épreuve. Et selon mon expérience personnelle, l'épreuve ou l'examen n'en est jamais un que nous aurions choisi. Il est souvent laid, malcommode et nous frappe en plein dans notre point le plus faible.

Ne vous sentez pas victimisé ou torturé quand arrive votre examen. Soyez préparé. Laissez-le vous enseigner davantage sur vous-même, ce que vous voulez et à quel point vous le voulez. Utilisez-le comme une résistance, celle contre laquelle nous poussons pour clarifier qui nous sommes et ce que nous voulons. Parfois, nous ne voulons pas vraiment ce que nous croyions vouloir, et d'autres fois, oui. Nous ne sommes plus à l'école, du moins pas à l'école primaire. L'examen n'est pas au profit du professeur. Il est pour notre bénéfice – pour nous enseigner à quel point nous avons appris.

Ne vous inquiétez pas. On m'a dit que jamais quelqu'un ne nous donnera un examen que nous ne pouvons réussir.

Alors préparez-vous. Vous êtes averti.

Soyez conscient.

L'examen peut arriver à toute heure.

Mon Dieu, aide-moi à lâcher prise sur ma résistance aux petites épreuves que la vie m'envoie. Aide-moi plutôt à utiliser ces épreuves comme une occasion de me connaître et de te connaître mieux. Aide-moi à faire de mon mieux.

21 novembre — Vous n'aurez pas plus que vous pouvez en prendre

... et Dieu est fidèle, il ne permettra pas que vous soyez tenté au-delà de vos forces; mais avec la tentation, il vous donnera aussi le moyen d'en sortir, et la force de la supporter.

– La Bible

«Je m'occupe de mon colocataire et me préoccupe de trois de mes clients. Les gens disent toujours que tu n'as jamais plus que ce que tu peux prendre. Mais ce n'est pas vrai si tu essaies de prendre le lot des autres. Ça peut être trop», me disait un ami thérapeute.

Nous avons presque tous entendu au cours de notre vie que nous n'aurons jamais plus que ce que nous pouvons prendre ou supporter. La charge ne sera pas trop lourde. Si nous la recevons, nous pouvons être à la hauteur et accomplir la tâche.

On ne nous a pas dit que la charge ne serait pas lourde. On ne nous a pas dit que la tâche serait facile à exécuter. Et on ne nous a pas dit que nous recevrions la grâce et la force de supporter la charge des fardeaux qui ne sont pas les nôtres.

Il semble parfois que c'est trop. J'ai ressenti cela.

Ça ne l'est pas.

Vous êtes à la hauteur de la tâche, quelle qu'elle soit, que vous le sentiez ou non.

Mon Dieu, donne-moi tout ce dont j'ai besoin aujourd'hui, y compris assez de joie.

Ne pas être codépendant? C'est une décision que je dois prendre chaque jour.

– ANONYME

Souvenez-vous de mettre en pratique les choses essentielles.

Il y a un dicton dans l'air qui fait beaucoup jaser: *Les leçons ne s'en vont pas tant qu'elles ne sont pas apprises. Nous pouvons bouger, nous baisser, nous cacher, courir ou fuir en faisant autre chose, mais cette leçon nous suivra encore.*

Il y a aussi un autre dicton qui ne fait pas tant jaser. Mais c'est une importante leçon utile à évoquer au fil de notre vie quotidienne: *Ce n'est pas parce que la leçon a été apprise qu'elle va s'en aller. Elle apparaît parfois sous différentes formes et tailles.*

Je croyais qu'une fois une leçon apprise, j'en avais fini avec elle. La douleur de cette leçon cesserait quand je me serais rendu compte de ce qu'elle était. Je pourrais ensuite simplement continuer de vivre et déposer ce certificat dans un tiroir.

Il m'a fallu du temps pour réaliser que ce n'était pas nécessairement vrai. J'apprenais ces leçons parce que j'aurais besoin d'utiliser cette compétence, conscience, valeur, discipline ou pratique comme outil pour le reste de mes jours.

Si vous en avez terminé avec des leçons importantes de la vie, félicitations. Mais ne rangez pas tout de suite ce certificat. Pourquoi ne pas plutôt l'exposer à la vue de tous?

Quand j'ai commencé le parachutisme, les cinquante premiers sauts étaient consacrés à la formation de base. J'apprenais à me sauver la vie. Après quoi, j'ai commencé à ajouter de nouvelles habiletés à mon répertoire. J'étais capable de bouger mon corps et d'avoir du plaisir dans les airs. J'ai commencé à apprendre à voler. Mais chaque fois que j'arrive à la porte d'un avion et que je m'apprête à sauter, il importe que je me souvienne de tout ce que j'ai appris au début – les rudiments – sur la façon de me sauver la vie.

Pratiquez les rudiments chaque jour ou aussi souvent qu'il le faut. Que vous soyez en rétablissement, en apprentissage d'un métier, en travail sur votre relation ou que vous pilotiez un avion, passez en revue les notions de base et souvenez-vous d'appliquer ces principes chaque jour de votre vie.

Déployez vos ailes. Apprenez à voler. Que votre vie soit une fête. Apprenez tout du mystère et de la magie qu'offre cet univers. Voyez comme vous pouvez être habile. Mais n'oubliez pas ce que vous avez appris au début.

Souvenez-vous de sauver votre propre vie.

Mon Dieu, aide-moi à me souvenir de pratiquer les rudiments de l'autonomie chaque jour de ma vie.

23 novembre — Montrez que vous pensez ce que vous dites

Kevin était malheureux. Il avait cessé de faire ce qu'il voulait faire dans sa vie et s'était retrouvé dans une routine morne et ennuyeuse au travail. Son emploi l'avait trahi. Par le passé, lui et les autres le jugeaient brillant, un atout. Les occasions lui étaient simplement présentées, l'une après l'autre. Maintenant, aucune occasion nouvelle ne lui venait.

Il s'interrogeait: «Que s'est-il passé? Qu'est-ce qui a mal tourné? Pourquoi les choses ne viennent plus à moi?»

«Peut-être faut-il que tu fasses quelque chose. Peut-être dois-tu aider à créer l'occasion que tu désires», lui a suggéré son ami.

La première réaction de Kevin fut: «Je ne peux pas faire ça. Je n'ai jamais été un leader auparavant. Je n'ai jamais eu à prendre l'initiative. J'attendais et les bonnes choses m'arrivaient.»

«Peut-être que les temps sont différents maintenant. Il faut sans doute que tu agisses en ton nom d'abord», lui répondit son ami.

Kevin décida que son ami avait raison. Il prit certaines mesures pour créer l'emploi qu'il voulait dans une autre entreprise. Le salaire n'était pas formidable, mais au moins il faisait davantage le travail qu'il voulait. Il a commencé à assumer davantage de leadership dans sa vie.

Cela lui a demandé beaucoup de travail et d'effort. Il devait voyager beaucoup. Il devait produire des résultats. Et il a dû débourser de sa poche pour faire survenir ce qu'il voulait. Il n'était pas exactement où il voulait être, mais il était plus près du but qu'avant.

Environ trois mois après que Kevin eut décidé de prendre l'initiative, il est rentré chez lui un soir. Il y avait un message sur son répondeur. Des propriétaires d'entreprise avaient une ouverture. Ils avaient entendu parler de Kevin et se demandaient s'il serait intéressé à passer une entrevue avec eux, et peut-être à se joindre à eux.

C'était un poste de dirigeant qui correspondait exactement à ce que Kevin espérait faire. Le salaire et les avantages étaient fantastiques. Il ne lui a fallu qu'un moment pour se rendre compte que c'était l'occasion en or.

Parfois, ce n'est pas suffisant de dire *je peux*. Vous devez montrer à vous-même et à l'univers que vous pensez ce que vous dites. Si les bonnes choses ne vous arrivent plus, peut-être devez-vous aller vers elles. Une fois les premiers pas faits, l'univers peut vous guider sur le chemin.

Qu'il s'agisse d'écrire un livre, de rencontrer un ami, de déménager, de trouver un parrain, de changer de carrière ou d'acquérir une nouvelle compétence, il est peut-être temps pour vous de montrer à l'univers que vous pensez ce que vous dites. Faites ces premiers pas, aussi étranges et maladroits qu'ils puissent être. Travaillez avec les matières premières dont vous disposez aujourd'hui – même si elles ne sont pas idéales. Faites de votre mieux. Franchissez une étape vers la réalisation de votre rêve. Laissez ensuite l'univers et votre Puissance supérieure vous guider, une fois les premiers pas franchis. Ce n'est pas parce que quelque chose ne vous est pas présenté sur un plateau d'argent qu'il ne peut être à vous.

Attendez-vous qu'un rêve, une vision ou un but se manifeste par magie dans votre vie ? Se pourrait-il que vous deviez faire quelques pas vers lui, au lieu d'attendre qu'il vienne à vous ? Vos premiers efforts sont peut-être précisément cela, les premiers efforts. Mais à partir de ces premiers pas, vous serez guidé vers ce que vous voulez faire.

Lâcher prise signifie parfois plus que s'asseoir et attendre passivement. Prendre l'initiative peut être une part importante du travail à effectuer. Montrer à l'univers et à vous-même que vous êtes sérieux fait partie de la manière dont vous apprenez à manifester votre pouvoir.

Mon Dieu, montre-moi les pas que je peux faire aujourd'hui, et aide-moi à me mettre en marche pour que tu puisses me guider sur mon chemin.

Activité. Sortez votre liste de buts aujourd'hui. Attendez-vous qu'un rêve, une vision ou un but se manifeste par magie dans votre vie? Se pourrait-il que vous deviez faire les premiers pas? Aujourd'hui, prenez l'initiative. Commencez à utiliser le pouvoir du *je peux* dans votre vie.

24 novembre   Bougez
à partir de votre centre

> *Tout ce que ta main se trouve capable de faire, fais-le par tes propres forces.*
>
> – ECCLÉSIASTE 9, 10

Bougez à partir de votre centre.

C'est une leçon que l'aïkido m'a apprise, mais elle va au-delà des arts martiaux; c'est une leçon ancienne sur la façon de vivre.

Essayez cet exercice. Traversez la pièce en marchant et en souhaitant être ailleurs – dans votre fauteuil, votre auto ou avec un ami. Puis faites une activité pendant cinq minutes, comme laver la vaisselle, en vous concentrant tout le temps sur quelque chose d'autre que vous préféreriez faire ou qui vous préoccupe. Puis, retournez là où vous avez commencé.

Marchez maintenant dans la pièce en étant conscient de chaque pas, entièrement présent à chaque geste. Portez attention à l'endroit où vous êtes et comment vous ressentez chaque pas. Acceptez et souhaitez d'être exactement là où vous êtes. Lavez la vaisselle, présent à la sensation de l'eau chaude, à l'odeur du savon et à la sensation du plancher sous vos pieds. Soyez conscient et sensibilisé. Nettoyez intentionnellement la vaisselle. Soyez entièrement là, à ce moment. Soyez conscient que vous lavez cette vaisselle jusqu'à ce qu'elle soit propre et rincez-la jusqu'à ce qu'elle soit claire. Soyez heureux et reconnaissant de cette tâche. Donnez-vous entièrement à cette tâche.

Bouger à partir de notre centre, c'est ça. Cela signifie que nous sommes là, entièrement présents, concentrés et conscients. Nous ne souhaitons pas être ailleurs. Et nous accordons une grande valeur à ce que nous faisons, peu importe l'envergure de la tâche. Comme notre vie s'enrichit quand nous mettons tout notre cœur dans ce que nous faisons. Les couleurs sont plus éclatantes, le succès plus doux, la perte plus vive et les leçons plus vraies.

Bougez à partir de votre centre dans tout ce que vous faites, même les tâches et les moments ordinaires. Mettez tout votre cœur dans vos relations. Donnez vos meilleures idées au travail. Ne vous en faites pas, l'univers en a en réserve. Arrêtez la voiture sur l'accotement et admirez le coucher de soleil.

Quoi que vous trouviez à faire, faites-le de toutes vos forces.

Mon Dieu, rappelle-moi de vivre ma vie pleinement chaque jour.

25 novembre   **Exprimez**
                      votre pouvoir doucement

Exprimez votre pouvoir naturellement et aussi doucement que possible.

Quand j'ai commencé à apprendre ce que signifiaient prendre soin de moi et m'approprier mon pouvoir, je parlais fort, levais le ton et hurlais afin d'établir des frontières, des limites, et pour m'exprimer. C'était ma façon de me faire entendre. C'est ainsi que je montrais aux gens que je pensais ce que je disais.

Il fallait que je le dise *haut et fort.*

Environ cinq ans après avoir entamé ce processus d'apprendre ce que voulait dire m'approprier mon pouvoir, j'ai rencontré un ours nommé Winnie l'ourson dans le livre *Le Tao de Pooh.* Des lumières sont apparues. Les germes de nouvelles leçons ont commencé à éclore.

Pour m'approprier mon pouvoir, je pouvais dire doucement ce que je pensais. Plus j'étais lucide sur ce que je voulais dire et sur qui j'étais, moins j'avais à crier. M'approprier mon pouvoir n'était pas une chose que je devais organiser, préméditer ou sur laquelle obséder.

Plus je prenais soin de moi et me branchais sur moi-même, plus je devenais lucide, et plus il devenait naturel et facile de m'approprier mon pouvoir. Mon pouvoir – incluant établir des limites, dire non, refuser d'être manipulée, et dire que j'avais changé d'idée – est souvent devenu une expression naturelle, gracieuse et opportune de ma personne.

Il y a encore des moments dans notre vie où nous devons être fermes, parfois énergiques, et répéter ce que nous avons dit, parfois plus fort. Être le plus possible posés et détendus quand nous disons ce que nous pensons est habituellement directement proportionnel à notre foi en nous-même.

Laissez votre pouvoir, vos frontières et les expressions de qui vous êtes survenir naturellement.

Apprenez et respectez la valeur de réagir aussi doucement mais aussi fermement que possible.

Mon Dieu, aide-moi à laisser circuler Ton pouvoir en moi. Apprends-moi à prendre soin de moi avec douceur, d'une façon qui reflète l'harmonie avec moi-même et, autant que possible, avec les gens dans ma vie.

26 novembre   Ouvrez la porte

Je mangeais avec un ami au restaurant, un midi, quand il s'est rendu compte qu'il avait égaré ses clés ou qu'il les avait laissées dans sa voiture. Nous étions venus au restaurant dans ma voiture, la sienne était chez moi.

Il a nié et fait des histoires, comme la plupart d'entre nous, quand nous nous rendons compte que nous nous sommes enfermés dehors.

«Peut-être que je les ai apportées à l'intérieur de ta maison et que je les ai laissées sur la table, dit-il avec regret. Mais peu importe, j'ai un autre trousseau dans…» Il fouilla ses poches. «Mes autres pantalons.»

Fin de la partie.

Il n'a pas apprécié le reste de son repas.

Quand nous sommes revenus à la maison, nous avons cherché les clés à l'intérieur pendant un moment, puis nous sommes allés à sa voiture. Évidemment, elles y étaient – sur le tableau de bord. Nous avons fait le tour de la voiture à quelques reprises.

«Je devrais peut-être simplement téléphoner au club automobile», dit-il. Je lui ai offert d'aller chercher un cintre dans la maison. Nous avons fait le tour de sa voiture encore quelques fois, jetant un regard d'envie par les fenêtres. Vous pouviez presque toucher les clés; elles étaient si proches.

Je me suis retournée pour aller chercher un cintre. C'est alors que j'ai entendu le son d'une portière d'auto qui s'ouvre. Je me suis tournée, et mon ami était debout, triomphant à côté de sa voiture, clés en main, un sourire béat aux lèvres.

«Elle n'était pas verrouillée», dit-il.

Nous nous permettons si souvent de nous sentir comme des étrangers. Nous voulons pénétrer un nouveau domaine ou un nouveau groupe, mais nous croyons ne pas en savoir encore assez, nous craignons de ne pas être aimés, d'échouer ou de réussir. Alors nous demeurons à l'extérieur en regardant les autres avec nostalgie, et en souhaitant pouvoir déverrouiller cette porte et nous joindre au groupe.

La porte n'est pas verrouillée.

Vous êtes à votre place ici.

Ouvrez la porte et entrez.

Mon Dieu, aide-moi à me rappeler que la seule personne qui fait que je demeure un étranger est moi-même. Aide-moi à ouvrir la porte et à me joindre au groupe. Aide-moi à vivre ma vie.

27 novembre   Ployez vos ailes

En marchant dans les collines du sud de la Californie, je me suis retrouvée dans un pré montagneux grouillant du mouvement de centaines de papillons nocturnes. Je suis restée là quelques minutes sans bouger à absorber la scène, les regardant danser légèrement autour de moi. Il y en avait tellement que je pouvais entendre battre leurs ailes dans l'air immobile.

J'ai marché plus loin et j'ai vu une chenille ramper au sol. J'ai regardé de plus près et j'ai vu que la minuscule créature avait deux petites ailes, mais inutiles, sortant de son dos. De prime abord, j'ai cru que c'était une difformité, que ce pauvre ver serait condamné à passer ses jours à ramper, incapable de jamais voler, mais ayant pourtant des ailes. Puis en continuant de marcher, j'ai vu une autre chenille ailée – celle-ci avait des ailes un peu plus grandes. Elle ployait lentement ses nouveaux appendices, regardant le ciel avec envie. Les ailes de ces papillons nocturnes poussaient graduellement, sans l'aide d'un cocon pour les protéger durant la transformation. Les chenilles déployaient simplement leurs ailes pour se faire voir du monde entier.

Nous avons tous différents niveaux de liberté. Ce que je considère comme une boîte peut être une liberté inimaginable pour vous aujourd'hui. À l'avenir, quand vous examinerez votre vie passée, vous pourriez être surpris des niveaux de liberté auxquels vous avez naturellement accédé. Peut-être regardez-vous aujourd'hui la liberté des autres avec admiration et envie, en pensant: «Je ne pourrais jamais faire ça.»

Oui, vous le pouvez.

Et vous le ferez sans doute.

Sentez-vous ces ailes dans votre dos? Elles sont là. Et elles grandissent chaque jour – que vous voliez déjà ou non.

Robert Thurman a écrit: «Ce qu'il y a de merveilleux avec l'horizon de l'infini, c'est qu'il n'y a pas
de limite à ce que vous pouvez devenir remarquable.»

Mon Dieu, aide-moi à ployer mes ailes. Montre-moi à
quel point je peux devenir étonnant.

28 novembre   C'est une occasion

Afin de développer un sentiment profond du carac-
tère précieux de la vie humaine, ce sentiment doit
être relié à notre système de croyances. Il ne s'agit
pas ici nécessairement du système bouddhiste kar-
mique, mais le système doit être essentiellement sen-
sible à l'unicité et à la nature spéciale de cette forme
de vie.

– ROBERT THURMAN, *CIRCLING THE SACRED MOUNTAIN*

La voyez-vous? Voyez-vous quelle chance spéciale et précieuse représente chaque jour de votre vie?

Regardez-y de plus près. Voyez toutes les leçons
que vous pouvez apprendre. Voyez comment vous
pouvez participer à votre croissance. Voyez avec quelles précautions Dieu vous tient la main, vous guide sur
le bon chemin, vous donne les bonnes paroles et occasions au bon moment, et vous envoie les bonnes personnes.

Vous pouvez ressentir. Vous pouvez toucher. Vous
pouvez vous affliger de désespoir ou rigoler de bon
cœur. Vous pouvez blaguer. Vous pouvez pleurer au
cinéma. Vous pouvez sangloter au lit le soir. Puis vous
lever le lendemain, régénéré.

Vous pouvez goûter une orange, un citron, une
mangue – et décrire en détail la différence entre chacune de ces saveurs. Vous pouvez sentir une pinède.

Vous pouvez tenir la main de votre ami et sentir comme il tremble de peur.

Vous pouvez trébucher et tomber, et vous sentir abandonné, puis vous lever et soudain, en un instant, comprendre la leçon que vous essayiez d'apprendre. Vous pouvez sauter d'un avion, sentir la douceur du dos de votre amant, et tenir votre enfant sur votre sein.

Vous pouvez attendre et remercier Dieu plus tard. Mais vous pouvez aussi remercier Dieu maintenant.

La meilleure façon de remercier Dieu est sans doute de vivre votre vie pleinement aujourd'hui.

Mon Dieu, aide-moi à profiter de cette chance, de cette vie que j'ai reçue, du mieux que je peux chaque jour.

29 novembre — La magie est là pour vous aussi

Je regardais une photo de mon ami Chip. Sur celle-ci, il est assis à côté de sa vieille Volkswagen cabossée et il a l'air presque aussi vieux et cabossé que sa voiture. Mais il sourit.

Il souriait aussi la première fois que je l'ai rencontré. Il m'a raconté l'histoire de la photo placée en évidence sur son bureau.

«Cette photo a été prise au départ du sentier de White Mountain. Trois mille six cents mètres d'altitude. Les 26 derniers kilomètres de la route consistent en deux traces de pneus dans la terre, mais je voulais vraiment faire cette randonnée. Tu aurais dû voir l'expression sur le visage du groupe de recherche dans leur camionnette à quatre roues motrices quand je suis monté avec Carmen (le nom de sa voiture). C'était si haut que le carburateur pouvait à peine respirer. Je ne crois pas avoir dépassé seize kilomètres à l'heure durant les 26 derniers kilomètres. Quand je suis arrivé, le réservoir était à sec, et j'étais à 78 kilomètres de la station-service la plus près.

«Après ma randonnée, j'ai mis l'embrayage de ma voiture au neutre et j'ai descendu en roue libre jusqu'en bas de la montagne. C'était dingue, mes freins étaient finis quand je suis parvenu en bas, et j'arrivais à la station-service juste quand le moteur a rendu l'âme. Quel voyage!»

Vous pouvez faire des choses si vous croyez que vous le pouvez. Vous pouvez jeter un sac à dos dans votre vieille bagnole et faire ce voyage pour quelques dollars seulement. Vous pouvez voir autre chose, visiter de nouveaux endroits et vous étonner vous-même et les autres. Vous pouvez avoir la carrière que vous voulez, la relation que vous voulez, atteindre les rêves de votre cœur. Vous pouvez vous rendre n'importe où d'où vous êtes maintenant.

Il ne vous faut que la foi, le désir et un peu de confiance dans la magie de l'univers.

«Oh! mais cette magie ne fonctionne que pour les autres, pas pour moi», ai-je entendu les autres protester, incrédules.

L'une des choses que j'aime chez Chip est quelque chose qu'il dit et pense toujours, qu'il ait cinq dollars dans ses poches ou trois mille en banque. Il le dit autant dans les bons moments que dans les moments que nous qualifierions de mauvais.

«Je ne peux pas croire à ma chance. Je ne peux pas croire à quel point le monde est étonnant. Et je ne peux pas croire ni comprendre pourquoi je suis tellement béni.»

La magie de l'univers est là, attendant chacun de nous.

Regardez autour de vous. Voyez comme vous êtes chanceux et béni. Puis regardez de nouveau les limites de votre vie et commencez à lâcher prise sur elles, une à une. Trouvez votre chemin de terre avec l'expérience formidable au bout. Trouvez et suivez votre chemin du cœur.

Oh, mais vérifiez le réservoir d'essence d'abord.

Mon Dieu, encore une fois, montre-moi la magie du je peux.

30 novembre   Croyez
en la magie de la vie

Chaque jour, autour de nous, nous retrouvons des personnes qui voudraient nous faire croire que *nous ne pouvons pas*. Ces gens n'ont pas grandi dans leur vie, alors ils nous disent que nous ne pouvons grandir et changer dans la nôtre. Les systèmes de croyances sont forts, mais les idées sont plus fortes.

En 1899, le chef de l'époque du bureau américain des brevets proposa de fermer le service. Il disait: «Tout ce qui peut être inventé l'a déjà été.»

Nous voyons cette déclaration aujourd'hui et nous rions, mais combien de fois y croyons-nous dans notre vie? Je ne peux pas retourner à l'école à presque 50 ans. Je ne devrais pas changer de carrière maintenant, je vais perdre mon fonds de pension. Évidemment, c'est beau un bateau comme ça, mais je n'en aurai jamais, je ne suis pas assez riche. Peut-être qu'il peut rester sobre, mais je ne peux pas changer ma vie.

Enfants, nous sommes émerveillés du monde autour de nous. Tout est possible, vraiment tout. Mais trop tôt, le poids des «je ne devrais pas», des «c'est impossible» et des «je ne le ferai pas» s'insinue sur nos épaules et nous attache à des attentes diminuées et à des croyances limitées.

La terre est plate. Si vous naviguez à son extrémité, vous allez tomber. Tout ce qui pouvait être inventé l'a déjà été. L'homme ne marchera jamais sur la Lune.

Croyez en vous. Croyez en un Dieu magnifique. Croyez aux programmes et aux structures de soutien qui vous aident chaque jour. Dites ce que vous voulez, les leçons que vous voulez apprendre, les buts que vous voulez atteindre, les relations que vous voulez avoir, puis sortez et permettez à l'univers de les manifester dans votre vie.

Ceux qui n'ont jamais rien se tiennent en marge et vous parlent de tout ce qui ne peut pas être. Vous joindrez-vous à eux ou irez-vous tranquillement accomplir l'impossible par vous-même?

Croyez dans la magie du *je peux*. Dites aux récalcitrants et à ceux qui n'ont jamais rien: je peux, *aussi. Et vous* pouvez *aussi.*

Aujourd'hui, pourquoi n'allez-vous pas au parc, vous asseoir sur un banc et penser au temps où vous étiez enfant. Quels étaient vos rêves, vos espoirs? Sont-ils vraiment si difficiles à atteindre? Rappelez-vous: tout peut arriver et, le plus souvent, c'est ce qui se produit.

Merci, mon Dieu, pour la gloire de mon cheminement jusqu'ici. Reste avec moi tandis que j'en apprends davantage sur ce que je peux accomplir à travers Toi.

Décembre

Dites quel délice

1er décembre   Dites *comme c'est bon*

Nous sommes nombreux à chercher assidûment un sens à la vie, du moins à *notre* vie. Je croyais l'avoir trouvé quand j'ai commencé à me rétablir de la chimiodépendance. *Ah!* me disais-je, *le sens de la vie, c'est de demeurer sobre.* Puis est venue la codépendance et mon besoin de m'en rétablir. Assurément, ma quête d'illumination allait connaître ici un point culminant.

Non, pas encore.

C'était comme s'il y avait une lourde porte de métal verrouillée. D'un côté se trouvait la connaissance suprême de notre raison d'être ici, cette «chose» insaisissable appelée illumination. J'étais de l'autre côté de la porte, enfermée, cherchant la clé.

Au fil des ans, j'ai vu des thérapeutes, des médecins et des guérisseurs. J'ai eu recours à l'homéopathie, à la kinésiologie, à l'acupuncture et au shiatsu. Dans ma jeunesse, j'ai essayé l'alcool et les drogues, croyant qu'ils étaient la réponse. J'ai cherché la réponse au sens de la vie dans les relations. Puis j'ai cherché l'illumination en évitant l'engagement et l'amour romantique à tout prix. J'ai essayé la Gestalt, l'analyse transactionnelle, l'hypnothérapie, la prière et la méditation aussi. Au cours des 27 dernières années, j'ai participé activement à plus d'un programme Douze Étapes dans cette quête de vérité.

J'ai consciencieusement persévéré dans le travail laborieux que bien des gens connaissent sous le nom de travail sur la famille d'origine. Hourra! J'ai enfin trouvé et guéri mon enfant intérieur. J'ai même un ourson en peluche par terre à côté de mon lit. Après la mort de mon fils, je suis demeurée dans chaque minute de mon deuil jusqu'à ce que je l'assume en acceptant enfin le handicap à vie que je vivrais malgré la perte de Shane.

J'ai parcouru *Le Cours des miracles,* apprenant avec l'aide de Marianne Williamson la magie de l'amour dans sa kyrielle de variétés et de formes. Enfin, j'ai ouvert mon cœur. Mais la recherche de l'illumination m'échappait. Je n'étais pas déprimée, mais mon esprit avait mal.

Je me suis mise à voyager, d'abord aux États-Unis, puis autour du monde. J'ai visité les vortex de Sedona, l'ancien village Anasazi de Chaco Canyon, et le Santuarior de Chimayo, l'église bénie du Nouveau-Mexique. J'aurais dû briller dans le noir. À l'occasion, j'apercevais la Lumière. Mais je ne comprenais toujours pas ce que signifiait la vie. *Peut-être demain trouverai-je cette clé,* me disais-je. Il semblait que l'illumination était toujours à un jour, un pas, un thérapeute, un livre, un guérisseur de moi. Il y a plus de 20 ans, quand j'étais déjà plongée dans cette quête, un ami fidèle m'a dit que le secret de la vie était simple: il n'y en avait pas. Peut-être avait-il raison. Peut-être cherchais-je quelque chose qui n'existe pas.

Un jour, j'ai cessé de chercher. Ce n'était pas que j'avais renoncé. J'ai capitulé. J'ai cessé d'attendre de gagner la loterie spirituelle. Cessé d'attendre de devenir illuminée. Cessé de chercher l'âme sœur parfaite.

Et j'ai commencé à m'abandonner et à profiter de chaque moment de ma vie – tel qu'il était.

C'est alors que j'ai trouvé la joie. Ou peut-être que la joie m'a trouvée.

La clé de l'illumination peut être plus simple que nous le croyons. Nous sommes ici-bas pour connaître la joie. Regardez chaque moment de votre vie et apprenez à dire *quel délice! comme c'est bon!*

Mon Dieu, aide-moi à apprendre la joie.

2 décembre   La leçon est la joie

Je visitais une conseillère au Minnesota par un jour froid de janvier 1991. Nous parlions du présent et spéculions sur les leçons à venir. Elle a pris ma main et m'a regardée droit dans les yeux. «Voici ce que je sais vraiment, dit-elle. Tu as assez souffert. Maintenant, tu vas apprendre la joie.»

Une semaine plus tard, mon fils Shane mourait.

Emmêlée à mon chagrin, il y avait la rage. J'étais tellement en colère contre elle d'avoir dit cela. C'était un autre cas où je m'étais fait des idées que je pouvais finalement être heureuse. Maintenant, je me sentais flouée et abandonnée.

Les années ont passé lentement. J'ai presque tout perdu, y compris mon désir d'écrire. Nichole a terminé ses études secondaires. Puis, elle a quitté la maison pour aller à New York. La vie changeait et bougeait sans arrêt, malgré ce que je ressentais.

Une année, j'ai remarqué que l'anniversaire de la mort de Shane était passé sans que je sois déprimée. Puis j'ai remarqué autre chose. Je commençais à me sentir vivante, vibrante, impressionnée par la vie. Ce n'était pas une supposition naïve que j'obtiendrais tout ce que je voulais. C'était une capacité nouvellement acquise de m'abandonner à chaque moment et de profiter de ce que la vie m'apportait. Je me suis fait de nouveaux amis, et mes relations avec les anciens ont changé. Ma nouvelle relation avec la vie était ce qui m'inspirait. J'ai cessé d'attendre que les circonstances extérieures me procurent le bonheur. J'ai commencé à voir que je détenais moi-même cette clé.

Si vous traversez quelque chose dans votre vie qui n'est pas ce que vous aviez prévu, une transformation est imminente. Alors que nous préférerions être transformés en un clin d'œil, d'habitude, cela ne se produit pas aussi rapidement. Il faut tous les moments accumulés, et parfois ces moments se poursuivent longtemps. Mais un jour, quand vous vous y attendez le moins, un phénix renaît de ses cendres. Et ce phénix, c'est vous.

Certains d'entre nous traversent de grandes souffrances. Et certains en ont moins. Si je pouvais m'asseoir en face de vous maintenant, je vous regarderais dans les yeux et vous dirais ceci: «Je sais que vous avez déjà subi beaucoup. Mais un nouveau cycle s'annonce. Vous allez apprendre la joie.»

La vie va vous emmener sur votre propre parcours de transformation personnelle. Il se peut que vous deviez lâcher prise sur certaines choses. Mais ne vous en faites pas, certaines vous reviendront. Et parfois, quand nous pensons avoir perdu quelque chose, il n'en est rien. C'est simplement qu'il a changé de place. On a rien sans rien, disent beaucoup de gens. Habituellement, ils disent cela parce que, lorsque la leçon est apprise, la douleur cesse. Mais alors, quelque chose se produit. La leçon est alors enclenchée. Les moments s'améliorent de plus en plus. Et ce n'est pas à cause de ce que nous obtenons, mais parce que nous avons capitulé. Et même s'il semble que nous nous soyons abandonnés à la souffrance et à la peine, nous nous sommes véritablement abandonnés à la volonté de Dieu.

Il y a un monde au dehors – juste derrière votre porte. Et la clé qui ouvre la porte est dans vos mains. La leçon finale est d'apprendre la joie. Mettez vos peurs de côté. Vivez votre vie, quoi que cela puisse signifier pour vous aujourd'hui. Cela peut arriver aujourd'hui, demain, la semaine prochaine ou dans dix ans. Mais vous ne pourrez pas vous retenir. Vous lancerez votre chapeau en l'air, regarderez autour de vous et crierez: «Oh, mon Dieu, comme la vie est délicieuse!»

Mon Dieu, aide-moi à vivre mes leçons, une à une. Emmène-moi ensuite là où j'apprendrai la joie.

3 décembre   Appréciez le vide

Nous commençons à marcher sur un chemin – la recouvrance, un nouvel emploi, une nouvelle relation. Nous sommes occupés, même accablés, par tout ce qui se trouve devant nous. Nous travaillons et travaillons, et cheminons et grandissons. Puis un jour, la relation change. L'emploi change. Ou nous sommes assez avancés pour voir plus loin que la prochaine minute de sobriété, et quand nous regardons, nous ne voyons rien.

Nous sommes effrayés. Le néant peut être effrayant. Il n'y a pas moyen de planifier l'avenir. Nous ne pouvons faire le bon geste. Nous sommes entourés de décisions et aucune ne semble être la bonne.

Détendez-vous. Savourez ce moment aussi. Cessez de vouloir le remplir. Vous êtes dans le vide, cet endroit magique d'où émane toute création. Respirez l'air, regardez les fleurs, ressentez le soleil. Ou faites un feu pour vous garder au chaud. Nul besoin de craindre cet endroit, il n'y a rien que vous deviez faire. Poursuivez votre chemin, et le mode créateur vous apparaîtra clairement bientôt.

Mon Dieu, aide-moi à lâcher prise sur l'inquiétude quand je me trouve dans un entre-deux dans ma vie. Aide-moi à marcher en paix et à laisser l'univers me montrer le chemin que je vais suivre. Aide-moi à me détendre dans cet espace et à faire des réserves d'énergie pour le parcours devant moi.

4 décembre   Le miracle de la renaissance

La naissance est une expérience grisante. Si vous entrez dans une salle d'accouchement quelques secondes après qu'un enfant est né, vous pouvez presque palper l'émotion et la puissance du moment.

Il en est ainsi de la renaissance, également. En assistant à une cérémonie religieuse solennelle, en étant seul au sommet d'une haute colline ou en marchant sur les traces d'une ancienne civilisation, nous pouvons sentir notre cœur changer tandis que notre esprit connaît une nouvelle naissance. «Qu'est-ce que j'ai fait pour mériter ça?» chuchotons-nous. Et l'univers répond sur le même ton: «C'est pour te faire avancer sur ton chemin. C'est pour t'enseigner à vivre.» Et nous renaissons de notre expérience.

Parfois, l'inverse se produit aussi. En un seul instant, tout ce que nous connaissons peut nous être enlevé – la mort d'un proche, un divorce, la perte d'un emploi – et soudain, nous sommes laissés à la merci de l'univers. «Pourquoi est-ce arrivé? Qu'ai-je fait pour mériter ça?» gémissons-nous. Et l'univers répond: «C'est pour te faire avancer sur ton chemin. C'est pour t'enseigner à vivre.» Et une fois de plus, nous renaissons de nos cendres.

Abandonnez-vous aux moments grisants de création dans votre vie, tant à ceux qui sont inspirants qu'à ceux qui sont déchirants. Palpez l'émotion et la puissance.

Croyez qu'on vous fait avancer sur votre chemin. Vous apprenez comment vivre.

Laissez-vous renaître.

Mon Dieu, aide-moi à accepter toutes les expériences marquantes que je puisse avoir. Aide-moi à voir le merveilleux dans la renaissance et à apprendre tes leçons.

5 décembre   Soyez heureux maintenant

«Le temps est ce qui empêche que tout arrive à la fois», pouvais-je lire sur le collant du pare-chocs devant moi.

Peut-être, me disais-je. Je rentrais chez moi en vitesse après être allée au magasin d'électronique, avoir fait mes courses et tenté de régler une ou deux choses. J'avais remarqué un restaurant et un centre commercial à droite, sur l'autoroute. Cet endroit éveillait ma curiosité depuis presque un an. Aujourd'hui, au lieu de passer tout droit, j'ai quitté l'autoroute et je suis entrée dans le stationnement. J'ai passé les trois heures suivantes à jeter un coup d'œil aux boutiques remplies d'antiquités, de bibelots et d'épicerie fine. Puis, je me suis payé un dîner tranquille –

un hamburger juteux et un lait frappé au chocolat – au restaurant avant de retourner chez moi. Les boutiques avaient toujours été là; j'avais toujours passé tout droit. Aujourd'hui, j'ai arrêté, satisfait ma curiosité et j'en ai profité.

Nous pouvons facilement passer notre vie à travailler pour atteindre un but, convaincus que, si nous pouvions seulement y parvenir, nous serions alors véritablement heureux. Aujourd'hui est le seul temps que nous avons. Si nous attendons à demain pour être heureux, la beauté d'aujourd'hui nous échappera.

Faites vos plans. Fixez vos buts.

Laissez-vous être heureux, maintenant.

Mon Dieu, aide-moi à prendre conscience de la joie qui est devant moi maintenant au lieu d'attendre que demain m'apporte le bonheur.

6 décembre   Célébrez

Regardez votre vie. Regardez derrière vous le chemin parcouru jusqu'ici et célébrez!

Une des joies de gravir une montagne est de regarder tout le trajet derrière soi. C'est merveilleux d'être sur une crête élevée et de voir le minuscule sentier qui s'étire et s'étend au loin.

Célébrez avec respect la distance franchie dans ces premiers pas de sobriété, et dans votre foi et votre disposition à lâcher prise sur vos peurs. Célébrez ces premiers moments hésitants où vous avez appris ce que signifiait prendre soin de vous-même. En ce moment même, à chaque pas que vous faites, vous êtes transformé. Célébrez!

Tournez-vous. Regardez. Voyez toute la distance parcourue. Célébrez votre cheminement jusqu'ici.

Et réjouissez-vous de l'aventure qui vous attend.

Mon Dieu, aide-moi à célébrer tous mes triomphes.
Merci de marcher avec moi, même lorsque je croyais
marcher seul.

7 décembre   Appréciez vos succès

En définitive, si vous y mettez assez d'efforts, ce que vous entreprenez se terminera. La maison est construite, le tableau est peint, le rapport est rédigé. Permettez-vous de vous reposer et de vous détendre dans ces occasions. Prenez un moment pour jouir du sentiment d'achèvement. Ce moment durera l'espace d'un instant. Il y a encore plein d'autres idées et tâches qui vous attendent au tournant.

Prendre de l'expérience et tirer des leçons des efforts qui échouent est une partie importante de notre cheminement. Mais le succès fait du bien aussi, et il est fait pour être apprécié.

Si vous avez eu une réalisation récente, prenez congé. Célébrez-la. Célébrez ces moments de victoire plus modestes aussi. Regardez ce que vous avez accompli et dites: «C'est bon.» Emmenez-vous au restaurant, prenez des vacances ou même une excursion à la plage.

Réfléchissez à vos succès antérieurs. Oubliez vos échecs et les choses qui ont mal tourné. Pensez à tout ce que vous avez fait de bien dans votre vie, aux choses qui ont fonctionné, aux prières exaucées. Ne faites pas que fixer vos problèmes et tout ce qui a mal été. Regardez ce qu'il y a de bien dans votre vie, aussi.

Détendez-vous et reposez-vous un moment. Puis dites, *quel délice, comme c'est bon.*

Mon Dieu, merci pour toutes mes victoires, pour tous les défis que tu m'as aidé à relever. Merci pour toutes les fois où tu as exaucé mes prières et comblé mes besoins. Aide-moi à me reposer et à célébrer le bien dans ma vie.

8 décembre   Profitez de l'ordinaire

Quelques jours auparavant, il y avait eu une tempête effroyable dans le Pacifique. Maintenant, la houle de la tempête s'écrasait sur le rivage de la Californie. La marée montait et montait. La maison tremblait à chaque vague qui cognait contre les pilotis.

Je suis allée au lit mais je ne pouvais pas dormir. Je me suis levée et suis sortie dehors pour vérifier le kayak. Il était encore là, mais l'eau était haute sous la maison, menaçant de saisir l'embarcation. Je me suis recouchée et finalement j'ai glissé dans le sommeil malgré le rugissement de la mer déchaînée.

Le lendemain, la mer était revenue à la normale. Ce soir-là, quand je suis allée au lit, le doux roulement de la mer m'a bercée dans le sommeil. Bientôt, j'ai oublié la tempête, à quel point les vagues avaient été bruyantes et rageuses. Une fois de plus, je me suis mise à tenir pour acquis le doux son apaisant des vagues.

Il est facile de tenir pour acquis bien des choses: la santé, la présence d'un être cher, les amis, la nourriture, même la sobriété et la recouvrance. Quand la vie se déroule sans heurt, il est facile de tenir l'ordinaire pour acquis.

Regardez l'ordinaire dans votre vie. Comment réagiriez-vous si on vous l'enlevait? Ne soyez pas reconnaissant que des succès. Soyez reconnaissant et célébrez l'ordinaire dans votre monde.

Mon Dieu, aide-moi à ne rien tenir pour acquis.
Apprends-moi à reconnaître, à apprécier et à célébrer
l'ordinaire de ce monde. Aide-moi à voir à quel point
l'ordinaire est réellement beau et significatif.

9 décembre

Découvrir un sens de l'émerveillement et du respect

Après un déjeuner au Paradise Cove, l'un de nos restaurants préférés, mon ami et moi avons pris une longue marche sur la plage. Soudain, il s'est penché et a ramassé une petite boule pourpre couverte d'épines. «Regarde, dit-il, un oursin de mer!» Ce n'était qu'une coquille vide, mais le pourpre brillait, presque la couleur de l'améthyste. Aucun de nous n'avait vu d'oursin sur la plage auparavant. Nous y touchions et débattions de l'apporter à la maison et de le mettre sur une étagère.

«Pourquoi ne pas le laisser ici, dit-il. Des enfants vont le trouver et l'apporter chez eux. Nous avons assez de choses étalées un peu partout.»

Dès qu'il a remis le trésor sur le sable, deux enfants et leur mère sont apparus au détour de la pointe en face de nous. L'enfant la plus âgée, environ 12 ans, était curieuse et enchantée quand nous l'avons appelée et lui avons remis la petite boule pourpre. Son frère et sa mère l'ont vite entourée. Le garçon était impatient de toucher les minuscules épines de l'oursin. Mon ami et moi étions tout sourire en retournant vers la voiture.

Deux des expériences les plus délicieuses de l'existence sont de découvrir de nouvelles choses et de partager celles-ci avec quelqu'un d'autre. Soyez conscient des nouvelles choses passionnantes qui arrivent dans votre vie. Elles n'ont pas à être énormes pour vous enchanter. Profitez-en, apprenez d'elles, jouez avec elles. Et puis, pour une expérience encore meilleure, partagez-les avec un ami.

Mon Dieu, aide-moi à redécouvrir un sens de l'émerveillement et du respect à propos de la vie. Aide-moi ensuite à transmettre ce sentiment à quelqu'un d'autre.

10 décembre   Être étonné de ce qu'on voit

Nous étions en voyage dans le sud-ouest et nous avons fait un détour au Nouveau-Mexique. Le panneau indiquait le lac Albiquiu. Le terrain de camping était situé sur une falaise surplombant un grand lac artificiel. Nous avons décidé que c'était tellement beau que nous allions y camper pour la nuit. Nous avons choisi le bon emplacement pour avoir la meilleure vue sur le lever de soleil. Nous voulions voir la lumière frapper les falaises de roc rouge au lointain.

En marchant au bord de la falaise, nous avons trouvé un petit cactus fourmillant de fleurs rouge vif, à l'ombre d'un arbre déraciné par le vent. Nous nous sommes assis un moment, puis nous avons descendu jusqu'à l'eau et nous sommes installés sur un gros rocher émergeant du lac. Nous avons nagé. L'eau était froide mais rafraîchissante, et le soleil de début d'été était bon sur la peau.

Plus tard, nous avons préparé le dîner sur le petit réchaud à gaz. «On devrait monter la tente, non?» ai-je demandé, impatiente de voir la tente neuve plantée dans la nature.

«Le temps est beau, dit mon ami. Pourquoi ne pas étendre nos sacs de couchage par terre et dormir dehors?»

Quelle bonne idée! Je n'avais encore jamais dormi à la belle étoile. Nous étions couchés dans la nuit tombante et regardions une à une les étoiles se mettre à briller doucement. J'ai fermé les yeux et me suis assoupie.

Quelques minutes plus tard, un oiseau a chanté une berceuse d'un arbre voisin, et j'ai ouvert les yeux sur une couverture d'étoiles là-haut. La Voie lactée traçait un sentier dans le ciel nocturne, et il y avait tellement d'étoiles inconnues que j'avais peine à distinguer les constellations qui m'étaient familières. Je ne voulais pas fermer les yeux; je ne voulais pas manquer une minute de cet incroyable paysage.

Camper dans un parc de l'État ne compte peut-être pas pour certains adeptes invétérés de la nature. Mais nous avons tous différents niveaux de liberté. La liberté, c'est goûter des choses nouvelles, avoir de nouvelles expériences et poursuivre nos rêves, si modestes soient-ils. Retrouvez la magie d'une période de votre vie où tout était nouveau et étonnant. Découvrez ce qui est possible pour vous. Puis étonnez-vous de ce que vous voyez.

Mon Dieu, donne-moi le sens du possible dans ma vie. Aide-moi ensuite à m'étonner de la beauté de la vie.

11 décembre   Toucher et goûter sa vie

Ce soir, le soleil s'est couché comme une boule rouge sur la colline à l'ouest de la maison. Une éclipse aura lieu dans quelques jours, et la mer le sait. La mer sent la lune. Elle se dresse haut sur son arrière-train, prête à bondir, puis roule lentement en avant. Les vagues se lèvent et s'étirent jusqu'à ce que l'ourlet s'écroule et que l'arrière de la vague en pourchasse le devant, culminant en une chute massive. Elle s'écrase contre les pilotis, secouant toute la maison. Le ciel est rose, lavande et noir. La maison sent bon les pâtes et la sauce à la viande qui mijote sur la cuisinière. Une bûche de cèdre dans l'âtre réchauffe l'atmosphère.

C'est l'expérience que je vis maintenant. C'est un moment enchanté où le monde est au repos, mais toujours vivant.

L'expérience est le privilège d'être humain. Je peux goûter les spaghettis. Je peux humer le sel de la mer. Je peux sentir la bûche de cèdre qui réchauffe l'air. Je peux aimer. Je peux avoir mal. Quelle délicieuse expérience. Et je remercie Dieu de chaque moment et de chaque sensation que me procure chaque expérience qui m'est donnée.

Goûtez-vous votre vie? Ou la traversez-vous sans prendre conscience de la beauté qui vous entoure chaque jour? Nous ne sommes pas faits pour dormir tout le temps. Parfois, au début de notre sobriété ou de notre rétablissement de la codépendance, nous nous demandons ce que nous allons bien faire de tout ce temps et de tous ces sentiments qui nous restent, maintenant que l'alcool et le drame sont éliminés.

Savourez pleinement l'expérience que vous vivez. Ressentez, touchez et goûtez chaque moment dans votre vie. Et soyez conscient de leur beauté exquise.

Quelle est votre expérience en ce moment?

Mon Dieu, aide-moi à prendre conscience de la beauté et de la puissance qui imprègnent cet univers. Aide-moi à me rappeler à quel point je suis lié à cette beauté et à cette puissance par chaque expérience qui m'est donnée.

12 décembre — Créer une vie extraordinaire

J'ai croisé mon ami un jour, dans la rue. Je lui ai demandé comment il allait. Il m'a dit pas très bien. Mais s'il gagnait à la loterie – et il m'a montré quelques billets – il serait heureux. Je lui ai demandé si les affaires étaient au ralenti. Il m'a dit que oui, les revenus étaient à la baisse et les factures, à la hausse. Il avait besoin d'un grand coup pour équilibrer le grand livre.

Nous avons parlé un moment. Je lui ai demandé quel était son salaire horaire. Il m'a dit 100 $, mais il recevait surtout des honoraires pour des séances d'une demi-heure. Il était thérapeute, et les affaires n'étaient pas florissantes à ce moment-là.

«Ça alors, ai-je dit, comptant les heures dans une semaine, si tu travailles quatre demi-heures par jour, ça fait 1 000 $ par semaine et 4 000 $ par mois. C'est un assez bon revenu pour moi, du moins.»

«Je n'y ai jamais pensé de cette façon», dit-il.

«Au lieu d'essayer de gagner à la loterie ou d'avoir ce coup de veine, pourquoi n'essaies-tu pas de travailler quatre demi-heures par jour dans la joie? Alors tu n'auras pas besoin de gagner à la loterie pour faire sauter la banque. Tu seras à l'aise dès maintenant.»

C'est facile de vouloir gagner le gros lot ou de croire qu'une manne tombée du ciel est la seule solution à nos problèmes. Et la loterie que nous voulons gagner ne consiste peut-être pas seulement en argent. Nous pouvons facilement appliquer cette façon de penser à nos relations ou à notre travail. Achetez la chance de gagner à la loterie, si c'est ce que vous vou-

lez. Mais vous pourriez peut-être voir les choses différemment. Et si vous cessiez de viser le gros lot et que
vous essayiez de bien faire un tas de petites choses?
Vous pouvez travailler à être le meilleur ami que vous
puissiez être. Ou peut-être vous rapprocher de cette
personne que vous fréquentez. Au lieu d'attendre
l'arrivée de l'âme sœur parfaite, soyez simplement le
meilleur copain ou la meilleure copine dans la relation
que vous vivez déjà. Au lieu d'attendre de gagner à la
loterie, tirez le maximum de tous les moments ordinaires de votre vie aujourd'hui.

Vous êtes plus riche que vous ne le croyez.

*Mon Dieu, aide-moi à me rappeler que de nombreux
moments ordinaires, bien vécus, s'additionnent en une
vie extraordinaire.*

13 décembre   Lâchez prise sur les
courants émotifs affligeants

Éloignez-vous des courants affligeants.

Je marchais dans un parc national un jour et je
suis arrivée à un ruisseau. Je ne l'ai pas regardé de
près; j'ai décidé de le traverser en marchant dans l'eau
pour me rendre de l'autre côté. En y regardant de plus
près, j'ai eu le souffle coupé et j'ai reculé. Le ruisseau
était brouillé et répugnant. Je ne voulais pas y patauger.

La plupart des maîtres de notre époque et des
temps anciens – du Dalaï Lama à Emmet Fox –
s'entendent sur une chose: éloignez-vous des courants
émotionnels troubles et affligeants. Évitez-les à tout
prix.

Il y a une foule de courants affligeants au dehors:
la cupidité, l'envie, la négativité, le regret, la ven-

geance, le ressentiment, l'arrogance, la victimisation, la dureté de cœur, l'amertume, le contrôle, la haine et la peur paralysante n'en sont que quelques-uns. Quand nous mettons le pied dans un courant émotionnel affligeant, cette émotion teinte tout ce que nous faisons.

Un courant affligeant est plus qu'une émotion isolée. C'est une position, une posture, une attitude, un scénario qui empoisonne nous-même et notre vie. Regardez autour de vous. Soyez conscient. Ne soyez pas négligent et ne tombez pas dans un courant affligeant. Si vous y avez glissé par inadvertance, sortez-en rapidement.

Se sentir agité, irritable et insatisfait est assurément un courant affligeant. Si vous vous y trouvez, sautez immédiatement dans la gratitude pour en sortir.

Mon Dieu, aide-moi à lâcher prise sur mes émotions avant que ce sentiment ne devienne un mode de vie. Guide ma pensée et ma perspective sur la vie. Garde-moi hors des courants affligeants.

14 décembre — Vous n'êtes plus un survivant

Il y a longtemps, j'ai demandé à un collègue thérapeute quelle était la chose qui caractérisait l'état malheureux que nombre d'entre nous appellent désormais la *codépendance*.

«C'est le triangle dramatique de Karpman, dit-il. Les gens secourent quelqu'un en faisant quelque chose qu'ils ne veulent pas faire, ou qu'il ne leur appartient pas de faire. Puis ils se mettent en colère et persécutent la personne. Ensuite ils s'en vont, se sentant victimes. Une fois de plus.»

Une lumière s'est allumée à ce moment-là. Comme une gerbille sur une roue, je me voyais tourner en rond dans ce triangle. Je secourais régulièrement quelqu'un, puis je me mettais en colère pour finir par me sentir victimisée par toute l'histoire.

Je créais la souffrance et le drame dans ma vie.

Au fil des ans, j'ai cessé de secourir les alcooliques. Nombre d'entre nous sont descendus de cette roue pénible. Nous savons que nous ne pouvons pas contrôler la chimiodépendance, la dépression, les problèmes ou la vie de quelqu'un d'autre. Mais il se peut que nous ayons quitté cette roue pour nous retrouver dans une spirale dramatique encore plus subtile.

Récemment, un de mes amis a fait le grand ménage de toute sa maison – les placards, le garage, les tiroirs. Il a dû faire appel à des camionneurs pour tout emporter.

«Je ne peux pas croire tout ce que j'ai accumulé et conservé, dit-il. C'était surtout de la camelote dont je ne voulais même pas au départ. J'imagine que ça vient d'avoir été pauvre et privé pendant si longtemps. Je me suis persuadé que, si c'était gratuit ou pas cher, il valait mieux m'en emparer et l'apporter chez moi.»

Nous sommes nombreux à avoir été des survivants à un moment donné. Soit que nous n'avions véritablement pas le choix, soit que nous nous persuadions de ne pas l'avoir. Alors, nous nous sommes accrochés à qui et à quoi que ce soit qui se trouvait sur notre chemin.

Vous avez peut-être survécu à ce que vous avez traversé, mais vous n'êtes plus un survivant. Plus besoin de vous accrocher à n'importe quoi. Vous vivez maintenant. Vous vivez pleinement et librement. Choisissez ce que vous voulez.

Mon Dieu, aide-moi à me donner la permission d'emprunter le chemin du cœur.

15 décembre   Tombez en amour
                                  avec la vie

J'étais assise sur une chaise au salon de coiffure où je me faisais couper les cheveux en écoutant ma coiffeuse bavarder. Elle m'a montré une photo d'une de ses amies, une femme qui s'était mariée et avait eu une petite fille récemment.

«Elle est tellement en amour depuis que ce bébé est né», dit-elle, en me montrant l'image du visage souriant de la nouvelle maman.

«En amour avec son mari?» ai-je demandé.

«Non, dit-elle. Bien, avec lui aussi. Je veux dire en amour avec la vie.»

Avez-vous déjà été en amour, senti votre cœur battre rapidement lorsque vous attendiez l'appel de votre amant, senti comme le soleil était plus chaud sur votre visage, comme le ciel semblait plus bleu, les nuages plus moelleux et le coucher de soleil plus grandiose?

Et si vous pouviez tomber en amour avec votre vie et vous sentir ainsi chaque jour? Je ne dis pas que les relations amoureuses ne sont pas bonnes. C'est faux. Elles font partie de la condition humaine et comblent nos besoins. Mais si nous pouvions prendre toute cette passion et la concentrer pour tomber en amour avec la vie?

Peut-être que c'est ce que signifie l'amour universel. Peut-être que c'est la partie que nous redonnons.

Tombez en amour avec votre vie aujourd'hui.

Mon Dieu, aide-moi à me sentir passionné pour ma vie et toutes les possibilités qui m'attendent.

16 décembre   Maintenant est un moment puissant

«Le parachutisme en entier est fantastique, me dit un ami. Mais un de mes moments préférés est celui où l'on ouvre la porte, et que je peux voir tout le ciel s'étendre devant moi.»

Je me rappelle ce que j'ai éprouvé le jour où l'on m'a donné le choix entre me rétablir de la chimiodépendance et aller en prison, le jour où j'ai obtenu mon premier emploi de rédactrice, le jour où ma fille a donné naissance à son premier enfant. C'est cette fraction de seconde où le maintenant s'immobilise et s'étire dans l'infini. Pour un seul instant, tout ce qui a été et tout ce qui pourrait être culminent en un arc unique dans le temps et la puissance de l'univers nous traverse.

Ayez un peu de cette impression chaque jour simplement pour vous rappeler la puissance et le potentiel de l'instant présent.

Évidemment, nous pouvons entrevoir notre avenir de façon optimiste lorsqu'un gros projet fonctionne, ou que nous avons quinze années de sobriété, ou après avoir atteint notre retraite. Mais qu'en est-il du moment où le prêtre vous déclare mari et femme ou du moment où vous annoncez à vos parents que vous êtes gai ou du jour où vous quittez quelqu'un ou que quelqu'un vous quitte?

Le pouvoir n'est pas quelque part dans un horizon lointain. Ressentez la poussée du moment. C'est vraiment votre vie. Vous avez tout le pouvoir dont vous avez besoin, dès maintenant.

Mon Dieu, aide-moi à accéder à la poussée du pou-voir qui m'est accessible ici et maintenant.

17 décembre — Jetez un autre regard sur votre monde

Ô la gloire de l'ordinaire !

Je me réveille, je me tourne et je regarde, par la porte coulissante en verre, le soleil se lever au-dessus des rangées de collines au loin.

Aujourd'hui, ce sera un jour de courses. Il n'y a plus de lait, donc nous irons à l'épicerie et reviendrons probablement avec trop de chocolat et pas de lait. Il faut aller porter les photos du dernier voyage pour les faire développer. Nous avons une leçon de pilotage à 14 h. Puis, ce sera le dîner au Lodge avec notre ami Andy, probablement quelque chose de simple, comme des hamburgers sur le gril.

Une journée ordinaire.

Je me souviens d'un temps où l'ordinaire signi-fiait chercher à planer de nouveau, chercher de l'argent pour obtenir de la drogue. Je suis reconnais-sante de la vie ordinaire que je mène.

«Quand nous avons mal aux dents, nous savons que le bonheur, c'est de ne pas avoir mal aux dents. Mais plus tard, quand nous n'avons plus mal, nous ne chérissons pas l'absence de notre mal de dent.» Thich Nhat Hanh nous le rappelle en douceur dans son livre *Le cœur des enseignements du Bouddha.*

Jetez un autre regard sur votre monde ordinaire. Voyez comme il est glorieux.

Mon Dieu, aide-moi à chérir chaque moment de ma vie.

18 décembre — Savourez chaque moment

Profitez de chaque moment comme il se présente.

Il est si facile de se réjouir de cet instant final, quand le projet est terminé et que le travail est remis. Il est facile de nous leurrer en pensant que les moments culminants de la vie sont les seuls qui comptent.

Dans *Le Tao de Pooh* de Benjamin Hoff, Winnie parle de sa hâte de manger son miel. Le moment où le miel touche vos lèvres est bon, dit Winnie. Mais il y a le moment juste avant, ce moment d'anticipation, qui est tout aussi bon, sinon meilleur.

Allez vers vos rêves. Cherchez aussi ces moments culminants d'accomplissement et de plaisir. Le jour où vous recevez votre jeton de dix années de sobriété est un bon jour. Atteindre le succès dans votre carrière – ce prix spécial – est en effet un moment merveilleux. Et les moments culminants de l'amour sont indiciblement délicieux à vivre et à se remémorer.

Même si de nombreuses personnes disent être tout le temps dans cette zone culminante de plaisir, nous savons presque tous que les moments culminants ne constituent qu'une infime fraction de notre vie. Si nous ne profitons que de ces moments culminants, ou des moments qui les précèdent, nous oublierons de remarquer l'importance d'une grande partie de notre vie.

Cherchez les moments culminants. Mais ouvrez votre cœur et laissez-y entrer la pure beauté brute dans tous les moments. Quand vous cessez de chercher et d'attendre ces expériences optimales, vous pouvez constater à quel point chaque moment est vraiment délicieux.

Savourez chaque moment de votre vie.

Mon Dieu, aide-moi à lâcher prise sur tout ce qui peut saboter ma joie. Aide-moi à éliminer la conviction que je ne peux trouver le bonheur, le plaisir et la joie que lorsque j'en suis à un point culminant.

19 décembre — S'amuser comme un fou

Faites compter chaque instant.

La première fois que j'ai entendu ces mots, j'étais au cinéma avec Shane. Il avait alors 11 ans. Il n'y avait que quelques personnes dans la salle; nous avions filé en douce pour voir un film ensemble. C'était une de nos sorties mère-fils préférées, surtout le dimanche soir.

Jusqu'à environ un an auparavant, j'avais été très axée sur mes objectifs. J'avais toujours le regard tourné vers l'avenir, vers l'échelon suivant de ma vie. Il y avait d'abord sortir de la pauvreté, puis lutter pour me hisser au-delà de la condition monoparentale appauvrie. Je me suis ensuite mise à travailler pour atteindre le niveau de succès suivant dans ma carrière. J'essayais toujours d'améliorer mon monde et la vie de mes enfants.

Assise dans mon fauteuil face à l'écran, j'ai eu un aperçu de ma propre mortalité – du moins, je croyais que c'était la mienne. *Je ne serai pas ici pour toujours,* ai-je pensé. *Un jour, cette époque de ma vie sera passée. Ce ne sera qu'un souvenir.*

Shane a mis ses pieds sur le dossier du siège en face de lui. J'ai commencé à l'asticoter à ce sujet, puis j'ai changé d'idée. Personne n'y était assis. Ce n'était pas si important; je n'avais pas besoin de faire d'histoires pour quelque chose d'aussi banal.

Faites compter chaque instant étaient les mots que j'entendais dans mon cœur.

Il est si facile de se laisser prendre par les occupations de la vie. Il est facile de nous concentrer sur la destination et de nous dire que nous allons être heureux quand nous y parviendrons, et d'oublier d'être heureux et de chérir la beauté de chaque moment du voyage. Si souvent, nous ne savons même pas que nous vivons la meilleure, la plus belle partie de notre vie en ce moment.

Je me suis beaucoup inquiétée en tant que parent célibataire, essayant d'écrire des articles pour la *Gazette* à 25 $ l'article. Comment vais-je joindre les deux bouts? Est-ce que j'écris assez bien? Zut, je n'ai pas le temps pour des rendez-vous. Suis-je une assez bonne mère? Mon Dieu, il y a beaucoup à faire pour élever ces enfants. En rétrospective, c'était une des meilleures périodes de ma vie.

Peu importe les émotions que vous ressentez, peu importe la nature de vos problèmes, ce moment est le meilleur de votre vie.

Cessez d'attendre de gagner à la loterie. Ou plutôt, ne cessez pas d'attendre. Achetez votre billet, puis rangez-le et oubliez-le. Soyez heureux maintenant. N'attendez pas à plus tard lorsque vous vous souviendrez de cette période de votre vie.

Dites *comme c'est bon* dès maintenant. Faites compter chaque instant.

Mon Dieu, apprends-moi à être heureux maintenant.

20 décembre   C'est bon dès maintenant

C'était une amitié étrange dès le début. J'étais dans un magasin où j'essayais d'acheter de nouvelles pierres – un cristal, peut-être un lapis-lazuli – quelque chose de beau pour changer l'énergie de la maison. «Kyle peut vous aider, dit le commis. Il connaît toutes nos pierres.»

Kyle m'a parlé pendant un certain temps des pierres que je pourrais aimer. Puis j'ai quitté le magasin. Quelques jours plus tard, j'y suis retournée, et nous avons parlé encore un peu.

Après la première année, nous étions devenus d'assez bons amis. À cette époque, aucun de nous ne vivait de relation amoureuse dans sa vie. Nous sortions ensemble, allions au restaurant, au cinéma et parlions au téléphone.

Une année a passé, puis deux, puis trois et puis cinq. Nous avons ouvert une librairie ensemble, et l'avons fermée ensemble.

Aujourd'hui Kyle a une relation amoureuse, tout comme moi. Nous sommes toujours de grands amis, mais la roue de la vie a encore tourné. Nous parlions justement au téléphone l'autre jour.

«Malgré toutes nos jérémiades et nos récriminations et nos façons de nous conduire, nous avons certainement eu du bon temps», ai-je dit. «Oui, a-t-il admis. C'est une des meilleures périodes de ma vie.»

Les moments ordinaires que nous vivons tous semblent si riches et remplis, en rétrospective. Pourquoi ne prenons-nous pas toute cette sagesse et tous ces souvenirs poignants pour nous rendre compte que nous vivons maintenant la meilleure période de notre vie?

Mon Dieu, ceci est le jour que Tu as créé. Je vais m'en réjouir et y être heureux.

21 décembre   Se débarrasser des attentes

Donc, vous rencontrez quelqu'un, vous avez le béguin, vous le fréquentez et vous laissez votre esprit créer une image exagérée de lui. Vous découvrez bientôt qu'il est *votre âme sœur*. Vous ne voulez pas vivre sans lui, il est tout pour vous. Puis il trébuche, quelque part autour de trois mois, peut-être six mois. Il n'arrive pas à satisfaire vos attentes.

Il perd le statut d'âme sœur.

«Tu n'es tout simplement pas la personne que je croyais», dites-vous en prenant la porte.

Bien sûr qu'elle ne l'est pas. C'est une personne, pas le fruit de votre imagination. Déridez-vous. Laissez chaque personne être elle-même.

Lorsque nous sommes avec quelqu'un, que ce soit un ami ou un amoureux, une bonne partie du succès ou de l'échec de la relation peut être attribuée à nos attentes. Nous nous mettons en colère quand nous nous attendons à ce que quelqu'un se comporte de telle manière et qu'il ne le fait pas. Nous nous sentons trompés et désappointés. Voilà que nous avons tout misé sur un certain numéro, et quand il ne sort pas, nous nous fâchons.

Débarrassez-vous de ces attentes. Si vous aimez la compagnie de quelqu'un, alors profitez-en loyalement et sans attentes. Les gens sont les gens. Ils vont trébucher et se relever – ou pas. Vous ne pouvez pas les contrôler. Tout ce que vous pouvez faire est apprendre d'eux, les aimer et profiter de leur compagnie quand ils sont là.

Laissez tomber les attentes. Laissez les gens être simplement eux-mêmes. Appréciez-les pour qui ils sont. Laissez l'amour que vous avez pour eux prendre racine dans cette appréciation plutôt que dans ce que vous attendez, dans ce que Natalie Goldberg appelle votre «esprit de singe».

Mon Dieu, aide-moi à me rappeler que, lorsque je me débarrasse de mes attentes, je pourrais alors trouver l'amour véritable.

22 décembre   Dites *quel délice*

On parle tellement de trouver cet amour extraordinaire dans notre vie. Peut-être que tout ce que nous devons savoir de l'amour romantique, nous pouvons l'apprendre de nos amis.

Nous ne nous attendons pas à ce que nos amis changent notre vie et redressent tout ce qui va mal. Nous nous attendons simplement à ce qu'ils soient ce qu'ils sont, et puis nous les laissons être. Cela fait partie d'être un ami.

Nous ne nous attendons pas à tout aimer de nos amis. Nous savons qu'ils ont des défauts de caractère. Ils font occasionnellement des choses qui nous irritent.

Nous ne nous attendons pas à ce que nos amis nous distraient et nous amusent, à ce qu'ils nous fassent rire et sourire tout le temps. Nous les laissons traverser leurs hauts et leurs bas. Parfois, nous nous assoyons en silence avec nos amis, chacun gardant ses pensées pour soi.

Nous ne nous disputons pas et nous ne créons pas de drames avec nos amis seulement pour alimenter la passion. D'habitude, nous faisons tout en notre pouvoir pour éviter les disputes avec nos amis. Nous voulons que notre amitié soit un endroit tranquille, sûr et paisible, une oasis dans notre vie.

Nous ne nous attendons pas à ce que nos amis mettent notre vie sens dessus dessous, nous distrayant de notre chemin. Habituellement, si un ami tente de ravager notre vie, nous nous éloignons de lui.

Nous ne laisserions pas un ami nous frapper. Et les amis ne disent pas de méchancetés. Si un problème survient, nous soupesons habituellement avec précaution la meilleure façon d'en parler avec lui ou elle.

Nous ne nous attendons pas à ce que nos amis soient toujours en parfaite santé. Nous savons qu'ils auront des problèmes à surmonter sur leur propre chemin. Nous les encourageons. Nous prions pour eux. Mais nous ne prenons pas sur nous leurs problèmes, et nous ne sommes pas offusqués quand ils ont besoin de temps pour se concentrer sur leur propre croissance personnelle.

En amitié, une personne ne détient pas tout le pouvoir. Alors, malgré les différences dans nos vies, nous essayons d'avoir un rapport d'égal à égal.

Nous sommes tolérants des cycles de nos amitiés, sachant qu'à différentes périodes chaque personne a des besoins différents, des expériences différentes à vivre. Parfois, nous avons plus de temps et d'énergie à consacrer à nos amitiés, et d'autres fois, nous en avons moins.

Nous ne nous attendons pas à ce que nos amis soient à nos côtés 24 heures par jour. Nous passons du temps ensemble et l'apprécions, mais ensuite, nous allons chacun de notre côté. Nous ne tentons pas de forcer l'attachement avec nos amis, ou même de forcer la relation à devenir une amitié trop vite. Nous nous laissons aller à vivre nos expériences ensemble naturellement, sachant que c'est ainsi que l'attachement a lieu.

Je ne suis pas une experte de l'amour conjugal, mais nous aurions une meilleure chance de trouver l'amour si nous traitions notre amoureux comme un ami.

Mon Dieu, aide-moi à trouver le juste milieu entre les attentes irréalistes et pas d'attentes du tout. Aide-moi à chérir mes relations et à ne pas confondre le grand drame avec l'amour romantique.

Activité. Regardez honnêtement les attentes que vous avez quant aux relations amoureuses. Vous attendez-vous à ce qu'un amoureux ou un conjoint change votre vie, ou cherchez-vous un ami avec qui partager les éléments additionnels de l'amour romantique et sexuel?

23 décembre   Moments doux et précieux

Ce temps-là avait semblé tellement ordinaire. Il séjournait à la maison, pour m'aider. Je devais m'occuper de funérailles et y assister. Ma mère s'en venait en ville. J'avais fort à faire.

Puis les jours et les soirs trépidants sont revenus au rythme tranquille des hivers californiens – des jours courts, des feux dans l'âtre le soir, une marmite de sauce à spaghetti sur la cuisinière. Janvier à la plage était le temps de rester à l'intérieur, paisiblement et confortablement.

Parfois, il confectionnait un merveilleux dîner – des steak sandwiches avec du véritable fromage à la crème fondu. D'autres fois, nous commandions une pizza. Parfois je lisais, ou je parlais au téléphone, ou je bricolais dans la maison.

Le soir, juste avant le sommeil, pour mettre un doux terme à une autre journée, il faisait jouer un disque de Sarah McLaughlin. Dans la chanson, elle disait être dans les bras des anges tout en m'accompagnant dans mon sommeil en chantant doucement.

Puis, le temps est venu. Il était prêt à partir. Notre temps ensemble était écoulé. C'est ainsi, me disais-je. Ce qui arrive n'est pas permanent, cela passe toujours.

Quand il a passé la porte, j'ai fait au revoir de la main. Puis, une vague d'émotions m'a assaillie, inondant mon cœur. Ce temps-là avait semblé tellement ordinaire. Et il l'était. Mais jusqu'à la fin, jusqu'à ce qu'il passe la porte, je ne savais pas à quel point l'ordinaire était riche et beau.

«Hmm», me disais-je, le regardant partir. Peut-être que le temps n'est pas encore écoulé.

Comme les moments de notre vie sont doux et précieux, surtout ceux qui sont ordinaires. Ne les laissez pas passer inaperçus ou non vécus. Ces moments ordinaires peuvent très bien devenir la partie la plus riche de notre vie.

Mon Dieu, aide-moi à me rappeler que la façon de vivre une vie remplie de merveilles est de m'abandonner à chaque moment et de le vivre pleinement, m'attendant à ce que chacun soit simplement ce qu'il est, et le laissant être ainsi.

24 décembre   Laisser votre famille être

Timothy a assisté à l'un de ces séminaires où l'on parle de croissance personnelle et où l'on incite les gens à ouvrir leur cœur. Après le séminaire, il était tellement ému de ce qu'il avait entendu qu'il a téléphoné à son père, à qui il ne parlait plus depuis des années. Ils avaient eu une querelle quand Timothy avait quitté la maison. Aucun des deux ne voulait faire les premiers pas ou pardonner à l'autre pour les paroles dures échangées. Timothy a donc fait les premiers pas. Son père et lui sont près l'un de l'autre depuis.

Jessica a eu, elle aussi, son lot de problèmes avec sa mère. Avec le temps, il y a eu des périodes où elles étaient complices, d'autres où elles ne se parlaient pas, et d'autres où Jessica ne faisait que le minimum dans la relation, surtout par obligation et culpabilité. En vieillissant, Jessica a commencé à se sentir mal à propos de sa relation problématique avec sa mère. Elle avait fait son travail sur sa famille d'origine. Elle savait que sa mère était préoccupée, mais sa mère n'était après tout qu'une personne. Pourquoi ne pas pardonner et oublier? Jessica a planifié un grand voyage pour elles deux, des vacances mère-fille qui feraient fondre les irritants et les conflits de toutes ces années. Jessica avait tellement d'espoir le jour où elle a rencontré sa mère à l'aéroport. Mais lorsqu'elles se sont retrouvées dans la même chambre pour leurs deux semaines de joie, Jessica s'est rendu compte qu'elle se sentait de la même façon qu'elle s'était toujours sentie en présence de sa mère : irritable, honteuse et inadéquate.

Clarence aimait son père quand il était petit garçon. Mais plus il vieillissait, plus il voulait quitter la maison. Son père avait des problèmes, Clarence aussi. Après son départ de la maison, Clarence ne passait que quelques minutes par année à parler à son père. Un jour, quand Clarence a eu 30 ans, il a décidé qu'il était temps pour son père et lui d'être amis. Il a prévu un voyage chez son père. Il avait hâte à l'entretien à cœur ouvert qu'ils auraient. Clarence parlerait des difficultés de devenir un homme et de grandir, et son père s'identifierait certainement à lui. Mais lorsqu'ils se sont retrouvés seuls à la maison, après que Clarence eut déversé son cœur, tout ce que son père a trouvé à dire est: «Peux-tu venir dehors et m'aider à changer un pneu sur la voiture?»

Les familles et les parents se présentent sous différentes formes. Faites votre travail sur votre famille d'origine. Soyez reconnaissant du bien qui vous est transmis par vos ancêtres et votre héritage. Allez vers les autres, si c'est ce que votre cœur vous indique. Soyez le meilleur fils ou la meilleure fille possible, quelle qu'en soit votre définition. Mais ne vous torturez pas si votre relation avec vos parents n'est pas celle dont vous avez rêvé. Laissez chaque membre de votre famille être qui il ou elle est. Aimez-les autant que vous le pouvez. Mais si vous ne vous êtes jamais entendus très bien auparavant, il se peut que vous ne vous entendiez pas mieux maintenant, même après avoir ouvert votre cœur.

Riez. Souriez. Vous n'avez pas à réagir. Vous savez comment prendre soin de vous-même.

Mon Dieu, guéris mon cœur en ce qui concerne tous les membres de ma famille. Aide-moi à accepter chaque personne pour qui elle est. Puis, aide-moi à m'accepter véritablement aussi.

25 décembre   Indiquer le bien

Identifiez trois choses que vous aimez.

Je parlais à ma fille au téléphone un jour, après lui avoir rendu visite chez elle. J'ai pris un moment durant notre conversation et j'ai énuméré les trois choses que j'avais le plus appréciées et aimées de notre rencontre ce jour-là.

Elle a retenu son souffle. Elle savait que j'étais honnête. «Vraiment?» a-t-elle demandé.

476

«C'est ce que je pense, ai-je dit. Mot pour mot.»

Voulez-vous raviver la relation avec votre ami, votre enfant, votre amoureux, votre employé, votre collègue ou votre patron? Au lieu de critiquer tout ce que vous n'aimez pas, dites ce que vous préférez. La plupart des gens ont leur lot d'insécurité à propos d'eux-mêmes, de leurs relations et de leur rendement. Au lieu de croire que vous êtes le seul à ressentir de l'insécurité, dites aux gens quelque chose qui les aidera à se sentir bien et à apprécier leur relation avec vous.

Trois est un bon chiffre, n'est-ce pas?

Regardez dans votre cœur et trouvez trois choses que vous aimez vraiment chez quelqu'un. Puis, dites-lui clairement ce que sont ces trois choses.

Mon Dieu, aide-moi à commencer à voir le bien chez les gens que j'aime.

26 décembre   La magie est en soi

Parfois, nous nous jouons un petit tour.

Nous nous approchons de quelqu'un de tellement près que nous nous disons, *je n'ai pas besoin de lâcher prise.* Ou nous pouvons devenir tellement habiles à manifester les événements dans notre vie, que nous pensons, *je n'ai pas besoin de lâcher prise.* Quand je veux quelque chose, cette chose apparaît simplement.

Chaque fois que nous oublions de lâcher prise, la vie se charge de nous le rappeler. Il n'y a rien à quoi nous puissions nous accrocher en ce monde. Au bout du compte, tout ce qui nous est cher exigera que nous lâchions prise, d'une façon ou d'une autre. Cet enfant grandira et quittera la maison. Cette relation amoureuse qui va si merveilleusement bien? Un nouveau cycle viendra, en son temps. Cette amitié changera. Cet emploi que vous pensiez garder pour toujours? Eh bien, l'entreprise a fusionné. Votre poste a changé.

Même si les relations à long terme et l'emploi stable et vivre dans cette maison vous procurent du bien-être, rappelez-vous, ce n'est pas là que réside votre sécurité.

Laissez-vous vous lier. Rapprochez-vous de cette femme, ou de cet homme. Laissez-vous profiter de l'amitié avec le meilleur ami que vous avez jamais eu. Soyez un parent aimant, à cent pour cent. Donnez-vous à cet emploi corps et âme.

Mais votre sécurité et votre joie ne sont pas dans l'autre personne ou dans l'emploi. La magie est en vous.

Ne soyez pas en colère quand vient le temps de lâcher prise. Ouvrez votre cœur à cette personne, cet endroit ou cette chose, et dites: «Merci de m'avoir appris à aimer et de m'avoir aidé à grandir.»

Puis lâchez prise sur elle ou lui, sans ressentiment dans le cœur. Parce que, même si ce temps est révolu, l'amour ne peut pas être perdu. Même si cela signifie la fin de la meilleure période de votre vie jusqu'ici, regardez où vous êtes maintenant. N'oubliez pas d'en profiter aussi.

Ce sera la prochaine meilleure période de votre vie.

Rappelez-vous, l'amour est un don de Dieu.

Mon Dieu, aide-moi à garder la tête haute, le cœur ouvert, et à savoir que je serai toujours guidé sur mon chemin.

Je connais des gens qui ont vécu des malheurs extrêmes. Une femme a perdu son mari et ses deux enfants dans un incendie. Une autre a trouvé son enfant adolescent pendu – un suicide – sur sa véranda un dimanche de printemps. J'ai connu des gens aux prises avec la dépression chronique. Et d'autres qui ont perdu leur fortune d'un seul coup. J'ai connu des gens qui étaient actifs et en santé un jour, et qu'un accident a paralysés pour la vie le lendemain.

J'ai eu mes années de deuil aussi, après la mort de mon fils. Année après année, la douleur frappait constamment, menaçant de ne jamais s'atténuer.

Écoutez attentivement. Je prie pour que vous n'ayez jamais de tels moments. Mais même si vous traversez quelque chose de semblable, faites compter chaque moment. Et portez une attention particulière aux moments où la douleur et la souffrance diminuent, ne serait-ce que pour quelques secondes ou quelques heures. Considérez ces moments comme un cadeau, une lueur d'espoir. Gardez-les dans votre cœur.

Écrivez dans votre journal à quel point cela fait mal. Ressentez toute votre souffrance. Mais prenez le temps de noter ces brefs moments chaque semaine, ne serait-ce que lorsqu'une lueur de plaisir s'immisce.

Rappelez-vous, deux et deux font quatre. Quatre et quatre font huit.

Ces moments s'additionneront.

Vous ne traversez peut-être pas une période que vous chérissez, mais tâchez de trouver quelques moments où vous pouvez reprendre votre souffle, regarder autour et dire *quel délice, comme c'est bon.*

Mon Dieu, aide-moi à trouver au moins une chose
dans ma vie qui me fait sentir bien et qui me donne du
plaisir, même si ce n'est que pour un instant dans ma
journée.

28 décembre   Risquez d'être en vie

«Je sais que rien ne dure pour toujours, dit Charlie. Mais la clé de la vie et du bonheur est d'agir comme si.»

Pour nombre d'entre nous, nos illusions de sécurité et de permanence ont été ébranlées. Plus nous vivons longtemps, plus nous en avons la preuve: rien n'est pour toujours. Nous pouvons planifier bien des choses, mais la seule chose que nous pouvons planifier avec certitude est le changement.

À certains moments, nous avons pu nous convaincre du contraire. Nous nous sommes abandonnés à tel emploi, à tel projet ou à telle relation avec tout notre cœur, pour le voir s'écraser et se terminer.

Nous avons peut-être décidé, après un nombre suffisant de cycles de commencements, de milieux et de fins que la façon de composer avec cette réalité était de ne jamais donner pleinement notre cœur à qui que ce soit ou à quelque circonstance, de ne jamais nous laisser être complètement présents et profiter du moment.

Si je ne me donne pas complètement, je ne souffrirai pas à la fin, nous disons-nous. Peut-être. Mais vous ne connaîtrez pas non plus le plaisir et la joie, le goût riche, délicieux et plein de ces moments.

D'accord, vous êtes plus sage maintenant. Vous savez que rien ne dure pour toujours. Vous savez que, dès qu'une chose commence, la fin est déjà en vue.

Les gens naissent. Ils meurent. Un emploi ou un projet commence. Puis il cesse. Mais il y a tout un milieu savoureux qui attend, vous invitant à y sauter à pieds joints et à voir comme la vie peut être délicieuse. D'ailleurs, quand viendra la fin, vous aurez aussi reçu suffisamment de sagesse, de courage et de grâce pour y faire face.

Qu'attendez-vous?

Allez-y. Ne vous retenez plus. Sautez.

Vivez votre vie.

Mon Dieu, donne-moi assez de foi et un puits de lâcher prise afin que je puisse vivre pleinement chaque instant.

29 décembre — Laissez l'aventure vous consumer

L'esprit d'aventure descend sur nous lentement parfois. Au début, quand soufflent ces vents de changement, nous tournons le dos, luttons et résistons. Nous voulons seulement que les choses restent telles quelles. Graduellement, nous lâchons prise sur le besoin de contrôle. Nous permettons aux choses de changer et à nous, de changer avec elles.

Nous acceptons le changement.

Puis nous tournons un coin et y trouvons une merveilleuse leçon, puis une autre, et une autre. Bientôt, nous constatons que nous avons hâte de franchir l'étape suivante, anxieux de voir ce qui nous attend aujourd'hui. Où mènera mon chemin? Qui vais-je rencontrer? Que vais-je apprendre? Quelle merveilleuse leçon a cours maintenant?

Et l'aventure commence à nous consumer.

Les pas que vous avez faits vous ont lentement conduit sur un chemin dont chaque détour vous fait connaître plus de merveilles et de bonté. Vous avez appris à tolérer le changement. Apprenez maintenant à l'accueillir.

L'aventure n'est pas une chose que vous faites. L'aventure est votre vie. Reconnaissez *comme c'est bon*. Laissez souffler ces vents du changement.

Mon Dieu, aide-moi à cultiver un esprit d'aventure dans ma vie.

30 décembre   Ralentissez et lâchez prise

Lors d'un voyage en voiture le long de la côte californienne, il y a quelque temps, j'ai essayé de téléphoner à la maison, mais je me suis rendu compte que les piles de mon téléphone cellulaire étaient à plat. Je me faisais du souci. Et si quelqu'un avait besoin de communiquer avec moi? Et s'il y avait un problème à la maison? Et si ma famille n'arrivait pas à me trouver et s'inquiétait?

J'ai emprunté la sortie vers la plage que j'avais toujours voulu voir.

J'ai obsédé un peu plus.

Je me suis arrêtée pour manger dans un restaurant surplombant le Pacifique. J'ai demandé s'il y avait un téléphone public. Il n'y en avait pas. J'ai à peine remarqué la vue incroyable, l'odeur ou le bruit des vagues, et je ne me souviens pas d'avoir mangé mes œufs et mes rôties.

J'ai remis mes visites touristiques à un autre voyage. J'ai pris l'autoroute et suis revenue tôt à la maison.

Quand je suis arrivée chez moi, il n'y avait aucun message. Personne n'avait eu besoin de moi, personne ne s'était même rendu compte que j'étais partie. Mais j'avais raté les trésors du voyage. J'avais passé tellement de temps à me tracasser que je pouvais à peine me rappeler où j'étais allée.

Ratez-vous le merveilleux de votre voyage parce que vous êtes trop pressé? Lâchez prise. Respirez à fond. Puisque vous faites le voyage, aussi bien vous détendre et profiter du paysage.

Mon Dieu, aide-moi à apprécier où je suis maintenant.

31 décembre — L'aventure est dans le voyage

Nous étions en route vers la zone de saut quand Chip s'est tourné vers moi.

«Allons à San Francisco et allons voir un *widgeon.*»

«*Widgeon?* Ok. Allons-y.»

«Voici les règles, dit-il, en sortant de l'autoroute et en prenant la sortie vers le nord. Nous allons arrêter à la maison pour une minute. Mais nous ne pouvons rien apporter d'autre que ce que nous avons déjà sur nous présentement. Nous devons nous faire confiance que nous obtiendrons tout ce qu'il nous faut en cours de route.»

«Ok, je te suis.»

Je ne savais pas ce qu'était un *widgeon.*

Quatre heures plus tard, nous marchions pieds nus sur la plage Morro, au sud de Big Sur. Un immense rocher qui avait l'air des restes fossilisés d'un dinosaure replié dans l'eau nous faisait signe d'approcher.

Tout comme le coucher de soleil imminent. Je ne savais toujours pas ce qu'était un *widgeon,* mais j'étais contente que nous en cherchions un.

«Tu devrais téléphoner à Andy, ai-je dit, en regardant les vagues s'écraser sur le rocher dinosaure. Vous étiez censés faire de l'escalade demain.»

Chip a pris le téléphone cellulaire que je lui tendais.

«J'ai une idée, ai-je ajouté. Dis à Andy de prendre un avion pour San Francisco, qu'il attende que nous allions le chercher, puis qu'il vienne avec nous trouver le *widgeon.*»

Chip a téléphoné à Andy. Trente-cinq minutes plus tard, Andy a rappelé. «Je vais être à la barrière United de l'aéroport de San Francisco à 21 h 34. À tantôt!»

Chip et moi nous sommes regardés. Il était 18 h 34. Nous étions à 320 kilomètres au sud de San Francisco, et nous avions déjà emprunté la route no 1 passant par Big Sur – une autoroute sinueuse à deux voies qui grimpait sur les falaises élevées, offrait une vue spectaculaire et sur laquelle il fallait voyager lentement et avec précaution.

Une demi-heure plus tard, nous avons regardé l'odomètre. Nous avions parcouru 20 kilomètres.

Chip a tourné vers l'est sur une route apparue subitement. Elle était un peu plus large qu'une route à une voie, serpentant dans les montagnes qui nous séparaient de l'autoroute, avec une limite de 110 kilomètres à l'heure. Il conduisait comme un as de Daytona. Quarante-cinq minutes plus tard, nous avions parcouru vingt autres kilomètres.

Concentration. Se concentrer sur la destination, pas sur le voyage. Seulement se rendre.

À 22 h 35, une heure après l'arrivée d'Andy, nous avons stationné devant la réclamation des bagages. Un Texan blond d'un mètre 85 était assis sur un banc et lisait. Nous avons klaxonné. Il a levé la tête, fait signe de la main, puis s'est dirigé vers la voiture et s'est installé sur le siège arrière.

«Qu'est-ce qu'un *widgeon?*» a-t-il dit.

Le lendemain matin, nous nous sommes dirigés vers Ace Aviation, le foyer du *widgeon*. Nous ne savions pas où c'était, mais nous avons pris ce que nous croyions être la bonne direction. Soudain, Chip a indiqué une pancarte. «Hydravions!» Nous avons quitté la route et sommes entrés.

«Avez-vous entendu parler d'Ace Aviation?» avons-nous demandé.

«Ouais», dit la préposée.

«Y a-t-il un *widgeon* là?»

«Ouais».

«Pouvez-vous nous dire où c'est?»

Elle nous l'a dit.

Une heure plus tard, nous étions dans le stationnement d'Ace Aviation. Pendant l'heure suivante, nous avons regardé les *widgeons* – des avions amphibies dotés d'un charme particulier mais indéniable. L'un d'eux portait le nom «Da Plane». C'était l'hydravion de *L'île fantastique.*

Nous avons trouvé un motel près d'une source thermale, le dernier soir du voyage. Assise dans une baignoire thermale extérieure, j'ai trouvé de nombreuses choses remarquables: la lune presque pleine, l'effet calmant de l'eau et le dentifrice fourni par l'hôtel. Tout au long du voyage, nos souhaits semblaient se matérialiser par magie – d'un restaurant à une plage isolée, de toilettes au milieu d'une forêt à un *widgeon* dans un hôpital pour *widgeon*.

Je l'ai déjà dit et je le répéterai encore. Il est bon d'avoir une destination, mais l'aventure est dans le voyage.

Prenez un moment. Revoyez où vous avez été cette dernière année. Soyez reconnaissant de tout ce que vous avez vécu et des personnes qui sont entrées dans votre vie. Sondez votre cœur. Lâchez prise sur tout ressentiment. Prenez un moment pour réfléchir à vos succès. Soyez-en reconnaissant et soyez aussi reconnaissant de tous les moments ordinaires. Regardez votre liste de buts. Certaines choses ont eu lieu. D'autres ne se sont peut-être pas encore concrétisées. N'abandonnez pas encore. Lâchez prise. Demain, vous pourrez faire une nouvelle liste.

Mon Dieu, merci pour cette année. Libère mon cœur pour que demain je puisse repartir sur une bonne base.
